Petits Classiques
LAROUSSE

Collection fondée par Félix Guirand,
Agrégé des Lettres

Le Grand Meaulnes

Alain-Fournier

Roman

Édition présentée,
annotée et commentée
par Françoise RULLIER-THEURET,
maître de conférences
à l'université Paris-IV Sorbonne

ISBN : 978-2-03-584454-5

SOMMAIRE

Avant d'aborder l'œuvre

Le Grand Meaulnes

Alain-Fournier

Pour approfondir

AVANT D'ABORDER L'ŒUVRE

Fiche d'identité de l'auteur

Alain-Fournier

Nom : Henri Alban Fournier.

Naissance : le 3 octobre 1886, à La Chapelle-d'Angillon (département du Cher).

Famille : ses parents sont instituteurs dans un village de Sologne. Henri habite la maison-école et il est élève dans la classe de son père jusqu'en 1898. Sa mère s'occupe de la classe des petits.

Formation : la vie de pensionnaire commence à douze ans, avec l'entrée en sixième, au lycée Voltaire, à Paris. Bon élève, rêvant de devenir officier de marine, il est admis en seconde (toujours pensionnaire) au lycée de Brest pour préparer l'École navale. Mais il y renonce. Après le baccalauréat, il entame des études supérieures et s'inscrit en classe préparatoire.
En 1903, interne au lycée Lakanal à Sceaux, il rencontre Jacques Rivière qui va devenir le directeur de la revue littéraire moderne la plus importante, *La Nouvelle Revue française*. Ils échangent une importante correspondance.

Les années de crise : le 1er juin 1905, il rencontre Yvonne de Quièvrecourt. En 1907, il échoue pour la troisième fois au concours de l'École normale supérieure, renonce au professorat et abandonne ses études. Le lendemain, il apprend que Mlle de Quièvrecourt s'est mariée.

Carrière littéraire : il écrit des poèmes, choisit le pseudonyme d'Alain-Fournier (dans lequel *Alain* n'est pas un prénom). Après deux ans de service militaire, il décide de vivre du journalisme. Il commence à écrire *Le Grand Meaulnes* qui paraît en 1913, il lui manque une voix pour avoir le prix Goncourt. En 1914, il ébauche une pièce de théâtre et commence un nouveau roman.

Mort : Henri Fournier meurt à vingt-sept ans. Mobilisé dès la déclaration de guerre, il est porté disparu le 22 septembre 1914 dans la Meuse.

Pour ou contre Alain-Fournier ?

Pour

Julien BENDA[1] :

« Alain-Fournier était par excellence de ces êtres de choix qu'on voudrait soustraits au danger ; en voyant ses dons merveilleux, sa grâce, sa beauté d'âme, on ne pouvait s'empêcher de penser qu'il était de ces biens qu'un pays doit défendre et non pas exposer. Lui pensait autrement. Sévère et résolu sous ses dehors de page, plaçant au-dessus de tout le mépris de la mort, il voulait lutter lui-même pour sa race, pour ceux qui firent sa culture. Il est tombé un soir, à la tête de ses hommes, disputant le terrain pied à pied. »

Le Figaro, 21 novembre 1914.

Contre

« Madame SIMONE[2] :

« Le temps est venu d'opposer aux fades portraits inspirés par un curieux fanatisme et dont les attributs essentiels sont une sagesse d'enfant de chœur, la fidélité tenace aux fantasmes de sa dix-septième année, et pour finir, si la guerre l'eût permis, l'entrée en religion, l'image réelle de cet être vivace, orageux, passionné, capable de joie éperdue, de jalousie extrême, de tourments imaginés… »

Madame Simone, *Sous de nouveaux soleils*, Gallimard, 1957.

1. **Julien Benda :** journaliste.
2. **« Madame Simone » :** nom de théâtre et de plume de Pauline Benda. Cette actrice eut une liaison passionnée avec le romancier.

Repères chronologiques

Vie et œuvre d'Alain-Fournier	*Événements politiques et culturels*
1886 Naissance à La Chapelle-d'Angillon de Henri Alban Fournier.	**1876** Mallarmé, *L'Après-midi d'un faune*.
1897 Entre en sixième au lycée Voltaire à Paris.	**1880** Mort de Flaubert.
1900 Entre en seconde au lycée de Brest.	**1880-1882** **Lois Jules Ferry sur l'enseignement primaire, laïc, gratuit et obligatoire.**
1903 Baccalauréat de philosophie à Bourges.	**1881** Verlaine, *Sagesse*.
1903-1907 Prépare le concours de l'E.N.S. au lycée Lakanal, puis au lycée Louis-le-Grand.	**1885** Peugeot lance le vélocipède. Pasteur découvre le vaccin contre la rage. Mort de Victor Hugo. Zola, *Germinal*. Laforgue, *Complaintes*.
1904 Premiers poèmes.	**1889** Inauguration de la tour Eiffel. Toulouse-Lautrec, *Au Bal du moulin de la Galette*. Van Gogh, *Autoportrait à l'oreille coupée*.
1905 Rencontre Yvonne de Quièvrecourt. **Alain-Fournier envisage d'écrire un roman.**	**1890** Degas, *Les Danseuses*. Claudel, *Tête d'or*.
1907 « Le corps de la femme » (essai) signé « Alain-Fournier ».	**1892** Première course automobile (Paris-Rouen). Scandale du Panama.
1907-1909 Service militaire.	**1895** Première projection cinématographique des frères Lumières.
1910 Journaliste à *Paris-Journal*. **Commence à écrire *Le Grand Meaulnes* dans la forme que nous connaissons.**	**1897** Gide, *Les Nourritures terrestres*.
1911 « Portrait » (nouvelle) à la N.R.F.	**1899** Mort de Verlaine.
1912 Secrétaire de Claude Casimir-Perier.	**1900** **Inauguration du métro parisien.**

Repères chronologiques

Vie et œuvre d'Alain-Fournier	*Événements politiques et culturels*
1913 Liaison avec Mme Simone. Publication du *Grand Meaulnes*, à la N.R.F., puis chez Émile-Paul.	**1902** Gide, *L'Immoraliste*.
1914 **Mobilisé et tué aux Éparges, à l'âge de 28 ans.**	**1903** Premier tour de France cycliste.
1924 Jacques Rivière publie *Miracles* (avec une introduction).	**1905** **Loi sur le service militaire obligatoire, égal et universel (réduit à deux ans). Séparation de l'Église et de l'État.**
1926-1928 Correspondance Rivière-Fournier, chez Gallimard.	**1907** Picasso, *Les Demoiselles d'Avignon*. Premières œuvres de Matisse.
1937 Le lycée de Bourges est baptisé « Lycée Alain-Fournier ».	**1909** Création de la *N.R.F.*
	1911 La N.R.F. fonde sa propre maison d'édition avec Gaston Gallimard. Larbaud, *Fermina Marquez*.
	1912 Claudel, *L'Annonce faite à Marie*. Braque inaugure la technique du papier peint. Pergaud, *La Guerre des boutons*. Jacques Rivière devient secrétaire de la *N.R.F.*
	1913 Apollinaire, *Alcools*. **Proust publie à compte d'auteur *Du côté de chez Swann*.** Jacques Rivière publie son essai sur le roman d'aventure *N.R.F.* Poincaré, président de la République.
	1914 Gide, *Les Caves du Vatican*. Juin : attentat de Sarajevo. Juillet : assassinat de Jaurès. Août : mobilisation générale. Septembre : retraite française et bataille de la Marne.
	1923 Radiguet, *Le Diable au corps*.

Fiche d'identité de l'œuvre

Le Grand Meaulnes

Genre :
roman.

Auteur :
Alain-Fournier (pseudonyme d'Henri Fournier).

Structure :
roman en trois parties sensiblement égales (17 chapitres, 12 chapitres et 16 chapitres), suivies d'un épilogue. Chaque chapitre porte un titre qui oriente la lecture.

Personnages :
Les personnages principaux sont des adolescents, ils ont entre quinze et dix-sept ans au début de l'histoire : Augustin Meaulnes, surnommé par ses camarades de classe « le grand Meaulnes », donne son nom à l'œuvre, mais il partage le premier plan avec François Seurel (celui qui raconte l'histoire quinze ans plus tard, le narrateur) et Frantz de Galais, jeune homme fantasque et mystérieux. Deux très jeunes femmes occupent leurs esprits, la châtelaine, Yvonne de Galais, et la fille pauvre d'un tisserand, Valentine.
Les personnages secondaires, nombreux et bien dessinés, élargissent le monde de l'enfance (Jasmin Delouche, Ganache) ou suggèrent celui des adultes (instituteurs, parents, villageois).

Genèse de l'œuvre : *Le Grand Meaulnes* s'inspire d'éléments autobiographiques et transfigure l'adolescence de l'auteur : les paysages poétiques évoqués sont ceux de son enfance ; la rencontre de Meaulnes avec la jeune fille de ses rêves, Yvonne de Galais, s'inspire des rêveries de l'auteur pour une autre Yvonne, réelle, mais inaccessible.

Sujet : le charme du récit tient au mélange du banal et du merveilleux, à la description de lieux mystérieux, à la rencontre de personnages énigmatiques, à la sensibilité de l'adolescence et à la quête de l'absolu (sous les traits d'Yvonne de Galais) qui oriente le parcours de Meaulnes.

Pour ou contre Le Grand Meaulnes ?

Pour

Jacques RIVIÈRE :

« Je ne sais rien dans la littérature qui soit plein à la fois d'autant de rêves et d'autant de fuites et d'évanouissements que *Le Grand Meaulnes*. Je ne retrouve rien dans ma mémoire qui soit en même temps aussi enchanté et aussi désenchanté. »

Préface du *Grand Meaulnes*, 1924.

Paul FORT :

« *Le Grand Meaulnes* : c'est l'histoire d'un enfant qui a fait un beau rêve, et son rêve le suit dans la vie et l'accable… Mais je dis mal. *Le Grand Meaulnes* ne se laisse pas résumer ainsi. C'est un chant aux modulations infinies, tout aventureux, tout pathétique ; c'est une terre, un ciel ; vingt destinées cruellement unies par l'amitié et par l'amour ; c'est un peu de Sologne, un peu de Bourdonnais ; c'est Frantz et c'est Paillasse ; c'est la brume posée dans la forêt d'automne où le chasseur appelle […]. »

Journal des Débats, 29 novembre 1914.

Contre

Gustave LANSON :

« Il y a dans celui [le roman] de Fournier une fantaisie qui me touche peu : elle est d'une invraisemblance d'autant plus choquante que ce conte bleu qui devrait se passer dans un pays de rêve, hors du temps, prétend s'insérer dans la vie réelle et contemporaine. »

Le Matin, 24 décembre 1913.

Pour mieux lire l'œuvre

✣ Au temps d'Alain-Fournier

Le cadre de l'enfance : la France à la fin du XIXe siècle

À la fin du dix-neuvième siècle, la France est un pays essentiellement rural, où le petit artisanat domine (tisserand, charron, maréchal-ferrant et boutiquiers sont évoqués dans le livre). Les progrès scientifiques n'ont pas encore apporté beaucoup de confort dans la vie quotidienne à la campagne : pas d'électricité, chauffage rudimentaire, pas de voiture automobile. La bicyclette fait l'émerveillement de François Seurel.

De la ville, il ne vient à peu près rien de bon, sauf les chapeaux de Millie, qu'il faut d'ailleurs recoudre. Si le chemin de fer contribue à mettre fin à l'isolement régional (les localités importantes sont accessibles, on y va pour consulter un spécialiste pour François), les communications locales restent peu développées : le roman ne connaît que chemins défoncés et routes mal empierrées.

Le cadre d'un étudiant parisien au début du XXe siècle

Les premières années du siècle, à Paris, sont une période d'effervescence artistique et intellectuelle, et les élèves des classes préparatoires découvrent l'art moderne. Henri Fournier et Jacques Rivière sont passionnés de peinture, de musique et de littérature. Au lycée Lakanal, ils suivent un cours d'histoire de l'art, dont le professeur est le fils du compositeur César Franck.

La découverte et le développement de la photographie conduisent les peintres à privilégier les impressions que la photo ne peut pas rendre. C'est l'époque des premières expositions de Cézanne, Degas, Gauguin. Fournier et Rivière entretiennent des liens très étroits avec le peintre cubiste André Lhote, dont les recherches les sensibilisent à l'art moderne. Leurs admirations vont à Braque et au Douanier Rousseau.

En cette fin du XIXe siècle, on assiste à une explosion de la musique française : Fournier et Rivière s'enthousiasment pour *Pelléas et*

Mélisande, pièce de Maeterlinck (1892), mise en musique par Debussy, qu'ils vont entendre plusieurs fois. On a souligné les thèmes communs à ce livret et au *Grand Meaulnes*, et l'on a rapproché la mort d'Yvonne de Galais de la mort de Mélisande.

Pendant les années de classes préparatoires à Lakanal (Sceaux), Fournier et Rivière se nourrissent de poésie. Le symbolisme, qui domine la fin du XIXe siècle, s'affirme contre la poésie descriptive du Parnasse, contre la boursouflure et le mensonge romantique, par la quête d'une réalité plus profonde. Le terme de « symbolisme » est d'abord une manière de nommer la modernité de 1890 et de regrouper des auteurs dans la lignée de Baudelaire, Rimbaud et Mallarmé, un ensemble de poètes qui mettent l'accent sur la valeur suggestive des rythmes et des sonorités, cherchant dans les pouvoirs du langage une analogie du monde, et accordant une grande importance au « symbole » (*À Rebours*, de Huysmans, 1884 ; *Les Complaintes* de Laforgue, 1885 ; *Poètes maudits*, étude où Verlaine présente Corbière, Rimbaud et Mallarmé, 1883). Aucune nouvelle grande école littéraire n'émerge avant la Première Guerre mondiale.

Les deux étudiants découvrent d'abord les symbolistes de la seconde vague : chez Maeterlinck, Fournier apprécie le sens du mystère, chez Verhaeren, il prise le parler juste et sans fard. Puis, Fournier s'enthousiasme pour Jules Laforgue, il aperçoit dans les évocations grinçantes de la médiocrité quotidienne ses propres états d'âme, il reconnaît dans le poète élégiaque le chantre ironique des premiers émois sentimentaux et de cette fin de l'enfance qui ressemble à une débâcle, affirmant : « je l'ai toujours parfaitement compris ». Le personnage du Pierrot triste et sarcastique, cher à Laforgue, se retrouve dans *Le Grand Meaulnes*. Fournier lit également Francis Jammes qui, comme lui, associe le paysage amoureux au paysage d'enfance, et dont il apprécie la simplicité de style et de sujet.

L'admiration pour Claudel, qu'on peut dater de 1905, résulte d'une rencontre morale avant d'être esthétique (l'œuvre préférée est *La Jeune Fille Violaine*). En effet, contrairement au sensualiste Gide,

Claudel pense comme Fournier que le corps, loin d'être sa propre fin, se manifeste comme le signe sensible d'une réalité spirituelle. En 1910, la rencontre avec Charles Péguy, de treize ans son aîné, rapproche deux hommes de même milieu social (même région, mêmes études). L'enthousiasme pour les œuvres de l'auteur du *Mystère de la charité de Jeanne d'Arc* contribue à détourner le romancier des symbolistes, pour « reprendre terre ». Alors que Rivière revient au catholicisme, écrivant en 1912 une étude sur la foi, Fournier partage avec Péguy le pèlerinage de Chartres sans que se concrétise pour autant un retour aux sacrements.

Les amitiés et les cénacles

Au début du XXe siècle, les revues littéraires sont nombreuses (*La Revue blanche, Le Mercure de France*...), elles accueillent les jeunes écrivains. *La Nouvelle Revue française*, qui va devenir un monument du monde littéraire moderne, est fondée par André Gide en 1909, et rassemble des hommes de lettres qui partagent la même vision de la littérature et la même conception de la critique (goûts classiques et recherche de la modernité). Jacques Rivière est recruté l'année suivante (le meilleur ami d'Alain-Fournier, mais aussi l'ami de Francis Jammes, Saint John Perse, François Mauriac et Paul Claudel). En 1912, pour donner plus d'ampleur à son action, la revue se dote d'un comptoir d'édition confié à Gaston Gallimard. La même année, Jacques Rivière devient secrétaire de la *N.R.F.*, il en est aussi le premier grand critique ; après la guerre, il est nommé directeur, exerçant jusqu'à sa mort en 1925 une influence déterminante sur l'évolution de la littérature française. Épris de philosophie, Rivière se passionne pour les arts, et réunit en 1912 ses travaux de critique musicale, picturale et littéraire sous le titre d'*Études*. En 1913, son célèbre article sur « le roman d'aventure » affirme sa volonté d'opposer un roman nouveau, à celui qu'on appelle déjà le roman traditionnel. L'article de Rivière paraît dans la N.R.F. la même année que *Le Grand Meaulnes*, de sorte qu'on a l'impression de rencontrer là ce genre nouveau appelé par les vœux du critique.

L'essentiel

Alain-Fournier a connu une enfance à la campagne dans un monde qui n'était pas encore devenu moderne. Mais, étudiant à Paris, il a été mêlé de très près à la modernité intellectuelle et culturelle, il a lu et fréquenté les auteurs qui ont compté dans la première moitié du vingtième siècle. La poésie a formé son écriture avant le roman.

L'œuvre aujourd'hui

L'auteur dont on a le plus parlé au XXe siècle

Le Grand Meaulnes a un retentissement immédiat, même si le livre manque de peu le prix Goncourt (après onze tours d'un scrutin indécis). Charles Péguy, Jean Giraudoux et Valéry Larbaud manifestent leur enthousiasme.

Il faut dire que la réception du livre a été modifiée par les circonstances tragiques : le lieutenant est tombé au champ d'honneur en pleine jeunesse, en plein succès, n'ayant laissé qu'un seul livre. On parle encore de son roman dans les journaux comme s'il venait de paraître, en 1924, dix ans après sa publication, ce qui est considérable : la vie « mondaine » d'un livre n'est généralement pas si longue. Deux querelles vont faire qu'on va en disputer encore dans les journaux bien des années plus tard.

Quarante ans après sa mort, la vie privée d'Alain-Fournier défraie la chronique. Ses héritiers et particulièrement sa sœur Isabelle font de lui un adolescent angélique. Son livre *Images d'Alain-Fournier* (1938) en donne une image lénifiante. L'intérêt pour la vie d'Alain-Fournier rebondit avec les déclarations de madame Simone, qui publie ses Mémoires dans les années cinquante. Celle qui fut sa maîtresse veut en finir avec l'image simpliste d'un adolescent à l'âme tourmentée, se tournant vers la foi. Quarante-deux ans après l'aventure, elle lève le voile sur ses relations avec l'auteur, le présentant sous les traits virils d'un amant passionné et non pas campé dans son personnage de jeune homme évanescent. Le livre de madame Simone fait scandale dans la famille d'Alain-Fournier et Isabelle répond par une seconde histoire de son frère en 1963. Ce livre va déclencher une retentissante bataille d'articles à sensation. Opposant ses révélations à celles de Simone, elle raconte pour la première fois la rencontre à Rochefort entre son frère et Yvonne de Quièvrecourt, en 1913, s'efforçant de réduire cette brève existence à l'histoire exemplaire d'un adolescent très pur, marqué par la révélation d'un impossible amour et refusant toute compromission avec le réel. Il s'agit pour elle de démontrer que l'actrice n'a pas été la muse de son frère et qu'elle l'a, au contraire, par les séductions mondaines, détourné de son monde intérieur. Le défaut d'objectivité du texte ne pouvait manquer de déclencher une nouvelle et durable polémique : aigres réponses de Simone, échanges d'articles virulents ; encore en 1992, Alain Buisine, dans *Les Mauvaises Pensées du Grand Meaulnes*, éprouve le besoin de dénoncer le « puissant mythe » qui s'est construit autour d'un homme qu'on n'a cessé d'idéaliser et d'un roman jamais critiqué.

On a lu des témoignages recueillis sur sa bravoure au combat (Isabelle Rivière 1963, Jean Loize 1968) ; en réalité, les circonstances de sa mort sont restées longtemps ignorées. Elles ont été élucidées soixante-dix-sept ans plus tard, par les travaux de Michel Algrain (par des fouilles sur les lieux et des recherches dans les archives allemandes) : le 22 septembre 1914, la compagnie d'Alain-Fournier, envoyée en reconnaissance dans le bois de Saint-Rémy aux Éparges, échange des coups de feu avec une compagnie sanitaire allemande (des ambulances). Huit brancardiers sont occupés à ramasser des blessés, ils sont armés et ne bénéficient d'aucune immunité particulière, ils se rendent aux Français. La patrouille d'Alain-Fournier se trouve alors prise à revers par un régiment ennemi. Ce qu'il en fut exactement de cet engagement, les témoignages contradictoires recueillis bien des années plus tard ne permettent pas de le préciser. Les Français ont-ils tiré sur l'ambulance ? Les Allemands ont-ils achevé leurs adversaires blessés ? La polémique reste ouverte. Les travaux de Michel Algrain n'ont pas convaincu les « amis de Jacques Rivière et d'Alain-Fournier », qui crient à la calomnie, mais ils ont impressionné les journaux qui en ont fait un « scoop » : « Le Grand Meaulnes a-t-il été fusillé par les Allemands ? » titre *le Figaro*, en 1989.

Quoi qu'il en soit de l'ambulance controversée et du respect de la convention de Genève, les vingt et un soldats, tombés au combat et portés disparus dans les rangs français, sont enterrés sur place par les Allemands. Cette tombe collective a été localisée grâce aux recherches de Michel Algrain et découverte en 1991 ; le corps d'Alain-Fournier identifié a été réinhumé dans le petit cimetière campagnard de Saint-Rémy-la-Colonne (Meuse).

Le roman le plus lu au XXe siècle

C'est une œuvre dont le succès ne faiblit pas, et qui draine au fil des années de plus en plus de lecteurs. En 1960, le roman est choisi pour être le millième titre dans le Livre de Poche. Il acquiert définitivement le statut de classique de la littérature française. *Le Grand Meaulnes* devient le roman le plus lu en France.

Un prix Alain-Fournier a été fondé en 1986.

L'essentiel

Le Grand Meaulnes a été publié en 1913, des articles à son sujet paraissent jusqu'en 1924. Alain-Fournier est mort en 1914, les querelles sur sa personnalité menées par les deux femmes qui l'ont le plus aimé éclatent dans les journaux quarante ans plus tard. Enfin, l'auteur fait une dernière fois la une des journaux en 1991 quand les circonstances de sa mort sont élucidées.

Illustration pour *Le Grand Meaulnes* de Berthold Mahn.
Frontispice de l'édition Émile Paul.

Le Grand Meaulnes

Alain-Fournier

Roman (1913)

L'ŒUVRE L'ŒUVRE

À ma sœur Isabelle

Première partie

I

Le pensionnaire

IL ARRIVA chez nous un dimanche de novembre 189...

Je continue à dire « chez nous », bien que la maison ne nous appartienne plus. Nous avons quitté le pays depuis bientôt quinze ans et nous n'y reviendrons certainement jamais.

5 Nous habitions les bâtiments du Cours supérieur de Sainte-Agathe. Mon père, que j'appelais M. Seurel, comme les autres élèves, y dirigeait à la fois le Cours supérieur, où l'on préparait le brevet d'instituteur, et le Cours moyen. Ma mère faisait la petite classe.

Une longue maison rouge, avec cinq portes vitrées, sous des 10 vignes vierges, à l'extrémité du bourg ; une cour immense avec préaux[1] et buanderie[2], qui ouvrait en avant sur le village par un grand portail ; sur le côté nord, la route où donnait une petite grille et qui menait vers La Gare, à trois kilomètres ; au sud et par-derrière, des champs, des jardins et des prés qui rejoignaient 15 les faubourgs... tel est le plan sommaire de cette demeure où s'écoulèrent les jours les plus tourmentés et les plus chers de ma vie – demeure d'où partirent et où revinrent se briser, comme des vagues sur un rocher désert, nos aventures.

Le hasard des « changements », une décision d'inspecteur ou de 20 préfet nous avaient conduits là. Vers la fin des vacances, il y a bien longtemps, une voiture de paysan, qui précédait notre ménage, nous avait déposés, ma mère et moi, devant la petite grille rouillée. Des gamins qui volaient des pêches dans le jardin s'étaient enfuis silencieusement par les trous de la haie... Ma mère, que nous 25 appelions Millie, et qui était bien la ménagère la plus méthodique

---

1. **Préaux :** un préau est la partie couverte de la cour dans une école.
2. **Buanderie :** local réservé à la lessive et au rangement du linge.

que j'aie jamais connue, était entrée aussitôt dans les pièces remplies de paille poussiéreuse, et tout de suite elle avait constaté avec désespoir, comme à chaque « déplacement », que nos meubles ne tiendraient jamais dans une maison si mal construite... Elle était sortie pour me confier sa détresse. Tout en me parlant, elle avait essuyé doucement avec son mouchoir ma figure d'enfant noircie par le voyage. Puis elle était rentrée faire le compte de toutes les ouvertures qu'il allait falloir condamner pour rendre le logement habitable... Quant à moi, coiffé d'un grand chapeau de paille à rubans, j'étais resté là, sur le gravier de cette cour étrangère, à attendre, à fureter petitement autour du puits et sous le hangar.

C'est ainsi, du moins, que j'imagine aujourd'hui notre arrivée. Car aussitôt que je veux retrouver le lointain souvenir de cette première soirée d'attente dans notre cour de Sainte-Agathe, déjà ce sont d'autres attentes que je me rappelle ; déjà, les deux mains appuyées aux barreaux du portail, je me vois épiant avec anxiété quelqu'un qui va descendre la grand'rue. Et si j'essaie d'imaginer la première nuit que je dus passer dans ma mansarde[1], au milieu des greniers du premier étage, déjà ce sont d'autres nuits que je me rappelle ; je ne suis plus seul dans cette chambre ; une grande ombre inquiète et amie passe le long des murs et se promène. Tout ce paysage paisible – l'école, le champ du père Martin, avec ses trois noyers, le jardin dès quatre heures envahi chaque jour par des femmes en visite – est à jamais, dans ma mémoire, agité, transformé par la présence de celui qui bouleversa toute notre adolescence et dont la fuite même ne nous a pas laissé de repos.

Nous étions pourtant depuis dix ans dans ce pays lorsque Meaulnes arriva.

J'avais quinze ans. C'était un froid dimanche de novembre, le premier jour d'automne qui fît songer à l'hiver. Toute la journée, Millie avait attendu une voiture de La Gare qui devait lui apporter un chapeau pour la mauvaise saison. Le matin, elle avait manqué la messe ; et jusqu'au sermon, assis dans le chœur avec les autres enfants, j'avais regardé anxieusement du côté des cloches, pour la voir entrer avec son chapeau neuf.

---

1. **Mansarde :** pièce située dans le grenier.

Après midi, je dus partir seul à vêpres[1].

« D'ailleurs, me dit-elle, pour me consoler, en brossant de sa main mon costume d'enfant, même s'il était arrivé, ce chapeau, il aurait bien fallu, sans doute, que je passe mon dimanche à le refaire. »

65 Souvent nos dimanches d'hiver se passaient ainsi. Dès le matin, mon père s'en allait au loin, sur le bord de quelque étang couvert de brume, pêcher le brochet dans une barque ; et ma mère, retirée jusqu'à la nuit dans sa chambre obscure, rafistolait d'humbles toilettes. Elle s'enfermait ainsi de crainte qu'une dame de ses amies, 70 aussi pauvre qu'elle mais aussi fière, vînt la surprendre. Et moi, les vêpres finies, j'attendais, en lisant dans la froide salle à manger, qu'elle ouvrît la porte pour me montrer comment ça lui allait.

Ce dimanche-là, quelque animation devant l'église me retint dehors après vêpres. Un baptême, sous le porche, avait attroupé 75 des gamins. Sur la place, plusieurs hommes du bourg avaient revêtu leurs vareuses[2] de pompiers ; et, les faisceaux[3] formés, transis et battant la semelle, ils écoutaient Boujardon, le brigadier, s'embrouiller dans la théorie…

Le carillon du baptême s'arrêta soudain, comme une sonnerie de 80 fête, qui se serait trompée de jour et d'endroit ; Boujardon et ses hommes, l'arme en bandoulière, emmenèrent la pompe[4] au petit trot ; et je les vis disparaître au premier tournant, suivis de quatre gamins silencieux, écrasant de leurs grosses semelles les brindilles de la route givrée où je n'osais pas les suivre.

85 Dans le bourg, il n'y eut plus alors de vivant que le café Daniel, où j'entendais sourdement monter puis s'apaiser les discussions des buveurs. Et, frôlant le mur bas de la grande cour qui isolait notre maison du village, j'arrivai, un peu anxieux de mon retard, à la petite grille.

90 Elle était entr'ouverte et je vis aussitôt qu'il se passait quelque chose d'insolite.

1. **Vêpres :** office religieux catholique qui se dit l'après-midi (vespéral).
2. **Vareuses :** une vareuse est une sorte de veste.
3. **Faisceau :** terme militaire désignant un assemblage de trois fusils, la crosse posée au sol, et qui se soutiennent les uns les autres.
4. **La pompe :** la pompe à incendie.

En effet, à la porte de la salle à manger – la plus rapprochée des cinq portes vitrées qui donnaient sur la cour – une femme aux cheveux gris, penchée, cherchait à voir au travers des rideaux. Elle était petite, coiffée d'une capote[1] de velours noir à l'ancienne mode. Elle avait un visage maigre et fin, mais ravagé par l'inquiétude ; et je ne sais quelle appréhension, à sa vue, m'arrêta sur la première marche, devant la grille.

« Où est-il passé ? mon Dieu ! disait-elle à mi-voix. Il était avec moi tout à l'heure. Il a déjà fait le tour de la maison. Il s'est peut-être sauvé… »

Et, entre chaque phrase, elle frappait au carreau trois petits coups à peine perceptibles.

Personne ne venait ouvrir à la visiteuse inconnue. Millie, sans doute, avait reçu le chapeau de La Gare, et sans rien entendre, au fond de la chambre rouge, devant un lit semé de vieux rubans et de plumes défrisées, elle cousait, décousait, rebâtissait sa médiocre coiffure… En effet, lorsque j'eus pénétré dans la salle à manger, immédiatement suivi de la visiteuse, ma mère apparut tenant à deux mains sur sa tête des fils de laiton, des rubans et des plumes, qui n'étaient pas encore parfaitement équilibrés… Elle me sourit, de ses yeux bleus fatigués d'avoir travaillé à la chute du jour, et s'écria :

« Regarde ! Je t'attendais pour te montrer… »

Mais, apercevant cette femme assise dans le grand fauteuil, au fond de la salle, elle s'arrêta, déconcertée. Bien vite, elle enleva sa coiffure, et, durant toute la scène qui suivit, elle la tint contre sa poitrine, renversée comme un nid dans son bras droit replié.

La femme à la capote, qui gardait, entre ses genoux, un parapluie et un sac de cuir, avait commencé de s'expliquer, en balançant légèrement la tête et en faisant claquer sa langue comme une femme en visite. Elle avait repris tout son aplomb. Elle eut même, dès qu'elle parla de son fils, un air supérieur et mystérieux qui nous intrigua.

Ils étaient venus tous les deux, en voiture, de La Ferté-d'Angillon, à quatorze kilomètres de Sainte-Agathe. Veuve – et fort riche, à ce qu'elle nous fit comprendre –, elle avait perdu le cadet de ses deux enfants, Antoine, qui était mort un soir au retour de l'école, pour s'être baigné avec son frère dans un étang malsain. Elle avait

1. **Capote :** chapeau de femme qui s'attache par des rubans sous le menton.

décidé de mettre l'aîné, Augustin, en pension chez nous pour qu'il pût suivre le Cours supérieur.

130 Et aussitôt elle fit l'éloge de ce pensionnaire qu'elle nous amenait. Je ne reconnaissais plus la femme aux cheveux gris, que j'avais vue courbée devant la porte, une minute auparavant, avec cet air suppliant et hagard de poule qui aurait perdu l'oiseau sauvage de sa couvée.

135 Ce qu'elle contait de son fils avec admiration était fort surprenant : il aimait à lui faire plaisir, et parfois il suivait le bord de la rivière, jambes nues, pendant des kilomètres, pour lui rapporter des œufs de poules d'eau, de canards sauvages, perdus dans les ajoncs... Il tendait aussi des nasses[1]... L'autre nuit, il avait découvert dans le bois une faisane prise au collet[2]... 140

Moi qui n'osais plus rentrer à la maison quand j'avais un accroc à ma blouse, je regardais Millie avec étonnement.

Mais ma mère n'écoutait plus. Elle fit même signe à la dame de se taire ; et, déposant avec précaution son « nid » sur la table, elle se leva silencieusement comme pour aller surprendre quelqu'un... 145

Au-dessus de nous, en effet, dans un réduit où s'entassaient les pièces d'artifice noircies du dernier Quatorze Juillet, un pas inconnu, assuré, allait et venait, ébranlant le plafond, traversait les immenses greniers ténébreux du premier étage, et se perdait enfin vers les chambres d'adjoints abandonnées où l'on mettait sécher le tilleul et mûrir les pommes. 150

« Déjà, tout à l'heure, j'avais entendu ce bruit dans les chambres du bas, dit Millie à mi-voix, et je croyais que c'était toi, François, qui était rentré... »

155 Personne ne répondit. Nous étions debout tous les trois, le cœur battant, lorsque la porte des greniers qui donnait sur l'escalier de la cuisine s'ouvrit ; quelqu'un descendit les marches, traversa la cuisine, et se présenta dans l'entrée obscure de la salle à manger.

« C'est toi, Augustin ? » dit la dame.

160 C'était un grand garçon de dix-sept ans environ. Je ne vis d'abord de lui, dans la nuit tombante, que son chapeau de feutre paysan

---

1. **Nasses :** une nasse est un panier oblong qui sert à pêcher.
2. **Collet :** instrument de chasse formé d'un nœud coulant pour prendre certains animaux au « cou ».

coiffé en arrière et sa blouse noire sanglée d'une ceinture comme en portent les écoliers. Je pus distinguer aussi qu'il souriait...

Il m'aperçut, et, avant que personne eût pu lui demander aucune explication :

« Viens-tu dans la cour ? » dit-il.

J'hésitai une seconde. Puis, comme Millie ne me retenait pas, je pris ma casquette et j'allai vers lui. Nous sortîmes par la porte de la cuisine et nous allâmes au préau, que l'obscurité envahissait déjà. À la lueur de la fin du jour, je regardais, en marchant, sa face anguleuse au nez droit, à la lèvre duvetée.

« Tiens, dit-il, j'ai trouvé ça dans ton grenier. Tu n'y avais donc jamais regardé ? »

Il tenait à la main une petite roue en bois noirci ; un cordon de fusées déchiquetées courait tout autour ; ç'avait dû être le soleil ou la lune au feu d'artifice du Quatorze Juillet.

« Il y en a deux qui ne sont pas parties : nous allons toujours les allumer », dit-il d'un ton tranquille et de l'air de quelqu'un qui espère bien trouver mieux par la suite.

Il jeta son chapeau par terre et je vis qu'il avait les cheveux complètement ras comme un paysan. Il me montra les deux fusées avec leurs bouts de mèche en papier que la flamme avait coupés, noircis, puis abandonnés. Il planta dans le sable le moyeu[1] de la roue, tira de sa poche – à mon grand étonnement, car cela nous était formellement interdit – une boîte d'allumettes. Se baissant avec précaution, il mit le feu à la mèche. Puis, me prenant par la main, il m'entraîna vivement en arrière.

Un instant après, ma mère qui sortait sur le pas de la porte, avec la mère de Meaulnes, après avoir débattu et fixé le prix de pension, vit jaillir sous le préau, avec un bruit de soufflet, deux gerbes d'étoiles rouges et blanches ; et elle put m'apercevoir, l'espace d'une seconde, dressé dans la lueur magique, tenant par la main le grand gars nouveau venu et ne bronchant pas...

Cette fois encore, elle n'osa rien dire.

Et le soir, au dîner, il y eut, à la table de famille, un compagnon silencieux, qui mangeait, la tête basse, sans se soucier de nos trois regards fixés sur lui.

---

1. **Moyeu :** partie centrale d'une roue que traverse l'axe.

II

Après quatre heures

JE N'AVAIS guère été, jusqu'alors, courir dans les rues avec les gamins du bourg. Une coxalgie[1], dont j'ai souffert jusque vers cette année 189..., m'avait rendu craintif et malheureux. Je me vois encore poursuivant les écoliers alertes dans les ruelles qui entou- 5 raient la maison, en sautillant misérablement sur une jambe...

Aussi ne me laissait-on guère sortir. Et je me rappelle que Millie, qui était très fière de moi, me ramena plus d'une fois à la maison, avec force taloches, pour m'avoir ainsi rencontré, sautant à cloche-pied, avec les garnements du village.

10 L'arrivée d'Augustin Meaulnes, qui coïncida avec ma guérison, fut le commencement d'une vie nouvelle.

Avant sa venue, lorsque le cours était fini, à quatre heures, une longue soirée de solitude commençait pour moi. Mon père transportait le feu du poêle de la classe dans la cheminée de notre 15 salle à manger ; et peu à peu les derniers gamins attardés abandonnaient l'école refroidie où roulaient des tourbillons de fumée. Il y avait encore quelques jeux, des galopades dans la cour ; puis la nuit venait ; les deux élèves qui avaient balayé la classe cherchaient sous le hangar leurs capuchons[2] et leurs pèlerines[3], et ils 20 partaient bien vite, leur panier au bras, en laissant le grand portail ouvert...

Alors, tant qu'il y avait une lueur de jour, je restais au fond de la mairie, enfermé dans le cabinet des archives plein de mouches mortes, d'affiches battant au vent, et je lisais assis sur une vieille 25 bascule[4], auprès d'une fenêtre qui donnait sur le jardin.

Lorsqu'il faisait noir, que les chiens de la ferme voisine commençaient à hurler et que le carreau[5] de notre petite cuisine s'illuminait,

---

1. **Coxalgie :** arthrite de la hanche.
2. **Capuchons :** un capuchon est un manteau sans manche et à capuche. Il se porte sur la pèlerine.
3. **Pèlerines :** une pèlerine est un manteau sans manche et à capuche.
4. **Bascule :** balance.
5. **Carreau :** vitre.

je rentrais enfin. Ma mère avait commencé de préparer le repas. Je montais trois marches de l'escalier du grenier ; je m'asseyais sans rien dire et, la tête appuyée aux barreaux froids de la rampe, je la regardais allumer son feu dans l'étroite cuisine où vacillait la flamme d'une bougie.

Mais quelqu'un est venu qui m'a enlevé à tous ces plaisirs d'enfant paisible. Quelqu'un a soufflé la bougie qui éclairait pour moi le doux visage maternel penché sur le repas du soir. Quelqu'un a éteint la lampe autour de laquelle nous étions une famille heureuse, à la nuit, lorsque mon père avait accroché les volets de bois aux portes vitrées. Et celui-là, ce fut Augustin Meaulnes, que les autres élèves appelèrent bientôt le grand Meaulnes.

Dès qu'il fut pensionnaire chez nous, c'est-à-dire dès les premiers jours de décembre, l'école cessa d'être désertée le soir, après quatre heures. Malgré le froid de la porte battante, les cris des balayeurs et leurs seaux d'eau, il y avait toujours, après le cours, dans la classe, une vingtaine de grands élèves, tant de la campagne que du bourg, serrés autour de Meaulnes. Et c'étaient de longues discussions, des disputes interminables, au milieu desquelles je me glissais avec inquiétude et plaisir.

Meaulnes ne disait rien ; mais c'était pour lui qu'à chaque instant l'un des plus bavards s'avançait au milieu du groupe, et, prenant à témoin tour à tour chacun de ses compagnons, qui l'approuvaient bruyamment, racontait quelque longue histoire de maraude[1], que tous les autres suivaient, le bec ouvert, en riant silencieusement.

Assis sur un pupitre, en balançant les jambes, Meaulnes réfléchissait. Aux bons moments, il riait aussi, mais doucement, comme s'il eût réservé ses éclats de rire pour quelque meilleure histoire, connue de lui seul. Puis, à la nuit tombante, lorsque la lueur des carreaux de la classe n'éclairait plus le groupe confus des jeunes gens, Meaulnes se levait soudain et, traversant le cercle pressé :

« Allons, en route ! » criait-il.

Alors tous le suivaient et l'on entendait leurs cris jusqu'à la nuit noire, dans le haut du bourg...

---

1. **Maraude :** vol de fruits, légumes ou bétail, dans les jardins ou les fermes.

Il m'arrivait maintenant de les accompagner. Avec Meaulnes, j'allais à la porte des écuries des faubourgs, à l'heure où l'on trait les vaches… Nous entrions dans les boutiques, et, du fond de l'obscurité, entre deux craquements de son métier, le tisserand disait : « Voilà les étudiants ! »

Généralement, à l'heure du dîner, nous nous trouvions tout près du Cours, chez Desnoues, le charron[1], qui était aussi maréchal[2]. Sa boutique était une ancienne auberge, avec de grandes portes à deux battants qu'on laissait ouvertes. De la rue on entendait grincer le soufflet de la forge et l'on apercevait à la lueur du brasier, dans ce lieu obscur et tintant, parfois des gens de campagne qui avaient arrêté leur voiture pour causer un instant, parfois un écolier comme nous, adossé à une porte, qui regardait sans rien dire.

Et c'est là que tout commença, environ huit jours avant Noël.

1. **Charron** : artisan qui fabrique et répare les chariots et les charrettes.
2. **Maréchal** : ou « maréchal-ferrant », artisan qui ferre les chevaux.

III

« Je fréquentais la boutique d'un vannier[1] »

La pluie était tombée tout le jour, pour ne cesser qu'au soir. La journée avait été mortellement ennuyeuse. Aux récréations, personne ne sortait. Et l'on entendait mon père, M. Seurel, crier à chaque minute, dans la classe :

« Ne sabotez[2] donc pas comme ça, les gamins ! »

Après la dernière récréation de la journée, ou comme nous disions, après le dernier « quart d'heure », M. Seurel, qui depuis un instant marchait de long en large pensivement, s'arrêta, frappa un grand coup de règle sur la table, pour faire cesser le bourdonnement confus des fins de classe où l'on s'ennuie, et, dans le silence attentif, demanda :

« Qui est-ce qui ira demain en voiture à La Gare avec François, pour chercher M. et Mme Charpentier ? »

C'étaient mes grands-parents : grand-père Charpentier, l'homme au grand burnous[3] de laine grise, le vieux garde forestier en retraite, avec son bonnet de poil de lapin qu'il appelait son képi... Les petits gamins le connaissaient bien. Les matins, pour se débarbouiller, il tirait un seau d'eau, dans lequel il barbotait, à la façon des vieux soldats, en se frottant vaguement la barbiche. Un cercle d'enfants, les mains derrière le dos, l'observaient avec une curiosité respectueuse... Et ils connaissaient aussi grand'mère Charpentier, la petite paysanne, avec sa capote tricotée, parce que Millie l'amenait, au moins une fois, dans la classe des plus petits.

Tous les ans, nous allions les chercher, quelques jours avant Noël, à La Gare, au train de 4 h 02. Ils avaient, pour nous voir, traversé tout le département, chargés de ballots de châtaignes et de victuailles pour Noël enveloppées dans des serviettes. Dès qu'ils avaient passé, tous les deux, emmitouflés, souriants et un peu

---

1. **Vannier :** ouvrier qui tisse l'osier pour en faire des objets (petits paniers, corbeilles...).
2. **Sabotez :** de « saboter », traîner des sabots.
3. **Burnous :** un burnous est un manteau d'homme en laine à capuchon, porté par les Arabes.

interdits, le seuil de la maison, nous fermions sur eux toutes les portes, et c'était une grande semaine de plaisir qui commençait...

Il fallait, pour conduire avec moi la voiture qui devait les ramener, il fallait quelqu'un de sérieux qui ne nous versât[1] pas dans un fossé, et d'assez débonnaire[2] aussi, car le grand-père Charpentier jurait facilement et la grand'mère était un peu bavarde.

À la question de M. Seurel, une dizaine de voix répondirent, criant ensemble :

« Le grand Meaulnes ! le grand Meaulnes ! »

Mais M. Seurel fit semblant de ne pas entendre.

Alors ils crièrent :

« Fromentin ! »

D'autres :

« Jasmin Delouche ! »

Le plus jeune des Roy, qui allait aux champs monté sur sa truie lancée au triple galop, criait : « Moi ! Moi ! », d'une voix perçante.

Dutremblay et Moucheboeuf se contentaient de lever timidement la main.

J'aurais voulu que ce fût Meaulnes. Ce petit voyage en voiture à âne serait devenu un événement plus important. Il le désirait aussi, mais il affectait de se taire dédaigneusement. Tous les grands élèves s'étaient assis comme lui sur la table, à revers, les pieds sur le banc, ainsi que nous faisions dans les moments de grand répit et de réjouissance. Coffin, sa blouse relevée et roulée autour de la ceinture, embrassait la colonne de fer qui soutenait la poutre de la classe et commençait de grimper en signe d'allégresse. Mais M. Seurel refroidit tout le monde en disant :

« Allons ! Ce sera Moucheboeuf. »

Et chacun regagna sa place en silence.

À quatre heures, dans la grande cour glacée, ravinée[3] par la pluie, je me trouvai seul avec Meaulnes. Tous deux, sans rien dire, nous regardions le bourg luisant que séchait la bourrasque. Bientôt, le petit Coffin, en capuchon, un morceau de pain à la

---

1. **Versât :** du verbe « verser » qui signifie « renverser ».
2. **Débonnaire :** indulgent.
3. **Ravinée :** que l'action de la pluie a ravinée, formant de petits ravins.

main, sortit de chez lui et, rasant les murs, se présenta en sifflant à la porte du charron. Meaulnes ouvrit le portail, le héla et, tous les trois, un instant après, nous étions installés au fond de la boutique rouge et chaude, brusquement traversée par de glacials coups de vent : Coffin et moi, assis auprès de la forge, nos pieds boueux dans les copeaux blancs ; Meaulnes, les mains aux poches, silencieux, adossé au battant de la porte d'entrée. De temps à autre, dans la rue, passait une dame du village, la tête baissée à cause du vent, qui revenait de chez le boucher, et nous levions le nez pour regarder qui c'était.

Personne ne disait rien. Le maréchal et son ouvrier, l'un soufflant la forge, l'autre battant le fer, jetaient sur le mur de grandes ombres brusques... Je me rappelle ce soir-là comme un des grands soirs de mon adolescence. C'était en moi un mélange de plaisir et d'anxiété : je craignais que mon compagnon ne m'enlevât cette pauvre joie d'aller à La Gare en voiture ; et pourtant j'attendais de lui, sans oser me l'avouer, quelque entreprise extraordinaire qui vînt tout bouleverser.

De temps à autre, le travail paisible et régulier de la boutique s'interrompait pour un instant. Le maréchal laissait à petits coups pesants et clairs retomber son marteau sur l'enclume. Il regardait, en l'approchant de son tablier de cuir, le morceau de fer qu'il avait travaillé. Et, redressant la tête, il nous disait, histoire de souffler un peu :

« Eh bien, ça va, la jeunesse ? »

L'ouvrier restait la main en l'air à la chaîne du soufflet, mettait son poing gauche sur la hanche et nous regardait en riant.

Puis le travail sourd et bruyant reprenait.

Durant une de ces pauses, on aperçut, par la porte battante, Millie dans le grand vent, serrée dans un fichu, qui passait chargée de petits paquets.

Le maréchal demanda :

« C'est-il que M. Charpentier va bientôt venir ?

– Demain, répondis-je, avec ma grand'mère, j'irai les chercher en voiture au train de 4 h 02.

– Dans la voiture à Fromentin, peut-être ? »

Je répondis bien vite :

« Non, dans celle du père Martin.

100 – Oh ! alors, vous n'êtes pas revenus. »

Et tous les deux, son ouvrier et lui, se prirent à rire.

L'ouvrier fit remarquer, lentement, pour dire quelque chose :

« Avec la jument de Fromentin on aurait pu aller les chercher à Vierzon. Il y a une heure d'arrêt. C'est à quinze kilomètres. On 105 aurait été de retour avant même que l'âne à Martin fût attelé.

– Ça, dit l'autre, c'est une jument qui marche !...

– Et je crois bien que Fromentin la prêterait facilement. »

La conversation finit là. De nouveau la boutique fut un endroit plein d'étincelles et de bruit, où chacun ne pensa que pour soi.

110 Mais lorsque l'heure fut venue de partir et que je me levai pour faire signe au grand Meaulnes, il ne m'aperçut pas d'abord. Adossé à la porte et la tête penchée, il semblait profondément absorbé par ce qui venait d'être dit. En le voyant ainsi, perdu dans ses réflexions, regardant, comme à travers des lieues de brouillard, ces 115 gens paisibles qui travaillaient, je pensai soudain à cette image de *Robinson Crusoé*, où l'on voit l'adolescent anglais, avant son grand départ, « fréquentant la boutique d'un vannier »...

Et j'y ai souvent repensé depuis.

IV

L'évasion

À UNE HEURE de l'après-midi, le lendemain, la classe du Cours supérieur est claire, au milieu du paysage gelé, comme une barque sur l'Océan. On n'y sent pas la saumure[1] ni le cambouis, comme sur un bateau de pêche, mais les harengs grillés sur le poêle et la laine roussie de ceux qui, en rentrant, se sont chauffés de trop près.

On a distribué, car la fin de l'année approche, les cahiers de compositions. Et, pendant que M. Seurel écrit au tableau l'énoncé des problèmes, un silence imparfait s'établit, mêlé de conversations à voix basse, coupé de petits cris étouffés et de phrases dont on ne dit que les premiers mots pour effrayer son voisin :

« Monsieur ! Un tel me... »

M. Seurel, en copiant ses problèmes, pense à autre chose. Il se retourne de temps à autre, en regardant tout le monde d'un air à la fois sévère et absent. Et ce remue-ménage sournois cesse complètement, une seconde, pour reprendre ensuite, tout doucement d'abord, comme un ronronnement.

Seul, au milieu de cette agitation, je me tais. Assis au bout d'une des tables de la division des plus jeunes, près des grandes vitres, je n'ai qu'à me redresser un peu pour apercevoir le jardin, le ruisseau dans le bas, puis les champs.

De temps à autre, je me soulève sur la pointe des pieds et je regarde anxieusement du côté de la ferme de la Belle-Étoile. Dès le début de la classe, je me suis aperçu que Meaulnes n'était pas rentré après la récréation de midi. Son voisin de table a bien dû s'en apercevoir aussi. Il n'a rien dit encore, préoccupé par sa composition. Mais, dès qu'il aura levé la tête, la nouvelle courra par toute la classe, et quelqu'un, comme c'est l'usage, ne manquera pas de crier à haute voix les premiers mots de la phrase :

« Monsieur ! Meaulnes... »

Je sais que Meaulnes est parti. Plus exactement, je le soupçonne de s'être échappé. Sitôt le déjeuner terminé, il a dû sauter le petit

1. **Saumure :** eau fortement salée dans laquelle on met des aliments pour les conserver.

mur et filer à travers champs, en passant le ruisseau à la Vieille-Planche, jusqu'à la Belle-Étoile. Il aura demandé la jument pour aller chercher M. et Mme Charpentier. Il fait atteler en ce moment.

35 La Belle-Étoile est, là-bas, de l'autre côté du ruisseau, sur le versant de la côte, une grande ferme, que les ormes, les chênes de la cour et les haies vives cachent en été. Elle est placée sur un petit chemin qui rejoint d'un côté la route de La Gare, de l'autre un faubourg du pays. Entourée de hauts murs soutenus par des 40 contreforts dont le pied baigne dans le fumier, la grande bâtisse féodale est au mois de juin enfouie sous les feuilles, et, de l'école, on entend seulement, à la tombée de la nuit, le roulement des charrois[1] et les cris des vachers. Mais aujourd'hui, j'aperçois par la vitre, entre les arbres dépouillés, le haut mur grisâtre de la cour, 45 la porte d'entrée, puis, entre des tronçons de haie, une bande du chemin blanchi de givre, parallèle au ruisseau, qui mène à la route de La Gare.

Rien ne bouge encore dans ce clair paysage d'hiver. Rien n'est changé encore.

50 Ici, M. Seurel achève de copier le deuxième problème. Il en donne trois d'habitude. Si aujourd'hui, par hasard, il n'en donnait que deux... Il remonterait aussitôt dans sa chaire et s'apercevrait de l'absence de Meaulnes. Il enverrait pour le chercher à travers le bourg deux gamins qui parviendraient certainement à le découvrir 55 avant que la jument ne soit attelée...

M. Seurel, le deuxième problème copié, laisse un instant retomber son bras fatigué... Puis, à mon grand soulagement, il va à la ligne et recommence à écrire en disant :

« Ceci, maintenant, n'est plus qu'un jeu d'enfant ! »

60 ... Deux petits traits noirs, qui dépassaient le mur de la Belle-Étoile et qui devaient être les deux brancards[2] dressés d'une voiture, ont disparu. Je suis sûr maintenant qu'on fait là-bas les préparatifs du départ de Meaulnes. Voici la jument qui passe la tête et le poitrail entre les deux pilastres[3] de l'entrée, puis s'arrête, 65 tandis qu'on fixe sans doute, à l'arrière de la voiture, un second

---

1. **Charrois :** un charroi est un transport par chariot.
2. **Brancards :** barres de bois entre lesquelles on attache une bête de trait.
3. **Pilastres :** un pilastre est un pilier, une colonne.

siège pour les voyageurs que Meaulnes prétend ramener. Enfin tout l'équipage sort lentement de la cour, disparaît un instant derrière la haie, et repasse avec la même lenteur sur le bout de chemin blanc qu'on aperçoit entre deux tronçons de la clôture. Je reconnais alors, dans cette forme noire qui tient les guides, un coude nonchalamment appuyé sur le côté de la voiture, à la façon paysanne, mon compagnon Augustin Meaulnes.

Un instant encore tout disparaît derrière la haie. Deux hommes qui sont restés au portail de la Belle-Étoile, à regarder partir la voiture, se concertent maintenant avec une animation croissante. L'un d'eux se décide enfin à mettre sa main en porte-voix près de sa bouche et à appeler Meaulnes, puis à courir quelques pas, dans sa direction, sur le chemin... Mais alors, dans la voiture qui est lentement arrivée sur la route de La Gare et que du petit chemin on ne doit plus apercevoir, Meaulnes change soudain d'attitude. Un pied sur le devant, dressé comme un conducteur de char romain, secouant à deux mains les guides, il lance sa bête à fond de train et disparaît en un instant de l'autre côté de la montée. Sur le chemin, l'homme qui appelait s'est repris à courir ; l'autre s'est lancé au galop à travers champs et semble venir vers nous.

En quelques minutes, et au moment même où M. Seurel, quittant le tableau, se frotte les mains pour en enlever la craie, au moment où trois voix à la fois crient du fond de la classe :

« Monsieur ! Le grand Meaulnes est parti ! »

L'homme en blouse bleue est à la porte, qu'il ouvre soudain toute grande, et, levant son chapeau, il demande sur le seuil :

« Excusez-moi, monsieur, c'est-il vous qui avez autorisé cet élève à demander la voiture pour aller à Vierzon chercher vos parents ? Il nous est venu des soupçons...

– Mais pas du tout ! » répond M. Seurel.

Et aussitôt c'est dans la classe un désarroi effroyable. Les trois premiers, près de la sortie, ordinairement chargés de pourchasser à coups de pierres les chèvres ou les porcs qui viennent brouter dans la cour les *corbeilles d'argent*[1], se sont précipités à la porte. Au violent piétinement de leurs sabots ferrés sur les dalles de l'école a succédé, dehors, le bruit étouffé de leurs pas précipités qui

1. ***Corbeilles d'argent :*** plante ornementale au feuillage argenté.

mâchent le sable de la cour et dérapent au virage de la petite grille ouverte sur la route. Tout le reste de la classe s'entasse aux fenêtres du jardin. Certains ont grimpé sur les tables pour mieux voir...

105 Mais il est trop tard. Le grand Meaulnes s'est évadé.

« Tu iras tout de même à La Gare avec Mouchebœuf, me dit M. Seurel. Meaulnes ne connaît pas le chemin de Vierzon. Il se perdra aux carrefours. Il ne sera pas au train pour trois heures. »

Sur le seuil de la petite classe, Millie tend le cou pour demander :

110 « Mais qu'y a-t-il donc ? »

Dans la rue du bourg, les gens commencent à s'attrouper. Le paysan est toujours là, immobile, entêté, son chapeau à la main, comme quelqu'un qui demande justice.

V

La voiture qui revient

LORSQUE j'eus ramené de La Gare les grands-parents, lorsqu'après le dîner, assis devant la haute cheminée, ils commencèrent à raconter par le menu détail tout ce qui leur était arrivé depuis les dernières vacances, je m'aperçus bientôt que je ne les écoutais pas.

La petite grille de la cour était tout près de la porte de la salle à manger. Elle grinçait en s'ouvrant. D'ordinaire, au début de la nuit, pendant nos veillées de campagne, j'attendais secrètement ce grincement de la grille. Il était suivi d'un bruit de sabots claquant ou s'essuyant sur le seuil, parfois d'un chuchotement comme de personnes qui se concertent avant d'entrer. Et l'on frappait. C'était un voisin, les institutrices, quelqu'un enfin qui venait nous distraire de la longue veillée.

Or, ce soir-là, je n'avais plus rien à espérer du dehors, puisque tous ceux que j'aimais étaient réunis dans notre maison ; et pourtant je ne cessais d'épier tous les bruits de la nuit et d'attendre qu'on ouvrît notre porte.

Le vieux grand-père, avec son air broussailleux de grand berger gascon, ses deux pieds lourdement posés devant lui, son bâton entre les jambes, inclinant l'épaule pour cogner sa pipe contre son soulier, était là. Il approuvait de ses yeux mouillés et bons ce que disait la grand'mère, de son voyage et de ses poules et de ses voisins et des paysans qui n'avaient pas encore payé leur fermage. Mais je n'étais plus avec eux.

J'imaginais le roulement de voiture qui s'arrêterait soudain devant la porte. Meaulnes sauterait de la carriole et entrerait comme si rien ne s'était passé... Ou peut-être irait-il d'abord reconduire la jument à la Belle-Étoile ; et j'entendrais bientôt son pas sonner sur la route et la grille s'ouvrir...

Mais rien. Le grand-père regardait fixement devant lui et ses paupières en battant s'arrêtaient longuement sur ses yeux comme à l'approche du sommeil. La grand-mère répétait avec embarras sa dernière phrase, que personne n'écoutait.

« C'est de ce garçon que vous êtes en peine ? » dit-elle enfin.

À La Gare, en effet, je l'avais questionnée vainement. Elle
35 n'avait vu personne, à l'arrêt de Vierzon, qui ressemblât au grand Meaulnes. Mon compagnon avait dû s'attarder en chemin. Sa tentative était manquée. Pendant le retour, en voiture, j'avais ruminé ma déception, tandis que ma grand'mère causait avec Moucheboeuf. Sur la route blanchie de givre, les petits oiseaux tourbillonnaient
40 autour des pieds de l'âne trottinant. De temps à autre, sur le grand calme de l'après-midi gelé, montait l'appel lointain d'une bergère ou d'un gamin hélant son compagnon d'un bosquet de sapins à l'autre. Et chaque fois, ce long cri sur les coteaux déserts me faisait tressaillir, comme si c'eût été la voix de Meaulnes me conviant à le
45 suivre au loin...

Tandis que je repassais tout cela dans mon esprit, l'heure arriva de se coucher. Déjà le grand-père était entré dans la chambre rouge, la chambre-salon, tout humide et glacée d'être close depuis l'autre hiver. On avait enlevé, pour qu'il s'y installât, les têtières en
50 dentelle des fauteuils, relevé les tapis et mis de côté les objets fragiles. Il avait posé son bâton sur une chaise, ses gros souliers sous un fauteuil ; il venait de souffler sa bougie, et nous étions debout, nous disant bonsoir, prêts à nous séparer pour la nuit, lorsqu'un bruit de voitures nous fit taire.

55 On eût dit deux équipages se suivant lentement au très petit trot. Cela ralentit le pas et finalement vint s'arrêter sous la fenêtre de la salle à manger qui donnait sur la route, mais qui était condamnée.

Mon père avait pris la lampe et, sans attendre, il ouvrait la porte qu'on avait déjà fermée à clef. Puis, poussant la grille, s'avançant
60 sur le bord des marches, il leva la lumière au-dessus de sa tête pour voir ce qui se passait.

C'étaient bien deux voitures arrêtées, le cheval de l'une attaché derrière l'autre. Un homme avait sauté à terre et hésitait...

« C'est ici la mairie ? dit-il en s'approchant. Pourriez-vous m'indi-
65 quer M. Fromentin, métayer[1] à la Belle-Étoile ? J'ai trouvé sa voiture et sa jument qui s'en allaient sans conducteur, le long d'un chemin

---

1. **Métayer :** exploitant agricole qui paye un loyer au propriétaire, non en argent, mais par le partage des récoltes.

près de la route de Saint-Loup-des-Bois. Avec mon falot[1], j'ai pu voir son nom et son adresse sur la plaque. Comme c'était sur mon chemin, j'ai ramené son attelage par ici, afin d'éviter des accidents, mais ça m'a rudement retardé quand même. »

Nous étions là, stupéfaits. Mon père s'approcha. Il éclaira la carriole avec sa lampe.

« Il n'y a aucune trace de voyageur, poursuivit l'homme. Pas même une couverture. La bête est fatiguée ; elle boitille un peu. »

Je m'étais approché jusqu'au premier rang et je regardais avec les autres cet attelage perdu qui nous revenait, telle une épave qu'eût ramenée la haute mer – la première épave et la dernière, peut-être, de l'aventure de Meaulnes.

« Si c'est trop loin, chez Fromentin, dit l'homme, je vais vous laisser la voiture. J'ai déjà perdu beaucoup de temps et l'on doit s'inquiéter, chez moi. »

Mon père accepta. De cette façon nous pourrions dès ce soir reconduire l'attelage à la Belle-Étoile sans dire ce qui s'était passé. Ensuite, on déciderait de ce qu'il faudrait raconter aux gens du pays et écrire à la mère de Meaulnes... Et l'homme fouetta sa bête, en refusant le verre de vin que nous lui offrions.

Du fond de sa chambre où il avait rallumé la bougie, tandis que nous rentrions sans rien dire et que mon père conduisait la voiture à la ferme, mon grand-père appelait :

« Alors ? Est-il rentré, ce voyageur ? »

Les femmes se concertèrent du regard, une seconde :

« Mais oui, il a été chez sa mère. Allons, dors. Ne t'inquiète pas !

– Eh bien, tant mieux. C'est bien ce que je pensais », dit-il.

Et, satisfait, il éteignit sa lumière et se tourna dans son lit pour dormir.

Ce fut la même explication que nous donnâmes aux gens du bourg. Quant à la mère du fugitif, il fut décidé qu'on attendrait pour lui écrire. Et nous gardâmes pour nous seuls notre inquiétude qui dura trois grands jours. Je vois encore mon père rentrant de la ferme vers onze heures, sa moustache mouillée par la nuit, discutant avec Millie d'une voix très basse, angoissée et colère...

---

1. **Falot** : grande lanterne portative.

VI

On frappe au carreau

LE QUATRIÈME jour fut un des plus froids de cet hiver-là. De grand matin, les premiers arrivés dans la cour se réchauffaient en glissant autour du puits. Ils attendaient que le poêle fût allumé dans l'école pour s'y précipiter.

Derrière le portail, nous étions plusieurs à guetter la venue des gars de la campagne. Ils arrivaient tout éblouis encore d'avoir traversé des paysages de givre, d'avoir vu les étangs glacés, les taillis où les lièvres détalent... Il y avait dans leurs blouses un goût de foin et d'écurie qui alourdissait l'air de la classe, quand ils se pressaient autour du poêle rouge. Et, ce matin-là, l'un d'eux avait apporté dans un panier un écureuil gelé qu'il avait découvert en route. Il essayait, je me souviens, d'accrocher par ses griffes, au poteau du préau, la longue bête raidie...

Puis la pesante classe d'hiver commença...

Un coup brusque au carreau nous fit lever la tête. Dressé contre la porte, nous aperçûmes le grand Meaulnes secouant, avant d'entrer, le givre de sa blouse, la tête haute et comme ébloui !

Les deux élèves du banc le plus rapproché de la porte se précipitèrent pour l'ouvrir : il y eut à l'entrée comme un vague conciliabule[1], que nous n'entendîmes pas, et le fugitif se décida enfin à pénétrer dans l'école.

Cette bouffée d'air frais venue de la cour déserte, les brindilles de paille qu'on voyait accrochées aux habits du grand Meaulnes, et surtout son air de voyageur fatigué, affamé, mais émerveillé, tout cela fit passer en nous un étrange sentiment de plaisir et de curiosité.

M. Seurel était descendu du petit bureau à deux marches où il était en train de nous faire la dictée, et Meaulnes marchait vers lui d'un air agressif. Je me rappelle combien je le trouvai beau, à cet instant, le grand compagnon, malgré son air épuisé et ses yeux rougis par les nuits passées au dehors, sans doute.

---

1. **Conciliabule :** discussion secrète.

Il s'avança jusqu'à la chaire[1] et dit, du ton très assuré de quelqu'un qui rapporte un renseignement :

« Je suis rentré, monsieur.

– Je le vois bien, répondit M. Seurel, en le considérant avec curiosité… Allez vous asseoir à votre place. »

Le gars se retourna vers nous, le dos un peu courbé, souriant d'un air moqueur, comme font les grands élèves indisciplinés lorsqu'ils sont punis, et, saisissant d'une main le bout de la table, il se laissa glisser sur son banc.

« Vous allez prendre un livre que je vais vous indiquer, dit le maître – toutes les têtes étaient alors tournées vers Meaulnes –, pendant que vos camarades finiront la dictée. »

Et la classe reprit comme auparavant. De temps à autre le grand Meaulnes se tournait de mon côté, puis il regardait par les fenêtres, d'où l'on apercevait le jardin blanc, cotonneux, immobile, et les champs déserts, où parfois descendait un corbeau. Dans la classe, la chaleur était lourde, auprès du poêle rougi. Mon camarade, la tête dans les mains, s'accouda pour lire : à deux reprises je vis ses paupières se fermer et je crus qu'il allait s'endormir.

« Je voudrais aller me coucher, monsieur, dit-il enfin, en levant le bras à demi. Voici trois nuits que je ne dors pas.

– Allez ! » dit M. Seurel, désireux surtout d'éviter un incident.

Toutes les têtes levées, toutes les plumes en l'air, à regret nous le regardâmes partir, avec sa blouse fripée dans le dos et ses souliers terreux.

Que la matinée fut lente à traverser ! Aux approches de midi, nous entendîmes là-haut, dans la mansarde, le voyageur s'apprêter pour descendre. Au déjeuner, je le retrouvai assis devant le feu, près des grands-parents interdits, pendant qu'aux douze coups de l'horloge, les grands élèves et les gamins éparpillés dans la cour neigeuse filaient comme des ombres devant la porte de la salle à manger.

De ce déjeuner je ne me rappelle qu'un grand silence et une grande gêne. Tout était glacé : la toile cirée sans nappe, le vin froid dans les verres, le carreau rougi sur lequel nous posions les pieds… On avait décidé, pour ne pas le pousser à la révolte, de ne

1. **Chaire :** estrade pourvue d'une table et d'un siège où prend place le maître.

rien demander au fugitif. Et il profita de cette trêve pour ne pas dire un mot.

70 Enfin, le dessert terminé, nous pûmes tous les deux bondir dans la cour. Cour d'école, après midi, où les sabots avaient enlevé la neige... cour noircie où le dégel faisait dégoutter les toits du préau... cour pleine de jeux et de cris perçants ! Meaulnes et moi, nous longeâmes en courant les bâtiments. Déjà deux ou trois de 75 nos amis du bourg laissaient la partie et accouraient vers nous en criant de joie, faisant gicler la boue sous leurs sabots, les mains aux poches, le cache-nez déroulé. Mais mon compagnon se précipita dans la grande classe, où je le suivis, et referma la porte vitrée juste à temps pour supporter l'assaut de ceux qui nous poursui- 80 vaient. Il y eut un fracas clair et violent de vitres secouées, de sabots claquant sur le seuil ; une poussée qui fit plier la tige de fer maintenant les deux battants de la porte ; mais déjà Meaulnes, au risque de se blesser à son anneau brisé, avait tourné la petite clef qui fermait la serrure.

85 Nous avions accoutumé de juger très vexante une pareille conduite. En été, ceux qu'on laissait ainsi à la porte couraient au galop dans le jardin et parvenaient souvent à grimper par une fenêtre avant qu'on eût pu les fermer toutes. Mais nous étions en décembre et tout était clos. Un instant on fit au dehors des pesées[1] 90 sur la porte ; on nous cria des injures ; puis, un à un, ils tournèrent le dos et s'en allèrent, la tête basse, en rajustant leurs cache-nez.

Dans la classe qui sentait les châtaignes et la piquette[2], il n'y avait que deux balayeurs, qui déplaçaient les tables. Je m'approchai du poêle pour m'y chauffer paresseusement en attendant la 95 rentrée, tandis qu'Augustin Meaulnes cherchait dans le bureau du maître et dans les pupitres. Il découvrit bientôt un petit atlas, qu'il se mit à étudier avec passion, debout sur l'estrade, les coudes sur le bureau, la tête entre les mains.

Je me disposais à aller près de lui ; je lui aurais mis la main sur 100 l'épaule et nous aurions sans doute suivi ensemble sur la carte le trajet qu'il avait fait, lorsque soudain la porte de communication

---

1. **Pesées :** effort faits en appuyant sur quelque chose ; pressions.
2. **Piquette :** mauvais vin que l'on fabrique, non par distillation, mais en faisant passer de l'eau sur du marc de raisin.

avec la petite classe s'ouvrit toute battante sous une violente poussée, et Jasmin Delouche, suivi d'un gars du bourg et de trois autres de la campagne, surgit avec un cri de triomphe. Une des fenêtres de la petite classe était sans doute mal fermée, ils avaient dû la pousser et sauter par là.

Jasmin Delouche, encore qu'assez petit, était l'un des plus âgés du Cours supérieur. Il était fort jaloux du grand Meaulnes, bien qu'il se donnât comme son ami. Avant l'arrivée de notre pensionnaire, c'était lui, Jasmin, le coq de la classe. Il avait une figure pâle, assez fade, et les cheveux pommadés. Fils unique de la veuve Delouche, aubergiste, il faisait l'homme ; il répétait avec vanité ce qu'il entendait dire aux joueurs de billard, aux buveurs de vermouth[1].

À son entrée, Meaulnes leva la tête et, les sourcils froncés, cria aux gars qui se précipitaient sur le poêle, en se bousculant :

« On ne peut donc pas être tranquille une minute, ici !

– Si tu n'es pas content, il fallait rester où tu étais », répondit, sans lever la tête, Jasmin Delouche qui se sentait appuyé par ses compagnons.

Je pense qu'Augustin était dans cet état de fatigue où la colère monte et vous surprend sans qu'on puisse la contenir.

« Toi, dit-il, en se redressant et en fermant son livre, un peu pâle, tu vas commencer par sortir d'ici ! »

L'autre ricana :

« Oh ! cria-t-il. Parce que tu es resté trois jours échappé, tu crois que tu vas être le maître maintenant ? »

Et, associant les autres à sa querelle :

« Ce n'est pas toi qui nous feras sortir, tu sais ! »

Mais déjà Meaulnes était sur lui. Il y eut d'abord une bousculade ; les manches des blouses craquèrent et se décousirent. Seul, Martin, un des gars de la campagne entrés avec Jasmin, s'interposa :

« Tu vas le laisser ! » dit-il, les narines gonflées, secouant la tête comme un bélier.

D'une poussée violente, Meaulnes le jeta, titubant, les bras ouverts, au milieu de la classe ; puis, saisissant d'une main Delouche

1. **Vermouth** : apéritif à base de vin blanc, aromatisé avec des plantes amères et toniques.

par le cou, de l'autre ouvrant la porte, il tenta de le jeter dehors. Jasmin s'agrippait aux tables et traînait les pieds sur les dalles, faisant crisser[1] ses souliers ferrés, tandis que Martin, ayant repris 140 son équilibre, revenait à pas comptés, la tête en avant, furieux. Meaulnes lâcha Delouche pour se colleter[2] avec cet imbécile, et il allait peut-être se trouver en mauvaise posture, lorsque la porte des appartements s'ouvrit à demi. M. Seurel parut la tête tournée vers la cuisine, terminant, avant d'entrer, une conversation avec 145 quelqu'un…

Aussitôt la bataille s'arrêta. Les uns se rangèrent autour du poêle, la tête basse, ayant évité jusqu'au bout de prendre parti. Meaulnes s'assit à sa place, le haut de ses manches décousu et défroncé. Quant à Jasmin, tout congestionné, on l'entendit crier durant les 150 quelques secondes qui précédèrent le coup de règle du début de la classe :

« Il ne peut plus rien supporter maintenant. Il fait le malin. Il s'imagine peut-être qu'on ne sait pas où il a été !

– Imbécile ! Je ne le sais pas moi-même », répondit Meaulnes, 155 dans le silence déjà grand.

Puis, haussant les épaules, la tête dans les mains, il se mit à apprendre ses leçons.

---

1. **Crisser :** grincer.
2. **Se colleter :** se bagarrer (s'attraper par le col, le cou).

VII

Le gilet de soie

NOTRE CHAMBRE était, comme je l'ai dit, une grande mansarde[1]. À moitié mansarde, à moitié chambre. Il y avait des fenêtres aux autres logis d'adjoints ; on ne sait pas pourquoi celui-ci était éclairé par une lucarne. Il était impossible de fermer complètement la porte, qui frottait sur le plancher. Lorsque nous y montions, le soir, abritant de la main notre bougie que menaçaient tous les courants d'air de la grande demeure, chaque fois nous essayions de fermer cette porte, chaque fois nous étions obligés d'y renoncer. Et, toute la nuit, nous sentions autour de nous, pénétrant jusque dans notre chambre, le silence des trois greniers.

C'est là que nous nous retrouvâmes, Augustin et moi, le soir de ce même jour d'hiver.

Tandis qu'en un tour de main j'avais quitté tous mes vêtements et les avais jetés en tas sur une chaise au chevet de mon lit, mon compagnon, sans rien dire, commençait lentement à se déshabiller. Du lit de fer aux rideaux de cretonne[2] décorés de pampres[3], où j'étais monté déjà, je le regardais faire. Tantôt il s'asseyait sur son lit bas et sans rideaux. Tantôt il se levait et marchait de long en large, tout en se dévêtant. La bougie, qu'il avait posée sur une petite table d'osier tressée par des bohémiens, jetait sur le mur son ombre errante et gigantesque.

Tout au contraire de moi, il pliait et rangeait, d'un air distrait et amer, mais avec soin, ses habits d'écolier. Je le revois plaquant sur une chaise sa lourde ceinture ; pliant sur le dossier sa blouse noire extraordinairement fripée et salie ; retirant une espèce de paletot[4] gros bleu qu'il avait sous sa blouse, et se penchant en me tournant le dos, pour l'étaler sur le pied de son lit... Mais lorsqu'il se redressa et se retourna vers moi, je vis qu'il portait, au lieu du petit

---

1. **Mansarde :** voir note 1 p. 21.
2. **Cretonne :** toile de coton employée en ameublement.
3. **Pampres :** ornements figurant des rameaux de vigne.
4. **Paletot :** veste ample et confortable que l'on porte par-dessus d'autres vêtements.

gilet à boutons de cuivre, qui était d'uniforme sous le paletot, un
30 étrange gilet de soie, très ouvert, que fermait dans le bas un rang serré de petits boutons de nacre.

C'était un vêtement d'une fantaisie charmante, comme devaient en porter les jeunes gens qui dansaient avec nos grand'mères, dans les bals de mil huit cent trente.

35 Je me rappelle, en cet instant, le grand écolier paysan, nu-tête, car il avait soigneusement posé sa casquette sur ses autres habits – visage si jeune, si vaillant et si durci déjà. Il avait repris sa marche à travers la chambre lorsqu'il se mit à déboutonner cette pièce mystérieuse d'un costume qui n'était pas le sien. Et il
40 était étrange de le voir, en bras de chemise, avec son pantalon trop court, ses souliers boueux, mettant la main sur ce gilet de marquis.

Dès qu'il l'eut touché, sortant brusquement de sa rêverie, il tourna la tête vers moi et me regarda d'un œil inquiet. J'avais un peu envie de rire. Il sourit en même temps que moi et son visage s'éclaira.

45 « Oh ! dis-moi ce que c'est, fis-je, enhardi, à voix basse. Où l'as-tu pris ? »

Mais son sourire s'éteignit aussitôt. Il passa deux fois sur ses cheveux ras sa main lourde, et tout soudain, comme quelqu'un qui ne peut plus résister à son désir, il réendossa sur le fin jabot[1]
50 sa vareuse[2] qu'il boutonna solidement et sa blouse fripée ; puis il hésita un instant, en me regardant de côté... Finalement, il s'assit sur le bord de son lit, quitta ses souliers qui tombèrent bruyamment sur le plancher ; et, tout habillé comme un soldat au cantonnement[3] d'alerte, il s'étendit sur son lit et souffla la bougie.

55 Vers le milieu de la nuit je m'éveillai soudain. Meaulnes était au milieu de la chambre, debout, sa casquette sur la tête, et il cherchait au portemanteau quelque chose – une pèlerine[4] qu'il se mit sur le dos... La chambre était très obscure. Pas même la clarté que donne parfois le reflet de la neige. Un vent noir et glacé soufflait
60 dans le jardin mort et sur le toit.

Je me dressai un peu et je lui criai tout bas :

---

1. **Jabot :** ornement fixé sur le devant d'une chemise.
2. **Vareuse :** voir note 2 p. 22.
3. **Cantonnement :** lieu dans lequel une troupe militaire s'établit momentanément.
4. **Pèlerine :** voir note 3 p. 26.

« Meaulnes ! tu repars ? »

Il ne répondit pas. Alors, tout à fait affolé, je dis :

« Eh bien, je pars avec toi. Il faut que tu m'emmènes. »

Et je sautai à bas.

Il s'approcha, me saisit par le bras, me forçant à m'asseoir sur le rebord du lit, et il me dit :

« Je ne puis pas t'emmener, François. Si je connaissais bien mon chemin, tu m'accompagnerais. Mais il faut d'abord que je le retrouve sur le plan, et je n'y parviens pas.

– Alors, tu ne peux pas repartir non plus ?

– C'est vrai, c'est bien inutile… fit-il avec découragement. Allons, recouche-toi. Je te promets de ne pas repartir sans toi. »

Et il reprit sa promenade de long en large dans la chambre. Je n'osais plus rien lui dire. Il marchait, s'arrêtait, repartait plus vite, comme quelqu'un qui, dans sa tête, recherche ou repasse des souvenirs, les confronte, les compare, calcule, et soudain pense avoir trouvé ; puis de nouveau lâche le fil et recommence à chercher…

Ce ne fut pas la seule nuit où, réveillé par le bruit de ses pas, je le trouvai ainsi, vers une heure du matin, déambulant à travers la chambre et les greniers – comme ces marins qui n'ont pu se déshabituer de faire le quart[1] et qui, au fond de leurs propriétés bretonnes, se lèvent et s'habillent à l'heure réglementaire pour surveiller la nuit terrienne.

À deux ou trois reprises, durant le mois de janvier et la première quinzaine de février, je fus ainsi tiré de mon sommeil. Le grand Meaulnes était là, dressé, tout équipé, sa pèlerine sur le dos, prêt à partir, et chaque fois, au bord de ce pays mystérieux, où une fois déjà il s'était évadé, il s'arrêtait, hésitait. Au moment de lever le loquet de la porte de l'escalier et de filer par la porte de la cuisine qu'il eût facilement ouverte sans que personne l'entendît, il reculait une fois encore… Puis, durant les longues heures du milieu de la nuit, fiévreusement, il arpentait, en réfléchissant, les greniers abandonnés.

---

1. **Faire le quart :** faire son service de veille de quatre heures, sur un bateau.

95 Enfin une nuit, vers le 15 février, ce fut lui-même qui m'éveilla en me posant doucement la main sur l'épaule.

La journée avait été fort agitée. Meaulnes, qui délaissait complètement tous les jeux de ses anciens camarades, était resté, durant la dernière récréation du soir, assis sur un banc, tout occupé à établir 100 un mystérieux petit plan, en suivant du doigt, et en calculant longuement, sur l'atlas du Cher. Un va-et-vient incessant se produisait entre la cour et la salle de classe. Les sabots claquaient. On se pourchassait de table en table, franchissant les bancs et l'estrade d'un saut… On savait qu'il ne faisait pas bon s'approcher de Meaulnes 105 lorsqu'il travaillait ainsi, cependant, comme la récréation se prolongeait, deux ou trois gamins du bourg, par manière de jeu, s'approchèrent à pas de loup et regardèrent par-dessus son épaule. L'un d'eux s'enhardit jusqu'à pousser les autres sur Meaulnes… Il ferma brusquement son atlas, cacha sa feuille et empoigna le dernier 110 des trois gars, tandis que les deux autres avaient pu s'échapper.

… C'était ce hargneux Giraudat, qui prit un ton pleurard, essaya de donner des coups de pied, et, en fin de compte, fut mis dehors par le grand Meaulnes, à qui il cria rageusement :

« Grand lâche ! ça ne m'étonne pas qu'ils sont tous contre toi, 115 qu'ils veulent te faire la guerre !… » et une foule d'injures, auxquelles nous répondîmes, sans avoir bien compris ce qu'il avait voulu dire. C'est moi qui criais le plus fort, car j'avais pris le parti du grand Meaulnes. Il y avait maintenant comme un pacte entre nous. La promesse qu'il m'avait faite de m'emmener avec lui, sans 120 me dire, comme tout le monde, « que je ne pourrais pas marcher », m'avait lié à lui pour toujours. Et je ne cessais de penser à son mystérieux voyage. Je m'étais persuadé qu'il avait dû rencontrer une jeune fille. Elle était sans doute infiniment plus belle que toutes celles du pays, plus belle que Jeanne, qu'on apercevait dans le 125 jardin des religieuses par le trou de la serrure ; et que Madeleine, la fille du boulanger, toute rose et toute blonde ; et que Jenny, la fille de la châtelaine, qui était admirable, mais folle et toujours enfermée. C'est à une jeune fille certainement qu'il pensait la nuit, comme un héros de roman. Et j'avais décidé de lui en parler, brave- 130 ment, la première fois qu'il m'éveillerait…

Le soir de cette nouvelle bataille, après quatre heures, nous étions tous les deux occupés à rentrer des outils du jardin, des pics et des pelles qui avaient servi à creuser des trous, lorsque nous entendîmes des cris sur la route. C'était une bande de jeunes gens et de gamins, en colonne par quatre, au pas gymnastique, évoluant comme une compagnie[1] parfaitement organisée, conduits par Delouche, Daniel, Giraudat, et un autre que nous ne connûmes point. Ils nous avaient aperçus et ils nous huaient de la belle façon. Ainsi tout le bourg était contre nous, et l'on préparait je ne sais quel jeu guerrier dont nous étions exclus.

Meaulnes, sans mot dire, remisa sous le hangar la bêche et la pioche qu'il avait sur l'épaule…

Mais, à minuit, je sentais sa main sur mon bras, et je m'éveillais en sursaut.

« Lève-toi, dit-il, nous partons.

– Connais-tu maintenant le chemin jusqu'au bout ?

– J'en connais une bonne partie. Et il faudra bien que nous trouvions le reste ! répondit-il, les dents serrées.

– Écoute, Meaulnes, fis-je en me mettant sur mon séant. Écoute-moi : nous n'avons qu'une chose à faire ; c'est de chercher tous les deux en plein jour, en nous servant de ton plan, la partie du chemin qui nous manque.

– Mais cette portion-là est très loin d'ici.

– Eh bien, nous irons en voiture, cet été, dès que les journées seront longues. »

Il y eut un silence prolongé qui voulait dire qu'il acceptait.

« Puisque nous tâcherons ensemble de retrouver la jeune fille que tu aimes, Meaulnes, ajoutai-je enfin, dis-moi qui elle est, parle-moi d'elle. »

Il s'assit sur le pied de mon lit. Je voyais dans l'ombre sa tête penchée, ses bras croisés et ses genoux. Puis il aspira l'air fortement, comme quelqu'un qui a eu gros cœur longtemps et qui va enfin confier son secret…

---

1. **Compagnie :** terme militaire désignant une unité élémentaire d'infanterie à pied, commandée par un capitaine.

Clefs d'analyse

Première partie : chapitres I à VII

Action et personnages

1. Comparez l'arrivée de François et l'arrivée de Meaulnes à Sainte-Agathe. Comparez les mères des deux garçons. Relevez tout ce qui est interdit à François.
2. Relevez les transgressions successives de Meaulnes. Quelle réaction aurait-on attendue de M. et Mme Seurel ?
3. Justifiez le titre du chapitre IV : « L'évasion ».
4. À quelle époque se situe l'histoire ? Quelles sont les notations concrètes qui évoquent la vie quotidienne dans une école de campagne ?

Langue

5. Pourquoi le feu d'artifice est-il qualifié de « magique » ?
6. Relevez les expressions qui évoquent le bonheur familial. Il y a cependant des notations qui détonnent, lesquelles ?
7. Relevez les images empruntées à l'aventure maritime, vous semblent-elles à leur place dans un récit de l'intérieur des terres ? Pourquoi le narrateur cite-t-il Robinson Crusoé ?
8. La description de Jasmin Delouche en fait-elle un personnage sympathique ?

Genre ou thèmes

9. François Seurel a-t-il existé ? Qui a réellement écrit ce livre ? Quel rapport y a-t-il entre Alain-Fournier et Meaulnes ? Quelle est la position du narrateur François par rapport à son récit ? Est-il le héros ?
10. Montrez que la narration permet de faire la différence entre François-enfant et le narrateur adulte. Peut-on parler d'une écriture réaliste ?
11. Quels sont les éléments caractéristiques du roman d'aventure que vous reconnaissez ?

12. Comment le texte excite-t-il l'intérêt du lecteur ? Relevez les éléments qui retardent le récit de Meaulnes.
13. Est-ce que le lecteur connaît tout ce qu'il y a à savoir à propos de Meaulnes ? Pouvez-vous caractériser le type de vision qui est mis en œuvre ?

Écriture

14. Écrivez une lettre habile à Mme Meaulnes pour lui faire part de la disparition de son fils sans l'inquiéter pour autant.
15. Décrivez Jasmin Delouche de manière à en faire un personnage sympathique.

Pour aller plus loin

16. Quelles réflexions vous suggère la phrase suivante sur les relations familiales : « Mon père, que j'appelais M. Seurel, comme les autres élèves » ?
17. On peut rapprocher le premier chapitre du *Grand Meaulnes* du premier chapitre de *Madame Bovary* : en quoi l'arrivée de Meaulnes à l'école est-elle le contraire de l'arrivée de Charles Bovary au lycée ?
18. Quelles valeurs symboliques représente le forgeron ? Montrez que la description de la forge rejoint les grands mythes antiques.

* À retenir

Les sept premiers chapitres sont liés par l'unité de temps et d'action : ils racontent la vie à l'école depuis l'arrivée de Meaulnes en novembre jusqu'à son retour après l'escapade. L'action tourne constamment autour du personnage éponyme dont la présence change l'ordre du monde et dont l'absence le bouleverse encore plus.

VIII
L'aventure

MON COMPAGNON ne me conta pas cette nuit-là tout ce qui lui était arrivé sur la route. Et même lorsqu'il se fut décidé à me tout confier, durant des jours de détresse dont je reparlerai, ce resta longtemps le grand secret de nos adolescences. Mais aujourd'hui 5 que tout est fini, maintenant qu'il ne reste plus que poussière

de tant de mal, de tant de bien,

je puis raconter son étrange aventure.

.....

À une heure et demie de l'après-midi, sur la route de Vierzon, 10 par ce temps glacial, Meaulnes fit marcher la bête bon train, car il savait n'être pas en avance. Il ne songea d'abord, pour s'en amuser, qu'à notre surprise à tous, lorsqu'il ramènerait dans la carriole, à quatre heures, le grand-père et la grand'mère Charpentier. Car, à ce moment-là, certes, il n'avait pas d'autre intention.

15 Peu à peu, le froid le pénétrant, il s'enveloppa les jambes dans une couverture qu'il avait d'abord refusée et que les gens de la Belle-Étoile avaient mise de force dans la voiture.

À deux heures, il traversa le bourg de La Motte. Il n'était jamais passé dans un petit pays aux heures de classe et s'amusa de voir 20 celui-là aussi désert, aussi endormi. C'est à peine si, de loin en loin, un rideau se leva, montrant une tête curieuse de bonne femme.

À la sortie de La Motte, aussitôt après la maison d'école, il hésita entre deux routes et crut se rappeler qu'il fallait tourner à gauche pour aller à Vierzon. Personne n'était là pour le renseigner. Il remit 25 sa jument au trot sur la route désormais plus étroite et mal empierrée. Il longea quelque temps un bois de sapins et rencontra enfin un roulier[1] à qui il demanda, mettant sa main en porte-voix, s'il était bien là sur la route de Vierzon. La jument, tirant sur les guides, continuait à trotter ; l'homme ne dut pas comprendre ce qu'on lui 30 demandait ; il cria quelque chose en faisant un geste vague, et, à tout hasard, Meaulnes poursuivit sa route.

---

1. **Roulier :** voiturier qui transporte des marchandises.

De nouveau ce fut la vaste campagne gelée, sans accident ni distraction aucune ; parfois seulement une pie s'envolait, effrayée par la voiture, pour aller se percher plus loin sur un orme sans tête. Le voyageur avait enroulé autour de ses épaules, comme une cape, sa grande couverture. Les jambes allongées, accoudé sur un côté de la carriole, il dut somnoler un assez long moment…

… Lorsque, grâce au froid, qui traversait maintenant la couverture, Meaulnes eut repris ses esprits, il s'aperçut que le paysage avait changé. Ce n'étaient plus ces horizons lointains, ce grand ciel blanc où se perdait le regard, mais de petits prés encore verts avec de hautes clôtures. À droite et à gauche, l'eau des fossés coulait sous la glace. Tout faisait pressentir l'approche d'une rivière. Et, entre les hautes haies, la route n'était plus qu'un étroit chemin défoncé.

La jument, depuis un instant, avait cessé de trotter. D'un coup de fouet, Meaulnes voulut lui faire reprendre sa vive allure, mais elle continua à marcher au pas avec une extrême lenteur, et le grand écolier, regardant de côté, les mains appuyées sur le devant de la voiture, s'aperçut qu'elle boitait d'une jambe de derrière. Aussitôt il sauta à terre, très inquiet.

« Jamais nous n'arriverons à Vierzon pour le train », dit-il à mi-voix.

Et il n'osait pas s'avouer sa pensée la plus inquiétante, à savoir que peut-être il s'était trompé de chemin et qu'il n'était plus là sur la route de Vierzon.

Il examina longuement le pied de la bête et n'y découvrit aucune trace de blessure. Très craintive, la jument levait la patte dès que Meaulnes voulait la toucher et grattait le sol de son sabot lourd et maladroit. Il comprit enfin qu'elle avait tout simplement un caillou dans le sabot. En gars expert au maniement du bétail, il s'accroupit, tenta de lui saisir le pied droit avec sa main gauche et de le placer entre ses genoux, mais il fut gêné par la voiture. À deux reprises, la jument se déroba et avança de quelques mètres. Le marchepied[1] vint le frapper à la tête et la roue le blessa au genou. Il s'obstina et finit par triompher de la bête peureuse ; mais le caillou se trouvait si bien enfoncé que Meaulnes dut sortir son couteau de paysan pour en venir à bout.

---

1. **Marchepied :** petites marches servant à monter dans la voiture.

Lorsqu'il eut terminé sa besogne, et qu'il releva enfin la tête, à demi étourdi et les yeux troubles, il s'aperçut avec stupeur que la 70 nuit tombait…

Tout autre que Meaulnes eût immédiatement rebroussé chemin. C'était le seul moyen de ne pas s'égarer davantage. Mais il réfléchit qu'il devait être maintenant fort loin de La Motte. En outre la jument pouvait avoir pris un chemin transversal pendant qu'il 75 dormait. Enfin, ce chemin-là devait bien à la longue mener vers quelque village… Ajoutez à toutes ces raisons que le grand gars, en remontant sur le marchepied, tandis que la bête impatiente tirait déjà sur les guides, sentait grandir en lui le désir exaspéré d'aboutir à quelque chose et d'arriver quelque part, en dépit de 80 tous les obstacles !

Il fouetta la jument qui fit un écart et se remit au grand trot. L'obscurité croissait. Dans le sentier raviné, il y avait maintenant tout juste passage pour la voiture. Parfois une branche morte de la haie se prenait dans la roue et se cassait avec un bruit sec… 85 Lorsqu'il fit tout à fait noir, Meaulnes songea soudain, avec un serrement de cœur, à la salle à manger de Sainte-Agathe, où nous devions, à cette heure, être tous réunis. Puis la colère le prit ; puis l'orgueil, et la joie profonde de s'être ainsi évadé, sans l'avoir voulu…

IX

Une halte

SOUDAIN, la jument ralentit son allure, comme si son pied avait buté dans l'ombre ; Meaulnes vit sa tête plonger et se relever par deux fois ; puis elle s'arrêta net, les naseaux bas, semblant humer quelque chose. Autour des pieds de la bête, on entendait comme un clapotis d'eau. Un ruisseau coupait le chemin. En été, ce devait être un gué[1]. Mais à cette époque le courant était si fort que la glace n'avait pas pris et qu'il eût été dangereux de pousser plus avant.

Meaulnes tira doucement sur les guides, pour reculer de quelques pas et, très perplexe, se dressa dans la voiture. C'est alors qu'il aperçut, entre les branches, une lumière. Deux ou trois prés seulement devaient la séparer du chemin...

L'écolier descendit de voiture et ramena la jument en arrière, en lui parlant pour la calmer, pour arrêter ses brusques coups de tête effrayés : « Allons, ma vieille ! Allons ! Maintenant nous n'irons pas plus loin. Nous saurons bientôt où nous sommes arrivés. »

Et, poussant la barrière entrouverte d'un petit pré qui donnait sur le chemin, il fit entrer là son équipage. Ses pieds enfonçaient dans l'herbe molle. La voiture cahotait silencieusement. Sa tête contre celle de la bête, il sentait sa chaleur et le souffle dur de son haleine... Il la conduisit tout au bout du pré, lui mit sur le dos la couverture ; puis, écartant les branches de la clôture du fond, il aperçut de nouveau la lumière, qui était celle d'une maison isolée.

Il lui fallut bien, tout de même, traverser trois prés, sauter un traître petit ruisseau, où il faillit plonger les deux pieds à la fois... Enfin, après un dernier saut du haut d'un talus, il se trouva dans la cour d'une maison campagnarde. Un cochon grognait dans son tet[2]. Au bruit des pas sur la terre gelée, un chien se mit à aboyer avec fureur.

Le volet de la porte était ouvert, et la lueur que Meaulnes avait aperçue était celle d'un feu de fagots allumé dans la cheminée. Il

---

1. **Gué :** endroit peu profond d'une rivière que l'on peut traverser à pied.
2. **Tet :** porcherie.

n'y avait pas d'autre lumière que celle du feu. Une bonne femme, dans la maison, se leva et s'approcha de la porte, sans paraître autrement effrayée. L'horloge à poids, juste à cet instant, sonna la demie de sept heures.

35 « Excusez-moi, ma pauvre dame, dit le grand garçon, je crois bien que j'ai mis le pied dans vos chrysanthèmes. »

Arrêtée, un bol à la main, elle le regardait.

« Il est vrai, dit-elle, qu'il fait noir dans la cour à ne pas s'y conduire. »

40 Il y eut un silence, pendant lequel Meaulnes, debout, regarda les murs de la pièce tapissée de journaux illustrés comme une auberge, et la table, sur laquelle un chapeau d'homme était posé.

« Il n'est pas là, le patron ? dit-il en s'asseyant.

– Il va revenir, répondit la femme, mise en confiance. Il est allé 45 chercher un fagot.

– Ce n'est pas que j'aie besoin de lui, poursuivit le jeune homme en rapprochant sa chaise du feu. Mais nous sommes là plusieurs chasseurs à l'affût[1]. Je suis venu vous demander de nous céder un peu de pain. »

50 Il savait, le grand Meaulnes, que chez les gens de campagne, et surtout dans une ferme isolée, il faut parler avec beaucoup de discrétion, de politique même, et surtout ne jamais montrer qu'on n'est pas du pays.

« Du pain ? dit-elle. Nous ne pourrons guère vous en donner. 55 Le boulanger qui passe pourtant tous les mardis n'est pas venu aujourd'hui. »

Augustin, qui avait espéré un instant se trouver à proximité d'un village, s'effraya.

« Le boulanger de quel pays ? demanda-t-il.

60 – Eh bien, le boulanger du Vieux-Nançay, répondit la femme avec étonnement.

– C'est à quelle distance d'ici, au juste, Le Vieux-Nançay ? poursuivit Meaulnes très inquiet.

1. **Affût** : terme de chasse désignant l'endroit où l'on se poste pour guetter le gibier.

– Par la route, je ne saurais pas vous dire au juste ; mais par la traverse il y a trois lieues[1] et demie. »

Et elle se mit à raconter qu'elle y avait sa fille en place[2], qu'elle venait à pied pour la voir tous les premiers dimanches du mois et que ses patrons...

Mais Meaulnes, complètement dérouté, l'interrompit pour dire :

« Le Vieux-Nançay serait-il le bourg le plus rapproché d'ici ?

– Non, c'est Les Landes, à cinq kilomètres. Mais il n'y a pas de marchands ni de boulanger. Il y a tout juste une petite assemblée, chaque année, à la Saint-Martin. »

Meaulnes n'avait jamais entendu parler des Landes. Il se vit à tel point égaré qu'il en fut presque amusé. Mais la femme, qui était occupée à laver son bol sur l'évier, se retourna, curieuse à son tour, et elle dit lentement, en le regardant bien droit :

« C'est-il que vous n'êtes pas du pays ?... »

À ce moment, un paysan âgé se présenta à la porte, avec une brassée de bois, qu'il jeta sur le carreau. La femme lui expliqua, très fort, comme s'il eût été sourd, ce que demandait le jeune homme.

« Eh bien, c'est facile, dit-il simplement. Mais approchez-vous, monsieur. Vous ne vous chauffez pas. »

Tous les deux, un instant plus tard, ils étaient installés près des chenets[3] : le vieux cassant son bois pour le mettre dans le feu, Meaulnes mangeant un bol de lait avec du pain qu'on lui avait offert. Notre voyageur, ravi de se trouver dans cette humble maison après tant d'inquiétudes, pensant que sa bizarre aventure était terminée, faisait déjà le projet de revenir plus tard avec des camarades revoir ces braves gens. Il ne savait pas que c'était là seulement une halte, et qu'il allait tout à l'heure reprendre son chemin.

Il demanda bientôt qu'on le remît sur la route de La Motte. Et, revenant peu à peu à la vérité, il raconta qu'avec sa voiture il

---

1. **Lieues :** une lieue est une ancienne unité de mesure, valant à peu près quatre kilomètres.
2. **En place :** employée comme domestique dans une maison.
3. **Chenets :** supports métalliques sur lesquels on place les bûches dans le foyer d'une cheminée.

s'était séparé des autres chasseurs et se trouvait maintenant com-
95 plètement égaré.

Alors l'homme et la femme insistèrent si longtemps pour qu'il restât coucher et repartît seulement au grand jour, que Meaulnes finit par accepter et sortit chercher sa jument pour la rentrer à l'écurie.

100 « Vous prendrez garde aux trous de la sente[1] », lui dit l'homme.

Meaulnes n'osa pas avouer qu'il n'était pas venu par la « sente ». Il fut sur le point de demander au brave homme de l'accompagner. Il hésita une seconde sur le seuil et si grande était son indécision qu'il faillit chanceler. Puis il sortit dans la cour obscure.

1. **Sente :** petit sentier.

X

La bergerie

Pour s'y reconnaître, il grimpa sur le talus d'où il avait sauté.

Lentement et difficilement, comme à l'aller, il se guida entre les herbes et les eaux, à travers les clôtures de saules, et s'en fut chercher sa voiture dans le fond du pré où il l'avait laissée. La voiture n'y était plus... Immobile, la tête battante, il s'efforça d'écouter tous les bruits de la nuit, croyant à chaque seconde entendre sonner tout près le collier de la bête. Rien... Il fit le tour du pré ; la barrière était à demi ouverte, à demi renversée, comme si une roue de voiture avait passé dessus. La jument avait dû, par là, s'échapper toute seule.

Remontant le chemin, il fit quelques pas et s'embarrassa les pieds dans la couverture qui sans doute avait glissé de la jument à terre. Il en conclut que la bête s'était enfuie dans cette direction. Il se prit à courir.

Sans autre idée que la volonté tenace et folle de rattraper sa voiture, tout le sang au visage, en proie à ce désir panique qui ressemblait à la peur, il courait... Parfois son pied butait dans les ornières. Aux tournants, dans l'obscurité totale, il se jetait contre les clôtures, et, déjà trop fatigué pour s'arrêter à temps, s'abattait sur les épines, les bras en avant, se déchirant les mains pour se protéger le visage. Parfois, il s'arrêtait, écoutait – et repartait. Un instant, il crut entendre un bruit de voiture ; mais ce n'était qu'un tombereau[1] cahotant qui passait très loin, sur une route, à gauche...

Vint un moment où son genou, blessé au marchepied, lui fit si mal qu'il dut s'arrêter, la jambe raidie. Alors il réfléchit que si la jument ne s'était pas sauvée au grand galop, il l'aurait depuis longtemps rejointe. Il se dit aussi qu'une voiture ne se perdait pas ainsi et que quelqu'un la retrouverait bien. Enfin il revint sur ses pas, épuisé, colère, se traînant à peine.

---

1. **Tombereau :** caisse montée sur deux roues, servant à transporter des matériaux et qu'on décharge en la faisant basculer.

30 À la longue, il crut se retrouver dans les parages qu'il avait quittés et bientôt il aperçut la lumière de la maison qu'il cherchait. Un sentier profond s'ouvrait dans la haie :

« Voilà la sente dont le vieux m'a parlé », se dit Augustin.

Et il s'engagea dans ce passage, heureux de n'avoir plus à franchir les haies et les talus. Au bout d'un instant, le sentier déviant à gauche, la lumière parut glisser à droite, et, parvenu à un croisement de chemins, Meaulnes, dans sa hâte à regagner le pauvre logis, suivit sans réfléchir un sentier qui paraissait directement y conduire. Mais à peine avait-il fait dix pas dans cette direction que la lumière disparut, soit qu'elle fût cachée par une haie, soit que les paysans, fatigués d'attendre, eussent fermé leurs volets. Courageusement, l'écolier sauta à travers champs, marcha tout droit dans la direction où la lumière avait brillé tout à l'heure. Puis, franchissant encore une clôture, il retomba dans un nouveau sentier…

Ainsi peu à peu, s'embrouillait la piste du grand Meaulnes et se brisait le lien qui l'attachait à ceux qu'il avait quittés.

Découragé, presque à bout de forces, il résolut dans son désespoir, de suivre ce sentier jusqu'au bout. À cent pas de là, il débouchait dans une grande prairie grise, où l'on distinguait de loin en loin des ombres qui devaient être des genévriers, et une bâtisse obscure dans un repli de terrain. Meaulnes s'en approcha. Ce n'était là qu'une sorte de grand parc à bétail ou de bergerie abandonnée. La porte céda avec un gémissement. La lueur de la lune, quand le grand vent chassait les nuages, passait à travers les fentes des cloisons. Une odeur de moisi régnait.

Sans chercher plus avant, Meaulnes s'étendit sur la paille humide, le coude à terre, la tête dans la main. Ayant retiré sa ceinture, il se recroquevilla dans sa blouse, les genoux au ventre. Il songea alors à la couverture de la jument qu'il avait laissée dans le chemin, et il se sentit si malheureux, si fâché contre lui-même qu'il lui prit une forte envie de pleurer…

Aussi s'efforça-t-il de penser à autre chose. Glacé jusqu'aux moelles, il se rappela un rêve – une vision plutôt, qu'il avait eue tout enfant, et dont il n'avait jamais parlé à personne : un matin, au lieu de s'éveiller dans sa chambre, où pendaient ses culottes et ses paletots[1], il s'était trouvé dans une longue pièce verte, aux tentures pareilles à des feuillages. En ce lieu coulait une lumière si douce qu'on eût cru pouvoir la goûter. Près de la première fenêtre, une jeune fille cousait, le dos tourné, semblant attendre son réveil… Il n'avait pas eu la force de se glisser hors de son lit pour marcher dans cette demeure enchantée. Il s'était rendormi… Mais la prochaine fois, il jurait bien de se lever. Demain matin, peut-être !…

1. **Paletots :** voir note 4 p. 45.

XI

Le domaine mystérieux

DÈS LE PETIT JOUR, il se reprit à marcher. Mais son genou enflé lui faisait mal ; il lui fallait s'arrêter et s'asseoir à chaque moment tant la douleur était vive. L'endroit où il se trouvait était d'ailleurs le plus désolé de la Sologne. De toute la matinée, il ne vit qu'une bergère, à l'horizon, qui ramenait son troupeau. Il eut beau la héler, essayer de courir, elle disparut sans l'entendre.

Il continua cependant de marcher dans sa direction, avec une désolante lenteur... Pas un toit, pas une âme. Pas même le cri d'un courlis dans les roseaux des marais. Et, sur cette solitude parfaite, brillait un soleil de décembre, clair et glacial.

Il pouvait être trois heures de l'après-midi lorsqu'il aperçut enfin, au-dessus d'un bois de sapins, la flèche d'une tourelle grise.

« Quelque vieux manoir abandonné, se dit-il, quelque pigeonnier désert !... »

Et, sans presser le pas, il continua son chemin. Au coin du bois débouchait, entre deux poteaux blancs, une allée où Meaulnes s'engagea. Il y fit quelques pas et s'arrêta, plein de surprise, troublé d'une émotion inexplicable. Il marchait pourtant du même pas fatigué, le vent glacé lui gerçait les lèvres, le suffoquait par instants ; et pourtant un contentement extraordinaire le soulevait, une tranquillité parfaite et presque enivrante, la certitude que son but était atteint et qu'il n'y avait plus maintenant que du bonheur à espérer. C'est ainsi que, jadis, la veille des grandes fêtes d'été, il se sentait défaillir, lorsqu'à la tombée de la nuit on plantait des sapins dans les rues du bourg et que la fenêtre de sa chambre était obstruée par les branches.

« Tant de joie, se dit-il, parce que j'arrive à ce vieux pigeonnier, plein de hiboux et de courants d'air !... »

Et, fâché contre lui-même, il s'arrêta, se demandant s'il ne valait pas mieux rebrousser chemin et continuer jusqu'au prochain village. Il réfléchissait depuis un instant, la tête basse, lorsqu'il s'aperçut soudain que l'allée était balayée à grands ronds réguliers comme on faisait chez lui pour les fêtes. Il se trouvait dans un chemin pareil à la grand'rue de La Ferté, le matin de l'Assomption[1] !... Il eût aperçu au détour de l'allée une troupe de gens en fête soulevant la poussière, comme au mois de juin, qu'il n'eût pas été surpris davantage.

« Y aurait-il une fête dans cette solitude ? » se demanda-t-il.

Avançant jusqu'au premier détour, il entendit un bruit de voix qui s'approchaient. Il se jeta de côté dans les jeunes sapins touffus, s'accroupit et écouta en retenant son souffle. C'étaient des voix enfantines. Une troupe d'enfants passa tout près de lui. L'un d'eux, probablement une petite fille, parlait d'un ton si sage et si entendu que Meaulnes, bien qu'il ne comprît guère le sens de ses paroles, ne put s'empêcher de sourire.

« Une seule chose m'inquiète, disait-elle, c'est la question des chevaux. On n'empêchera jamais Daniel, par exemple, de monter sur le grand poney jaune !

– Jamais on ne m'en empêchera, répondit une voix moqueuse de jeune garçon. Est-ce que nous n'avons pas toutes les permissions ?... Même celle de nous faire mal, s'il nous plaît... »

Et les voix s'éloignèrent, au moment où s'approchait déjà un autre groupe d'enfants.

« Si la glace est fondue, dit une fillette, demain matin, nous irons en bateau.

– Mais nous le permettra-t-on ? dit une autre.

– Vous savez bien que nous organisons la fête à notre guise.

– Et si Frantz rentrait dès ce soir, avec sa fiancée ?

– Eh bien, il ferait ce que nous voudrions !... »

« Il s'agit d'une noce, sans doute, se dit Augustin. Mais ce sont les enfants qui font la loi, ici ?... Étrange domaine ! »

Il voulut sortir de sa cachette pour leur demander où l'on trouverait à boire et à manger. Il se dressa et vit le dernier groupe qui s'éloignait. C'étaient trois fillettes avec des robes droites qui s'arrêtaient aux genoux. Elles avaient de jolis chapeaux à brides[2]. Une plume blanche leur traînait dans le cou, à toutes les trois. L'une

---

1. **Assomption :** fête catholique qui commémore l'élévation miraculeuse de la Vierge dans le ciel et qui a lieu le 15 août.
2. **Brides :** cordons ou rubans destinés à être noués sous le menton.

d'elles, à demi retournée, un peu penchée, écoutait sa compagne qui lui donnait de grandes explications, le doigt levé.

« Je leur ferais peur », se dit Meaulnes, en regardant sa blouse 70 paysanne déchirée et son ceinturon baroque[1] de collégien de Sainte-Agathe.

Craignant que les enfants ne le rencontrassent en revenant par l'allée, il continua son chemin à travers les sapins dans la direction du « pigeonnier », sans trop réfléchir à ce qu'il pourrait demander 75 là-bas. Il fut bientôt arrêté à la lisière du bois, par un petit mur moussu. De l'autre côté, entre le mur et les annexes du domaine, c'était une longue cour étroite toute remplie de voitures, comme une cour d'auberge un jour de foire. Il y en avait de tous les genres et de toutes les formes : de fines petites voitures à quatre places, 80 les brancards en l'air ; des chars à bancs[2] ; des bourbonnaises[3] démodées avec des galeries à moulures, et même de vieilles berlines[4] dont les glaces étaient levées.

Meaulnes, caché derrière les sapins, de crainte qu'on ne l'aperçût, examinait le désordre du lieu, lorsqu'il avisa, de l'autre côté de la 85 cour, juste au-dessus du siège d'un haut char à bancs, une fenêtre des annexes à demi ouverte. Deux barreaux de fer, comme on en voit derrière les domaines aux volets toujours fermés des écuries, avaient dû clore cette ouverture. Mais le temps les avait descellés.

« Je vais entrer là, se dit l'écolier, je dormirai dans le foin et je 90 partirai au petit jour, sans avoir fait peur à ces belles petites filles. »

Il franchit le mur, péniblement, à cause de son genou blessé, et, passant d'une voiture sur l'autre, du siège d'un char à bancs sur le toit d'une berline, il arriva à la hauteur de la fenêtre, qu'il poussa sans bruit comme une porte.

95 Il se trouvait non pas dans un grenier à foin, mais dans une vaste pièce au plafond bas qui devait être une chambre à coucher. On distinguait, dans la demi-obscurité du soir d'hiver, que la table,

---

1. **Baroque :** désigne un style artistique né en Italie entre le XVIe et le XVIIe siècle. Par extension, le terme est synonyme de « bizarre », « original ».
2. **Chars à bancs :** un char à bancs est une longue voiture à traction animale, à quatre roues, avec des bancs (des sièges) en travers.
3. **Bourbonnaises :** une bourbonnaise est une variété de voiture à cheval.
4. **Berlines :** voitures à cheval fermées.

la cheminée et même les fauteuils étaient chargés de grands vases, d'objets de prix, d'armes anciennes. Au fond de la pièce des rideaux tombaient, qui devaient cacher une alcôve[1].

Meaulnes avait fermé la fenêtre, tant à cause du froid que par crainte d'être aperçu du dehors. Il alla soulever le rideau du fond et découvrit un grand lit bas, couvert de vieux livres dorés, de luths[2] aux cordes cassées et de candélabres[3] jetés pêle-mêle. Il repoussa toutes ces choses dans le fond de l'alcôve, puis s'étendit sur cette couche pour s'y reposer et réfléchir un peu à l'étrange aventure dans laquelle il s'était jeté.

Un silence profond régnait sur ce domaine. Par instants seulement on entendait gémir le grand vent de décembre.

Et Meaulnes, étendu, en venait à se demander si, malgré ces étranges rencontres, malgré la voix des enfants dans l'allée, malgré les voitures entassées, ce n'était pas là simplement, comme il l'avait pensé d'abord, une vieille bâtisse abandonnée dans la solitude de l'hiver.

Il lui sembla bientôt que le vent lui portait le son d'une musique perdue. C'était comme un souvenir plein de charme et de regret. Il se rappela le temps où sa mère, jeune encore, se mettait au piano l'après-midi dans le salon, et lui, sans rien dire, derrière la porte qui donnait sur le jardin, il l'écoutait jusqu'à la nuit...

« On dirait que quelqu'un joue du piano quelque part ? » pensa-t-il.

Mais laissant sa question sans réponse, harassé de fatigue, il ne tarda pas à s'endormir...

---

1. **Alcôve :** renfoncement ménagé dans une chambre pour mettre un lit.
2. **Luths :** un luth est un instrument de musique à cordes pincées et dont le corps est en forme de demi-poire.
3. **Candélabres :** un candélabre est un chandelier à plusieurs branches.

Clefs d'analyse

Première partie : chapitres VIII à XI

Action et personnages

1. Meaulnes est-il responsable de son itinéraire ? Comment expliquer les sentiments contradictoires du héros ?
2. Relevez dans l'ordre les étapes du parcours qui sont comme autant d'épreuves pour Meaulnes.
3. Quel est le rôle des personnages rencontrés ? Qu'est-ce que chacun apporte à Meaulnes ?
4. Meaulnes s'arrête plusieurs fois pour dormir : comparez ses différentes étapes.
5. Chapitre XI : à quoi Meaulnes reconnaît-il qu'il a atteint son but ?

Langue

6. Chapitre VIII : relevez les mots qui indiquent que Meaulnes est en train de se perdre.
7. Chapitre XI : relevez les indices de ruine et de disparate dans la présentation du Domaine.
8. En quoi la description de la chambre évoque-t-elle un grenier ?

Genre ou thèmes

9. Le lecteur partage-t-il encore le point de vue de François ?
10. Quel personnage a vécu l'aventure ? Qui raconte l'histoire à François ?
11. Qui prend en charge la narration de l'histoire dans le roman ? Quelle personne grammaticale est utilisée ? Quelle autre présentation aurait été possible ? Pourquoi François ne laisse-t-il pas la parole à Meaulnes ?
12. Le début du chapitre VIII donne les conditions qui sont nécessaires à une narration légitime. Explicitez-les.
13. Est-ce que Meaulnes comprend tout ce qu'il voit ?

Écriture

14. Quel titre pouvez-vous proposer pour ces 4 chapitres, de manière à rendre compte de l'unité d'action ?
15. C'est Meaulnes qui raconte son aventure à François. Réécrivez le début du chapitre XI à la première personne comme l'histoire a été racontée à François.
16. Chapitre XI : transposez le dialogue des enfants au discours indirect.

Pour aller plus loin

17. Chapitre IX : quel épisode du « Petit Poucet » évoque la halte dans la petite maison ?
18. Chapitre X : quel autre conte populaire évoque la traversée des bois ?
19. Montrez que le roman emprunte des éléments au conte de fées.
20. Pouvez-vous reconnaître certains thèmes des romans de chevalerie ?
21. Tous les voyages vers un au-delà merveilleux soumettent le héros à une série d'épreuves. Connaissez-vous d'autres textes (Antiquité, Moyen Âge) où le voyage du héros prend les allures d'une quête ?

✻ *À retenir*

À partir du chapitre VIII, la narration opère un retour en arrière. L'aventure de Meaulnes est racontée après son retour dans un récit rétrospectif. Meaulnes raconte à François ce fameux voyage dont on ne nous avait donné que le début et la fin. Au chapitre VIII, Meaulnes se perd, au chapitre XI, il atteint le domaine sans nom. Il faut donc quatre chapitres entiers à Meaulnes pour quitter le monde quotidien et atteindre le domaine sans nom.

XII

La chambre de Wellington[1]

IL FAISAIT nuit lorsqu'il s'éveilla. Transi de froid, il se tourna et se retourna sur sa couche, fripant et roulant sous lui sa blouse noire. Une faible clarté glauque[2] baignait les rideaux de l'alcôve.

S'asseyant sur le lit, il glissa sa tête entre les rideaux. Quelqu'un avait ouvert la fenêtre et l'on avait attaché dans l'embrasure deux lanternes vénitiennes vertes.

Mais à peine Meaulnes avait-il pu jeter un coup d'œil, qu'il entendit sur le palier un bruit de pas étouffé et de conversation à voix basse. Il se rejeta dans l'alcôve et ses souliers ferrés firent sonner un des objets de bronze qu'il avait repoussés contre le mur. Un instant, très inquiet, il retint son souffle. Les pas se rapprochèrent et deux ombres glissèrent dans la chambre.

« Ne fais pas de bruit, disait l'un.

– Ah ! répondait l'autre, il est toujours bien temps qu'il s'éveille !

– As-tu garni sa chambre ?

– Mais oui, comme celle des autres. »

Le vent fit battre la fenêtre ouverte.

« Tiens, dit le premier, tu n'as pas même fermé la fenêtre. Le vent a déjà éteint une des lanternes. Il va falloir la rallumer.

– Bah ! répondit l'autre, pris d'une paresse et d'un découragement soudains. À quoi bon ces illuminations du côté de la campagne, du côté du désert, autant dire ? Il n'y a personne pour les voir.

– Personne ? Mais il arrivera encore des gens pendant une partie de la nuit. Là-bas, sur la route, dans leurs voitures, ils seront bien contents d'apercevoir nos lumières ! »

Meaulnes entendit craquer une allumette. Celui qui avait parlé le dernier, et qui paraissait être le chef, reprit d'une voix traînante, à la façon d'un fossoyeur de Shakespeare :

---

1. **Wellington :** général anglais qui combattit l'empereur Napoléon Ier.
2. **Glauque :** de la couleur vert blanchâtre ou bleuâtre de la mer ; définit aussi une atmosphère trouble et sans éclat.

« Tu mets des lanternes vertes à la chambre de Wellington. T'en mettrais aussi bien des rouges... Tu ne t'y connais pas plus que moi ! »

Un silence.

« ... Wellington, c'était un Américain ? Eh bien, c'est-il une couleur américaine, le vert ? Toi, le comédien qui as voyagé, tu devrais savoir ça.

– Oh ! là là ! répondit le "comédien", voyagé ? Oui, j'ai voyagé ! Mais je n'ai rien vu ! Que veux-tu voir dans une roulotte ? »

Meaulnes avec précaution regarda entre les rideaux.

Celui qui commandait la manœuvre était un gros homme nu-tête, enfoncé dans un énorme paletot. Il tenait à la main une longue perche garnie de lanternes multicolores, et il regardait paisiblement, une jambe croisée sur l'autre, travailler son compagnon.

Quant au comédien, c'était le corps le plus lamentable qu'on puisse imaginer. Grand, maigre, grelottant, ses yeux glauques et louches, sa moustache retombant sur sa bouche édentée faisaient songer à la face d'un noyé qui ruisselle sur une dalle. Il était en manches de chemise, et ses dents claquaient. Il montrait dans ses paroles et ses gestes le mépris le plus parfait pour sa propre personne.

Après un moment de réflexion amère et risible à la fois, il s'approcha de son partenaire et lui confia, les deux bras écartés :

« Veux-tu que je te dise ?... Je ne peux pas comprendre qu'on soit allé chercher des dégoûtants comme nous, pour servir dans une fête pareille ! Voilà, mon gars !... »

Mais sans prendre garde à ce grand élan du cœur, le gros homme continua de regarder son travail, les jambes croisées, bâilla, renifla tranquillement, puis, tournant le dos, s'en fut, sa perche sur l'épaule, en disant :

« Allons, en route ! Il est temps de s'habiller pour le dîner. »

Le bohémien le suivit, mais, en passant devant l'alcôve :

« Monsieur l'Endormi, fit-il avec des révérences et des inflexions de voix gouailleuses[1], vous n'avez plus qu'à vous éveiller, à vous habiller en marquis, même si vous êtes un marmiteux[2] comme je

1. **Gouailleuses :** empreintes d'une verve populaire et expressive.

2. **Marmiteux :** personne misérable sous tous les rapports.

65 suis ; et vous descendrez à la fête costumée, puisque c'est le bon plaisir de ces petits messieurs et de ces petites demoiselles. »

Il ajouta sur le ton d'un boniment[1] forain, avec une dernière révérence :

« Notre camarade Maloyau, attaché aux cuisines, vous présen-70 tera le personnage d'Arlequin, et votre serviteur, celui du grand Pierrot. »

1. **Boniment :** propos séduisant et aguicheur.

XIII

La fête étrange

DÈS QU'ILS EURENT DISPARU, l'écolier sortit de sa cachette. Il avait les pieds glacés, les articulations raides ; mais il était reposé et son genou paraissait guéri.

« Descendre au dîner, pensa-t-il, je ne manquerai pas de le faire. Je serai simplement un invité dont tout le monde a oublié le nom. D'ailleurs, je ne suis pas un intrus ici. Il est hors de doute que M. Maloyau et son compagnon m'attendaient... »

Au sortir de l'obscurité totale de l'alcôve, il put y voir assez distinctement dans la chambre éclairée par les lanternes vertes.

Le bohémien l'avait « garnie ». Des manteaux étaient accrochés aux patères. Sur une lourde table à toilette, au marbre brisé, on avait disposé de quoi transformer en muscadin[1] tel garçon qui eût passé la nuit précédente dans une bergerie abandonnée. Il y avait, sur la cheminée, des allumettes auprès d'un grand flambeau. Mais on avait omis de cirer le parquet ; et Meaulnes sentit rouler sous ses souliers du sable et des gravats. De nouveau il eut l'impression d'être dans une maison depuis longtemps abandonnée... En allant vers la cheminée, il faillit buter contre une pile de grands cartons et de petites boîtes : il étendit le bras, alluma la bougie, puis souleva les couvercles et se pencha pour regarder.

C'étaient des costumes de jeunes gens d'il y a longtemps, des redingotes[2] à hauts cols de velours, de fins gilets très ouverts, d'interminables cravates blanches et des souliers vernis du début de ce siècle. Il n'osait rien toucher du bout du doigt, mais après s'être nettoyé en frissonnant, il endossa sur sa blouse d'écolier un des grands manteaux dont il releva le collet[3] plissé, remplaça ses souliers ferrés par de fins escarpins vernis et se prépara à descendre nu-tête.

---

1. **Muscadin :** sous la Révolution française (après la Terreur), jeune élégant vêtu de façon excentrique.
2. **Redingotes :** une redingote est une ample veste d'homme.
3. **Collet :** nom donné au col entre le XIVe et le XIXe siècle.

Il arriva, sans rencontrer personne, au bas d'un escalier de bois, 30 dans un recoin de cour obscur. L'haleine glacée de la nuit vint lui souffler au visage et soulever un pan de son manteau.

Il fit quelques pas et, grâce à la vague clarté du ciel, il put se rendre compte aussitôt de la configuration des lieux. Il était dans une petite cour formée par des bâtiments des dépendances. Tout y 35 paraissait vieux et ruiné. Les ouvertures au bas des escaliers étaient béantes, car les portes depuis longtemps avaient été enlevées ; on n'avait pas non plus remplacé les carreaux des fenêtres qui faisaient des trous noirs dans les murs. Et pourtant toutes ces bâtisses avaient un mystérieux air de fête. Une sorte de reflet coloré flot- 40 tait dans les chambres basses où l'on avait dû allumer aussi, du côté de la campagne, des lanternes. La terre était balayée, on avait arraché l'herbe envahissante. Enfin, en prêtant l'oreille, Meaulnes crut entendre comme un chant, comme des voix d'enfants et de jeunes filles, là-bas, vers les bâtiments confus où le vent 45 secouait des branches devant les ouvertures roses, vertes et bleues des fenêtres.

Il était là, dans son grand manteau, comme un chasseur, à demi penché, prêtant l'oreille, lorsqu'un extraordinaire petit jeune homme sortit du bâtiment voisin, qu'on aurait cru désert.

50 Il avait un chapeau haut de forme très cintré qui brillait dans la nuit comme s'il eût été d'argent ; un habit dont le col lui montait dans les cheveux, un gilet très ouvert, un pantalon à sous-pieds... Cet élégant, qui pouvait avoir quinze ans, marchait sur la pointe des pieds comme s'il eût été soulevé par les élastiques de son 55 pantalon, mais avec une rapidité extraordinaire. Il salua Meaulnes au passage sans s'arrêter, profondément, automatiquement, et disparut dans l'obscurité, vers le bâtiment central, ferme, château ou abbaye, dont la tourelle avait guidé l'écolier au début de l'après-midi.

60 Après un instant d'hésitation, notre héros emboîta le pas au curieux petit personnage. Ils traversèrent une sorte de grande cour-jardin, passèrent entre des massifs, contournèrent un vivier[1] enclos de palissades, un puits, et se trouvèrent enfin au seuil de la demeure centrale.

---

1. **Vivier :** bassin où l'on garde des poissons vivants.

Une lourde porte de bois, arrondie dans le haut et cloutée comme une porte de presbytère[1], était à demi ouverte. L'élégant s'y engouffra. Meaulnes le suivit, et, dès ses premiers pas dans le corridor, il se trouva, sans voir personne, entouré de rires, de chants, d'appels et de poursuites.

Tout au bout de celui-ci passait un couloir transversal. Meaulnes hésitait s'il allait pousser jusqu'au fond ou bien ouvrir une des portes derrière lesquelles il entendait un bruit de voix, lorsqu'il vit passer dans le fond deux fillettes qui se poursuivaient. Il courut pour les voir et les rattraper, à pas de loup, sur ses escarpins. Un bruit de portes qui s'ouvrent, deux visages de quinze ans que la fraîcheur du soir et la poursuite ont rendus tout roses, sous de grands cabriolets[2] à brides, et tout va disparaître dans un brusque éclat de lumière.

Une seconde, elles tournent sur elles-mêmes, par jeu ; leurs amples jupes légères se soulèvent et se gonflent ; on aperçoit la dentelle de leurs longs, amusants pantalons ; puis, ensemble, après cette pirouette, elles bondissent dans la pièce et referment la porte.

Meaulnes reste un moment ébloui et titubant dans ce corridor noir. Il craint maintenant d'être surpris. Son allure hésitante et gauche le ferait, sans doute, prendre pour un voleur. Il va s'en retourner délibérément vers la sortie, lorsque de nouveau il entend dans le fond du corridor un bruit de pas et des voix d'enfants. Ce sont deux petits garçons qui s'approchent en parlant.

« Est-ce qu'on va bientôt dîner ? leur demande Meaulnes avec aplomb.

– Viens avec nous, répond le plus grand, on va t'y conduire. »

Et avec cette confiance et ce besoin d'amitié qu'ont les enfants, la veille d'une grande fête, ils le prennent chacun par la main. Ce sont probablement deux petits garçons de paysans. On leur a mis leurs plus beaux habits : de petites culottes coupées à mi-jambe qui laissent voir leurs gros bas de laine et leurs galoches[3], un petit

1. **Presbytère :** habitation du curé.
2. **Cabriolets :** un cabriolet est une coiffure de femme ou d'enfant emboîtant le dos de la tête et dont le bord s'évase par le devant.
3. **Galoches :** chaussures de cuir à semelle de bois ressemblant à des sabots.

justaucorps de velours bleu, une casquette de même couleur et un nœud de cravate blanc.

« La connais-tu, toi ? demande l'un des enfants.

100 – Moi, fait le plus petit, qui a une tête ronde et des yeux naïfs, maman m'a dit qu'elle avait une robe noire et une collerette et qu'elle ressemblait à un joli pierrot.

– Qui donc ? demanda Meaulnes.

– Eh bien, la fiancée que Frantz est allé chercher… »

105 Avant que le jeune homme ait rien pu dire, ils sont tous les trois arrivés à la porte d'une grande salle où flambe un beau feu. Des planches, en guise de table, ont été posées sur des tréteaux ; on a étendu des nappes blanches, et des gens de toutes sortes dînent avec cérémonie.

XIV

La fête étrange *(suite)*

C'ÉTAIT, dans une grande salle au plafond bas, un repas comme ceux que l'on offre, la veille des noces de campagne, aux parents qui sont venus de très loin.

Les deux enfants avaient lâché les mains de l'écolier et s'étaient précipités dans une chambre attenante où l'on entendait des voix puériles et des bruits de cuillers battant les assiettes. Meaulnes, avec audace et sans s'émouvoir, enjamba un banc et se trouva assis auprès de deux vieilles paysannes. Il se mit aussitôt à manger avec un appétit féroce ; et c'est au bout d'un instant seulement qu'il leva la tête pour regarder les convives et les écouter.

On parlait peu, d'ailleurs. Ces gens semblaient à peine se connaître. Ils devaient venir, les uns, du fond de la campagne, les autres, de villes lointaines. Il y avait, épars le long des tables, quelques vieillards avec des favoris[1], et d'autres complètement rasés qui pouvaient être d'anciens marins. Près d'eux dînaient d'autres vieux qui leur ressemblaient : même face tannée, mêmes yeux vifs sous des sourcils en broussaille, mêmes cravates étroites comme des cordons de souliers... Mais il était aisé de voir que ceux-ci n'avaient jamais navigué plus loin que le bout du canton ; et s'ils avaient tangué, roulé plus de mille fois sous les averses et dans le vent, c'était pour ce dur voyage sans péril qui consiste à creuser le sillon jusqu'au bout de son champ et à retourner ensuite la charrue... On voyait peu de femmes ; quelques vieilles paysannes avec de rondes figures ridées comme des pommes, sous des bonnets tuyautés[2].

Il n'y avait pas un seul de ces convives avec qui Meaulnes ne se sentît à l'aise et en confiance. Il expliquait ainsi plus tard cette impression : quand on a, disait-il, commis quelque lourde faute impardonnable, on songe parfois, au milieu d'une grande amertume : « Il y a pourtant par le monde des gens qui me pardonneraient. » On imagine de vieilles gens, des grands-parents

1. **Favoris :** touffes de barbe sur les joues de chaque côté du visage.
2. **Tuyautés :** du verbe « tuyauter », plisser le linge en forme de tuyau en le repassant.

pleins d'indulgence, qui sont persuadés à l'avance que tout ce que vous faites est bien fait. Certainement parmi ces bonnes gens-là les convives de cette salle avaient été choisis. Quant aux autres, c'étaient des adolescents et des enfants...

35 Cependant, auprès de Meaulnes, les deux vieilles femmes causaient :

« En mettant tout pour le mieux, disait la plus âgée, d'une voix cocasse et suraiguë qu'elle cherchait vainement à adoucir, les fiancés ne seront pas là, demain, avant trois heures.

– Tais-toi, tu me ferais mettre en colère », répondait l'autre du 40 ton le plus tranquille.

Celle-ci portait sur le front une capeline[1] tricotée.

« Comptons ! reprit la première sans s'émouvoir. Une heure et demie de chemin de fer de Bourges à Vierzon, et sept lieues[2] de voiture, de Vierzon jusqu'ici... »

45 La discussion continua. Meaulnes n'en perdait pas une parole. Grâce à cette paisible prise de bec[3], la situation s'éclairait faiblement : Frantz de Galais, le fils du château – qui était étudiant ou marin ou peut-être aspirant de marine, on ne savait pas... –, était allé à Bourges pour y chercher une jeune fille et l'épouser. Chose 50 étrange, ce garçon, qui devait être très jeune et très fantasque[4], réglait tout à sa guise dans le Domaine. Il avait voulu que la maison où sa fiancée entrerait ressemblât à un palais en fête. Et pour célébrer la venue de la jeune fille, il avait invité lui-même ces enfants et ces vieilles gens débonnaires[5]. Tels étaient les points 55 que la discussion des deux femmes précisait. Elles laissaient tout le reste dans le mystère, et reprenaient sans cesse la question du retour des fiancés. L'une tenait pour le matin du lendemain. L'autre pour l'après-midi.

« Ma pauvre Moinelle, tu es toujours aussi folle, disait la plus 60 jeune avec calme.

---

1. **Capeline :** chapeau de femme à grands bords souples.
2. **Lieues :** voir note 1 p. 57.
3. **Prise de bec :** dispute.
4. **Fantasque :** original, fantaisiste.
5. **Débonnaires :** placides et bons.

– Et toi, ma pauvre Adèle, toujours aussi entêtée. Il y a quatre ans que je ne t'avais vue, tu n'as pas changé », répondait l'autre en haussant les épaules, mais de sa voix la plus paisible.

Et elles continuaient ainsi à se tenir tête sans la moindre humeur. Meaulnes intervint dans l'espoir d'en apprendre davantage :

« Est-elle aussi jolie qu'on le dit, la fiancée de Frantz ? »

Elles le regardèrent, interloquées. Personne d'autre que Frantz n'avait vu la jeune fille. Lui-même, en revenant de Toulon, l'avait rencontrée un soir, désolée, dans un de ces jardins de Bourges qu'on appelle *les Marais*. Son père, un tisserand, l'avait chassée de chez lui. Elle était fort jolie et Frantz avait décidé aussitôt de l'épouser. C'était une étrange histoire ; mais son père, M. de Galais, et sa sœur Yvonne ne lui avaient-ils pas toujours tout accordé !...

Meaulnes, avec précaution, allait poser d'autres questions, lorsque parut à la porte un couple charmant : une enfant de seize ans avec corsage de velours et jupe à grands volants ; un jeune personnage en habit à haut col et pantalon à élastiques. Ils traversèrent la salle, esquissant un pas de deux ; d'autres les suivirent ; puis d'autres passèrent en courant, poussant des cris, poursuivis par un grand pierrot blafard, aux manches trop longues, coiffé d'un bonnet noir et riant d'une bouche édentée. Il courait à grandes enjambées maladroites, comme si, à chaque pas, il eût dû faire un saut, et il agitait ses longues manches vides. Les jeunes filles en avaient un peu peur ; les jeunes gens lui serraient la main et il paraissait faire la joie des enfants qui le poursuivaient avec des cris perçants. Au passage il regarda Meaulnes de ses yeux vitreux, et l'écolier crut reconnaître, complètement rasé, le compagnon de M. Maloyau, le bohémien qui tout à l'heure accrochait les lanternes.

Le repas était terminé. Chacun se levait.

Dans les couloirs s'organisaient des rondes et des farandoles. Une musique, quelque part, jouait un pas de menuet... Meaulnes, la tête à demi cachée dans le collet de son manteau, comme dans une fraise[1], se sentait un autre personnage. Lui aussi, gagné par le plaisir, se mit à poursuivre le grand pierrot à travers les couloirs du Domaine, comme dans les coulisses d'un théâtre où la panto-

---

1. **Fraise :** collerette de linon ou de dentelle empesée qu'on portait aux XVIe et XVIIe siècles.

mime[1], de la scène, se fût partout répandue. Il se trouva ainsi mêlé jusqu'à la fin de la nuit à une foule joyeuse aux costumes extravagants. Parfois il ouvrait une porte, et se trouvait dans une chambre où l'on montrait la lanterne magique. Des enfants applaudissaient à grand bruit... Parfois, dans un coin de salon où l'on dansait, il engageait conversation avec quelque dandy[2] et se renseignait hâtivement sur les costumes que l'on porterait les jours suivants...

Un peu angoissé à la longue par tout ce plaisir qui s'offrait à lui, craignant à chaque instant que son manteau entr'ouvert ne laissât voir sa blouse de collégien, il alla se réfugier un instant dans la partie la plus paisible et la plus obscure de la demeure. On n'y entendait que le bruit étouffé d'un piano.

Il entra dans une pièce silencieuse qui était une salle à manger éclairée par une lampe à suspension. Là aussi c'était fête, mais fête pour les petits enfants.

Les uns, assis sur des poufs, feuilletaient des albums ouverts sur leurs genoux ; d'autres étaient accroupis par terre devant une chaise et, gravement, ils faisaient sur le siège un étalage d'images ; d'autres, auprès du feu, ne disaient rien, ne faisaient rien, mais ils écoutaient au loin, dans l'immense demeure, la rumeur de la fête.

Une porte de cette salle à manger était grande ouverte. On entendait dans la pièce attenante jouer du piano. Meaulnes avança curieusement la tête. C'était une sorte de petit salon-parloir ; une femme ou une jeune fille, un grand manteau marron jeté sur ses épaules, tournait le dos, jouant très doucement des airs de rondes ou de chansonnettes. Sur le divan, tout à côté, six ou sept petits garçons et petites filles rangés comme sur une image, sages comme le sont les enfants lorsqu'il se fait tard, écoutaient. De temps en temps seulement, l'un d'eux, arc-bouté sur les poignets, se soulevait, glissait à terre et passait dans la salle à manger : un de ceux qui avaient fini de regarder les images venait prendre sa place...

Après cette fête où tout était charmant, mais fiévreux et fou, où lui-même avait si follement poursuivi le grand pierrot, Meaulnes se trouvait là plongé dans le bonheur le plus calme du monde.

---

1. **Pantomime :** pièce mimée.
2. **Dandy :** homme à l'esprit raffiné et qui s'habille de manière élégante.

Sans bruit, tandis que la jeune fille continuait à jouer, il retourna s'asseoir dans la salle à manger, et, ouvrant un des gros livres rouges épars sur la table, il commença distraitement à lire.

Presque aussitôt un des petits qui étaient par terre s'approcha, se pendit à son bras et grimpa sur son genou pour regarder en même temps que lui ; un autre en fit autant de l'autre côté. Alors ce fut un rêve comme son rêve de jadis. Il put imaginer longuement qu'il était dans sa propre maison, marié, un beau soir, et que cet être charmant et inconnu qui jouait du piano, près de lui, c'était sa femme…

XV

La rencontre

LE LENDEMAIN MATIN, Meaulnes fut prêt un des premiers. Comme on le lui avait conseillé, il revêtit un simple costume noir, de mode passée, une jaquette[1] serrée à la taille avec des manches bouffant aux épaules, un gilet croisé, un pantalon élargi du bas jusqu'à cacher ses fines chaussures, et un chapeau haut de forme.

La cour était déserte encore lorsqu'il descendit. Il fit quelques pas et se trouva comme transporté dans une journée de printemps. Ce fut en effet le matin le plus doux de cet hiver-là. Il faisait du soleil comme aux premiers jours d'avril. Le givre fondait et l'herbe mouillée brillait comme humectée de rosée. Dans les arbres, plusieurs petits oiseaux chantaient et de temps à autre une brise tiédie coulait sur le visage du promeneur.

Il fit comme les invités qui se sont éveillés avant le maître de la maison. Il sortit dans la cour du Domaine, pensant à chaque instant qu'une voix cordiale et joyeuse allait crier derrière lui :

« Déjà réveillé, Augustin ?... »

Mais il se promena longtemps seul à travers le jardin et la cour. Là-bas, dans le bâtiment principal, rien ne remuait, ni aux fenêtres, ni à la tourelle. On avait ouvert déjà, cependant, les deux battants de la ronde porte de bois. Et, dans une des fenêtres du haut, un rayon de soleil donnait, comme en été, aux premières heures du matin.

Meaulnes, pour la première fois, regardait en plein jour l'intérieur de la propriété. Les vestiges d'un mur séparaient le jardin délabré de la cour, où l'on avait, depuis peu, versé du sable et passé le râteau. À l'extrémité des dépendances qu'il habitait, c'étaient des écuries bâties dans un amusant désordre, qui multipliait les recoins garnis d'arbrisseaux fous et de vigne vierge. Jusque sur le Domaine déferlaient des bois de sapins qui le cachaient à tout le pays plat, sauf vers l'est, où l'on apercevait des collines bleues couvertes de rochers et de sapins encore.

1. **Jaquette :** veste de cérémonie portée par les hommes et dont les pans ouverts se prolongent par-derrière.

Un instant, dans le jardin, Meaulnes se pencha sur la branlante barrière de bois qui entourait le vivier ; vers les bords il restait un peu de glace mince et plissée comme une écume. Il s'aperçut lui-même reflété dans l'eau, comme incliné sur le ciel, dans son costume d'étudiant romantique. Et il crut voir un autre Meaulnes ; non plus l'écolier qui s'était évadé dans une carriole de paysan, mais un être charmant et romanesque, au milieu d'un beau livre de prix...

Il se hâta vers le bâtiment principal, car il avait faim. Dans la grande salle où il avait dîné la veille, une paysanne mettait le couvert. Dès que Meaulnes se fut assis devant un des bols alignés sur la nappe, elle lui versa le café en disant :

« Vous êtes le premier, monsieur. »

Il ne voulut rien répondre, tant il craignait d'être soudain reconnu comme un étranger. Il demanda seulement à quelle heure partirait le bateau pour la promenade matinale qu'on avait annoncée.

« Pas avant une demi-heure, monsieur : personne n'est descendu encore », fut la réponse.

Il continua donc d'errer en cherchant le lieu de l'embarcadère[1], autour de la longue maison châtelaine aux ailes inégales, comme une église. Lorsqu'il eut contourné l'aile sud, il aperçut soudain les roseaux, à perte de vue, qui formaient tout le paysage. L'eau des étangs venait de ce côté mouiller le pied des murs, et il y avait, devant plusieurs portes, de petits balcons de bois qui surplombaient les vagues clapotantes.

Désœuvré, le promeneur erra un long moment sur la rive sablée comme un chemin de halage[2]. Il examinait curieusement les grandes portes aux vitres poussiéreuses qui donnaient sur des pièces délabrées ou abandonnées, sur des débarras encombrés de brouettes, d'outils rouillés et de pots de fleurs brisés, lorsque soudain, à l'autre bout des bâtiments, il entendit des pas grincer sur le sable.

---

1. **Embarcadère :** jetée ou quai servant à l'embarquement ou au débarquement de passagers ou de marchandises.
2. **Chemin de halage :** chemin qui suit un cours d'eau, destiné au remorquage des bateaux, que l'on tirait par des câbles depuis la berge.

C'étaient deux femmes, l'une très vieille et courbée ; l'autre, une jeune fille, blonde, élancée, dont le charmant costume, après 65 tous les déguisements de la veille, parut d'abord à Meaulnes extraordinaire.

Elles s'arrêtèrent un instant pour regarder le paysage, tandis que Meaulnes se disait, avec un étonnement qui lui parut plus tard bien grossier :

70 « Voilà sans doute ce qu'on appelle une jeune fille excentrique – peut-être une actrice qu'on a mandée pour la fête. »

Cependant, les deux femmes passaient près de lui et Meaulnes, immobile, regarda la jeune fille. Souvent, plus tard, lorsqu'il s'endormait après avoir désespérément essayé de se rappeler le 75 beau visage effacé, il voyait en rêve passer des rangées de jeunes femmes qui ressemblaient à celle-ci. L'une avait un chapeau comme elle et l'autre son air un peu penché ; l'autre son regard si pur ; l'autre encore sa taille fine, et l'autre avait aussi ses yeux bleus ; mais aucune de ces femmes n'était jamais la grande jeune fille.

80 Meaulnes eut le temps d'apercevoir, sous une lourde chevelure blonde, un visage aux traits un peu courts, mais dessinés avec une finesse presque douloureuse. Et comme déjà elle était passée devant lui, il regarda sa toilette, qui était bien la plus simple et la plus sage des toilettes…

85 Perplexe, il se demandait s'il allait les accompagner, lorsque la jeune fille, se tournant imperceptiblement vers lui, dit à sa compagne :

« Le bateau ne va pas tarder, maintenant, je pense ?… »

Et Meaulnes les suivit. La vieille dame, cassée, tremblante, ne 90 cessait de causer gaiement et de rire. La jeune fille répondait doucement. Et lorsqu'elles descendirent sur l'embarcadère, elle eut ce même regard innocent et grave, qui semblait dire :

« Qui êtes-vous ? Que faites-vous ici ? Je ne vous connais pas. Et pourtant il me semble que je vous connais. »

95 D'autres invités étaient maintenant épars entre les arbres, attendant. Et trois bateaux de plaisance accostaient, prêts à recevoir les promeneurs. Un à un, sur le passage des dames, qui paraissaient être la châtelaine et sa fille, les jeunes gens saluaient profondément, et les demoiselles s'inclinaient. Étrange matinée ! Étrange 100 partie de plaisir ! Il faisait froid malgré le soleil d'hiver, et les

femmes enroulaient autour de leur cou ces boas[1] de plumes qui étaient alors à la mode…

La vieille dame resta sur la rive, et, sans savoir comment, Meaulnes se trouva dans le même yacht que la jeune châtelaine. Il s'accouda sur le pont, tenant d'une main son chapeau battu par le grand vent, et il put regarder à l'aise la jeune fille, qui s'était assise à l'abri. Elle aussi le regardait. Elle répondait à ses compagnes, souriait, puis posait doucement ses yeux bleus sur lui, en tenant sa lèvre un peu mordue.

Un grand silence régnait sur les berges prochaines. Le bateau filait avec un bruit calme de machine et d'eau. On eût pu se croire au cœur de l'été. On allait aborder, semblait-il, dans le beau jardin de quelque maison de campagne. La jeune fille s'y promènerait sous une ombrelle blanche. Jusqu'au soir on entendrait les tourterelles gémir… Mais soudain une rafale glacée venait rappeler décembre aux invités de cette étrange fête.

On aborda devant un bois de sapins. Sur le débarcadère, les passagers durent attendre un instant, serrés les uns contre les autres, qu'un des bateliers eût ouvert le cadenas de la barrière… Avec quel émoi Meaulnes se rappelait dans la suite cette minute où, sur le bord de l'étang, il avait eu très près du sien le visage désormais perdu de la jeune fille ! Il avait regardé ce profil si pur, de tous ses yeux, jusqu'à ce qu'ils fussent près de s'emplir de larmes. Et il se rappelait avoir vu, comme un secret délicat qu'elle lui eût confié, un peu de poudre restée sur sa joue…

À terre, tout s'arrangea comme dans un rêve. Tandis que les enfants couraient avec des cris de joie, que des groupes se formaient et s'éparpillaient à travers bois, Meaulnes s'avança dans une allée, où, dix pas devant lui, marchait la jeune fille. Il se trouva près d'elle sans avoir eu le temps de réfléchir :

« Vous êtes belle », dit-il simplement.

Mais elle hâta le pas et, sans répondre, prit une allée transversale. D'autres promeneurs couraient, jouaient à travers les avenues, chacun errant à sa guise, conduit seulement par sa libre fantaisie.

---

1. **Boas :** un boa est un rouleau de plumes dont la forme évoque un serpent et que les femmes portaient autour du cou à la Belle Époque.

135 Le jeune homme se reprocha vivement ce qu'il appelait sa balourdise, sa grossièreté, sa sottise. Il errait au hasard, persuadé qu'il ne reverrait plus cette gracieuse créature, lorsqu'il l'aperçut soudain venant à sa rencontre et forcée de passer près de lui dans l'étroit sentier. Elle écartait de ses deux mains nues les plis de son grand 140 manteau. Elle avait des souliers noirs très découverts. Ses chevilles étaient si fines qu'elles pliaient par instants et qu'on craignait de les voir se briser.

Cette fois, le jeune homme salua, en disant très bas :

« Voulez-vous me pardonner ?

145 – Je vous pardonne, dit-elle gravement. Mais il faut que je rejoigne les enfants, puisqu'ils sont les maîtres aujourd'hui. Adieu. »

Augustin la supplia de rester un instant encore. Il lui parlait avec gaucherie, mais d'un ton si troublé, si plein de désarroi, qu'elle marcha plus lentement et l'écouta.

150 « Je ne sais même pas qui vous êtes », dit-elle enfin.

Elle prononçait chaque mot d'un ton uniforme, en appuyant de la même façon sur chacun, mais en disant plus doucement le dernier... Ensuite elle reprenait son visage immobile, sa bouche un peu mordue, et ses yeux bleus regardaient fixement au loin.

155 « Je ne sais pas non plus votre nom », répondit Meaulnes.

Ils suivaient maintenant un chemin découvert, et l'on voyait à quelque distance les invités se presser autour d'une maison isolée dans la pleine campagne.

« Voilà la "maison de Frantz", dit la jeune fille ; il faut que je vous 160 quitte... »

Elle hésita, le regarda un instant en souriant et dit :

« Mon nom ?... Je suis mademoiselle Yvonne de Galais... »

Et elle s'échappa.

La "maison de Frantz" était alors inhabitée. Mais Meaulnes la 165 trouva envahie jusqu'aux greniers par la foule des invités. Il n'eut guère le loisir d'ailleurs d'examiner le lieu où il se trouvait : on déjeuna en hâte d'un repas froid emporté dans les bateaux, ce qui était fort peu de saison, mais les enfants en avaient décidé ainsi, sans doute ; et l'on repartit. Meaulnes s'approcha de Mlle de 170 Galais dès qu'il la vit sortir et, répondant à ce qu'elle avait dit tout à l'heure :

« Le nom que je vous donnais était plus beau, dit-il.

– Comment ? Quel était ce nom ? » fit-elle, toujours avec la même gravité.

Mais il eut peur d'avoir dit une sottise et ne répondit rien.

« Mon nom à moi est Augustin Meaulnes, continua-t-il, et je suis étudiant.

– Oh ! vous étudiez ? » dit-elle. Et ils parlèrent un instant encore. Ils parlèrent lentement, avec bonheur – avec amitié. Puis l'attitude de la jeune fille changea. Moins hautaine et moins grave, maintenant, elle parut aussi plus inquiète. On eût dit qu'elle redoutait ce que Meaulnes allait dire et s'en effarouchait à l'avance. Elle était auprès de lui toute frémissante, comme une hirondelle un instant posée à terre et qui déjà tremble du désir de reprendre son vol.

« À quoi bon ? À quoi bon ? » répondait-elle doucement aux projets que faisait Meaulnes.

Mais lorsqu'enfin il osa lui demander la permission de revenir un jour vers ce beau domaine :

« Je vous attendrai », répondit-elle simplement.

Ils arrivaient en vue de l'embarcadère. Elle s'arrêta soudain et dit pensivement :

« Nous sommes deux enfants ; nous avons fait une folie. Il ne faut pas que nous montions cette fois dans le même bateau. Adieu, ne me suivez pas. »

Meaulnes resta un instant interdit, la regardant partir. Puis il se reprit à marcher. Et alors la jeune fille, dans le lointain, au moment de se perdre à nouveau dans la foule des invités, s'arrêta et, se tournant vers lui, pour la première fois le regarda longuement. Était-ce un dernier signe d'adieu ? Était-ce pour lui défendre de l'accompagner ? Ou peut-être avait-elle quelque chose encore à lui dire ?...

Dès qu'on fut rentré au Domaine, commença, derrière la ferme, dans une grande prairie en pente, la course des poneys. C'était la dernière partie de la fête. D'après toutes les prévisions, les fiancés devaient arriver à temps pour y assister et ce serait Frantz qui dirigerait tout.

On dut pourtant commencer sans lui. Les garçons en costumes de jockeys, les fillettes en écuyères, amenaient, les uns, de fringants poneys enrubannés, les autres, de très vieux chevaux dociles. Au milieu des cris, des rires enfantins, des paris et des longs coups de cloche, on se fût cru transporté sur la pelouse verte et taillée de quelque champ de courses en miniature.

Meaulnes reconnut Daniel et les petites filles aux chapeaux à plumes, qu'il avait entendus la veille dans l'allée du bois... Le reste du spectacle lui échappa, tant il était anxieux de retrouver dans la foule le gracieux chapeau de roses et le grand manteau marron. Mais Mlle de Galais ne parut pas. Il la cherchait encore lorsqu'une volée de coups de cloche et des cris de joie annoncèrent la fin des courses. Une petite fille sur une vieille jument blanche avait remporté la victoire. Elle passait triomphalement sur sa monture et le panache de son chapeau flottait au vent.

Puis soudain tout se tut. Les jeux étaient finis et Frantz n'était pas de retour. On hésita un instant ; on se concerta avec embarras. Enfin, par groupes, on regagna les appartements, pour attendre, dans l'inquiétude et le silence, le retour des fiancés.

XVI

Frantz de Galais

LA COURSE avait fini trop tôt. Il était quatre heures et demie et il faisait jour encore, lorsque Meaulnes se retrouva dans sa chambre, la tête pleine des événements de son extraordinaire journée. Il s'assit devant la table, désœuvré, attendant le dîner et la fête qui devait suivre.

De nouveau soufflait le grand vent du premier soir. On l'entendait gronder comme un torrent ou passer avec le sifflement appuyé d'une chute d'eau. Le tablier[1] de la cheminée battait de temps à autre.

Pour la première fois, Meaulnes sentit en lui cette légère angoisse qui vous saisit à la fin des trop belles journées. Un instant il pensa à allumer du feu ; mais il essaya vainement de lever le tablier rouillé de la cheminée. Alors il se prit à ranger dans la chambre ; il accrocha ses beaux habits aux portemanteaux, disposa le long du mur les chaises bouleversées, comme s'il eût tout voulu préparer là pour un long séjour.

Cependant, songeant qu'il devait se tenir toujours prêt à partir, il plia soigneusement sur le dossier d'une chaise, comme un costume de voyage, sa blouse et ses autres vêtements de collégien ; sous la chaise, il mit ses souliers ferrés pleins de terre encore.

Puis il revint s'asseoir et regarda autour de lui, plus tranquille, sa demeure qu'il avait mise en ordre.

De temps à autre une goutte de pluie venait rayer la vitre qui donnait sur la cour aux voitures et sur le bois de sapins. Apaisé, depuis qu'il avait rangé son appartement, le grand garçon se sentit parfaitement heureux. Il était là, mystérieux, étranger, au milieu de ce monde inconnu, dans la chambre qu'il avait choisie. Ce qu'il avait obtenu dépassait toutes ses espérances. Et il suffisait maintenant à sa joie de se rappeler ce visage de jeune fille, dans le grand vent, qui se tournait vers lui…

1. **Tablier :** rideau de tôle qui se lève et s'abaisse devant le foyer d'une cheminée.

Durant cette rêverie, la nuit était tombée sans qu'il songeât même à allumer les flambeaux. Un coup de vent fit battre la porte de l'arrière-chambre qui communiquait avec la sienne et dont la fenêtre donnait aussi sur la cour aux voitures. Meaulnes allait la 35 refermer, lorsqu'il aperçut dans cette pièce une lueur, comme celle d'une bougie allumée sur la table. Il avança la tête dans l'entre-bâillement de la porte. Quelqu'un était entré là, par la fenêtre sans doute, et se promenait de long en large, à pas silencieux. Autant qu'on pouvait voir, c'était un très jeune homme. Nu-tête, une 40 pèlerine[1] de voyage sur les épaules, il marchait sans arrêt, comme affolé par une douleur insupportable. Le vent de la fenêtre qu'il avait laissée grande ouverte faisait flotter sa pèlerine et, chaque fois qu'il passait près de la lumière, on voyait luire des boutons dorés sur sa fine redingote.

45 Il sifflait quelque chose entre ses dents, une espèce d'air marin, comme en chantent, pour s'égayer le cœur, les matelots et les filles dans les cabarets des ports…

Un instant, au milieu de sa promenade agitée, il s'arrêta et se pencha sur la table, chercha dans une boîte, en sortit plusieurs 50 feuilles de papier… Meaulnes vit, de profil, dans la lueur de la bougie, un très fin, très aquilin[2] visage sans moustache sous une abondante chevelure que partageait une raie de côté. Il avait cessé de siffler. Très pâle, les lèvres entr'ouvertes, il paraissait à bout de souffle, comme s'il avait reçu au cœur un coup violent.

55 Meaulnes hésitait s'il allait, par discrétion, se retirer, ou s'avancer, lui mettre doucement, en camarade, la main sur l'épaule, et lui parler. Mais l'autre leva la tête et l'aperçut. Il le considéra une seconde, puis, sans s'étonner, s'approcha et dit, affermissant sa voix :

« Monsieur, je ne vous connais pas. Mais je suis content de 60 vous voir. Puisque vous voici, c'est à vous que je vais expliquer… Voilà !… »

Il paraissait complètement désemparé. Lorsqu'il eut dit : « Voilà », il prit Meaulnes par le revers de sa jaquette, comme pour fixer son attention. Puis il tourna la tête vers la fenêtre, comme pour réfléchir

---

1. **Pèlerine :** voir note 3 p. 26.
2. **Aquilin :** qualifie généralement un nez fin en bec d'aigle. Sens étendu ici par l'auteur au profil du visage.

à ce qu'il allait dire, cligna des yeux – et Meaulnes comprit qu'il avait une forte envie de pleurer.

Il ravala d'un coup toute cette peine d'enfant, puis, regardant toujours fixement la fenêtre, il reprit d'une voix altérée :

« Eh bien, voilà : c'est fini ; la fête est finie. Vous pouvez descendre le leur dire. Je suis rentré tout seul. Ma fiancée ne viendra pas. Par scrupule, par crainte, par manque de foi… d'ailleurs, monsieur, je vais vous expliquer… »

Mais il ne put continuer ; tout son visage se plissa. Il n'expliqua rien. Se détournant soudain, il s'en alla dans l'ombre ouvrir et refermer des tiroirs pleins de vêtements et de livres.

« Je vais m'apprêter pour repartir, dit-il. Qu'on ne me dérange pas. »

Il plaça sur la table divers objets, un nécessaire de toilette, un pistolet…

Et Meaulnes, plein de désarroi, sortit sans oser lui dire un mot ni lui serrer la main.

En bas, déjà, tout le monde semblait avoir pressenti quelque chose. Presque toutes les jeunes filles avaient changé de robe. Dans le bâtiment principal le dîner avait commencé, mais hâtivement, dans le désordre, comme à l'instant d'un départ.

Il se faisait un continuel va-et-vient de cette grande cuisine-salle à manger aux chambres du haut et aux écuries. Ceux qui avaient fini formaient des groupes où l'on se disait au revoir.

« Que se passe-t-il ? demanda Meaulnes à un garçon de campagne, qui se hâtait de terminer son repas, son chapeau de feutre sur la tête et sa serviette fixée à son gilet.

– Nous partons, répondit-il. Cela s'est décidé tout d'un coup. À cinq heures, nous nous sommes trouvés seuls, tous les invités ensemble. Nous avions attendu jusqu'à la dernière limite. Les fiancés ne pouvaient plus venir. Quelqu'un a dit : "Si nous partions…" Et tout le monde s'est apprêté pour le départ. »

Meaulnes ne répondit pas. Il lui était égal de s'en aller maintenant. N'avait-il pas été jusqu'au bout de son aventure ?… N'avait-il pas obtenu cette fois tout ce qu'il désirait ? C'est à peine s'il avait eu le temps de repasser à l'aise dans sa mémoire toute la belle conversation du matin. Pour l'instant, il ne s'agissait que de partir. Et bientôt, il reviendrait – sans tricherie, cette fois…

« Si vous voulez venir avec nous, continua l'autre, qui était un garçon de son âge, hâtez-vous d'aller vous mettre en tenue. Nous
105 attelons dans un instant. »

Il partit au galop, laissant là son repas commencé et négligeant de dire aux invités ce qu'il savait. Le parc, le jardin et la cour étaient plongés dans une obscurité profonde. Il n'y avait pas, ce soir-là, de lanternes aux fenêtres. Mais comme, après tout, ce dîner
110 ressemblait au dernier repas des fins de noces, les moins bons des invités, qui peut-être avaient bu, s'étaient mis à chanter. À mesure qu'il s'éloignait, Meaulnes entendait monter leurs airs de cabaret, dans ce parc qui depuis deux jours avait tenu tant de grâce et de merveilles. Et c'était le commencement du désarroi et de la dévas-
115 tation. Il passa près du vivier où le matin même il s'était miré. Comme tout paraissait changé déjà… – avec cette chanson, reprise en chœur, qui arrivait par bribes :

D'où donc que tu reviens, petite libertine[1] *?*
Ton bonnet est déchiré
120 *Tu es bien mal coiffée…*
et cette autre encore :
Mes souliers sont rouges…
Adieu, mes amours…
Mes souliers sont rouges…
125 *Adieu, sans retour !*

Comme il arrivait au pied de l'escalier de sa demeure isolée, quelqu'un en descendait qui le heurta dans l'ombre et lui dit :

« Adieu, monsieur ! »

et, s'enveloppant dans sa pèlerine comme s'il avait très froid, dis-
130 parut. C'était Frantz de Galais.

La bougie que Frantz avait laissée dans sa chambre brûlait encore. Rien n'avait été dérangé. Il y avait seulement, écrits sur une feuille de papier à lettres placée en évidence, ces mots :

Ma fiancée a disparu, me faisant dire qu'elle ne pouvait pas être ma
135 *femme ; qu'elle était une couturière et non pas une princesse. Je ne sais que devenir. Je m'en vais. Je n'ai plus envie de vivre. Qu'Yvonne me pardonne si je ne lui dis pas adieu, mais elle ne pourrait rien pour moi…*

1. ***Libertine :*** qui mène une vie dissolue.

C'était la fin de la bougie, dont la flamme vacilla, rampa une seconde et s'éteignit. Meaulnes rentra dans sa propre chambre et ferma la porte. Malgré l'obscurité, il reconnut chacune des choses qu'il avait rangées en plein jour, en plein bonheur, quelques heures auparavant. Pièce par pièce, fidèle, il retrouva tout son vieux vêtement misérable, depuis ses godillots jusqu'à sa grossière ceinture à boucle de cuivre. Il se déshabilla et se rhabilla vivement, mais, distraitement, déposa sur une chaise ses habits d'emprunt, se trompant de gilet…

Sous les fenêtres, dans la cour aux voitures, un remue-ménage avait commencé. On tirait, on appelait, on poussait, chacun voulant défaire sa voiture de l'inextricable fouillis où elle était prise. De temps en temps un homme grimpait sur le siège d'une charrette, sur la bâche d'une grande carriole et faisait tourner sa lanterne. La lueur du falot[1] venait frapper la fenêtre : un instant, autour de Meaulnes, la chambre maintenant familière, où toutes choses avaient été pour lui si amicales, palpitait, revivait… Et c'est ainsi qu'il quitta, refermant soigneusement la porte, ce mystérieux endroit qu'il ne devait sans doute jamais revoir.

1. **Falot :** voir note 1 p. 39.

XVII

La fête étrange *(fin)*

DÉJA, dans la nuit, une file de voitures roulait lentement vers la grille du bois. En tête, un homme revêtu d'une peau de chèvre, une lanterne à la main, conduisait par la bride le cheval du premier attelage.

5 Meaulnes avait hâte de trouver quelqu'un qui voulût bien se charger de lui. Il avait hâte de partir. Il appréhendait, au fond du cœur, de se trouver soudain seul dans le Domaine, et que sa supercherie fût découverte.

Lorsqu'il arriva devant le bâtiment principal les conducteurs
10 équilibraient la charge des dernières voitures. On faisait lever tous les voyageurs pour rapprocher ou reculer les sièges, et les jeunes filles enveloppées dans des fichus se levaient avec embarras, les couvertures tombaient à leurs pieds et l'on voyait les figures inquiètes de celles qui baissaient leur tête du côté des falots.

15 Dans un de ces voituriers, Meaulnes reconnut le jeune paysan qui tout à l'heure avait offert de l'emmener :

« Puis-je monter ? lui cria-t-il.

– Où vas-tu, mon garçon ? répondit l'autre qui ne le reconnaissait plus.

20 – Du côté de Sainte-Agathe.

– Alors il faut demander une place à Maritain. »

Et voilà le grand écolier cherchant parmi les voyageurs attardés ce Maritain inconnu. On le lui indiqua parmi les buveurs qui chantaient dans la cuisine.

25 « C'est un "amusard", lui dit-on. Il sera encore là à trois heures du matin. »

Meaulnes songea un instant à la jeune fille inquiète, pleine de fièvre et de chagrin, qui entendrait chanter dans le Domaine, jusqu'au milieu de la nuit, ces paysans avinés. Dans quelle chambre était-
30 elle ? Où était sa fenêtre, parmi ces bâtiments mystérieux ? Mais rien ne servirait à l'écolier de s'attarder. Il fallait partir. Une fois rentré à Sainte-Agathe, tout deviendrait plus clair ; il cesserait d'être un écolier évadé ; de nouveau il pourrait songer à la jeune châtelaine.

Une à une, les voitures s'en allaient ; les roues grinçaient sur le sable de la grande allée. Et, dans la nuit, on les voyait tourner et disparaître, chargées de femmes emmitouflées, d'enfants dans des fichus, qui déjà s'endormaient. Une grande carriole encore ; un char à bancs[1], où les femmes étaient serrées épaule contre épaule, passa, laissant Meaulnes interdit, sur le seuil de la demeure. Il n'allait plus rester bientôt qu'une vieille berline[2] que conduisait un paysan en blouse.

« Vous pouvez monter, répondit-il aux explications d'Augustin, nous allons dans cette direction. »

Péniblement Meaulnes ouvrit la portière de la vieille guimbarde[3], dont la vitre trembla et les gonds crièrent. Sur la banquette, dans un coin de la voiture, deux tout petits enfants, un garçon et une fille, dormaient. Ils s'éveillèrent au bruit et au froid, se détendirent, regardèrent vaguement, puis en frissonnant se renfoncèrent dans leur coin et se rendormirent...

Déjà la vieille voiture partait. Meaulnes referma plus doucement la portière et s'installa avec précaution dans l'autre coin, puis, avidement, s'efforça de distinguer à travers la vitre les lieux qu'il allait quitter et la route par où il était venu : il devina, malgré la nuit, que la voiture traversait la cour et le jardin, passait devant l'escalier de sa chambre, franchissait la grille et sortait du Domaine pour entrer dans les bois. Fuyant le long de la vitre, on distinguait vaguement les troncs des vieux sapins.

« Peut-être rencontrerons-nous Frantz de Galais », se disait Meaulnes, le cœur battant.

Brusquement, dans le chemin étroit, la voiture fit un écart pour ne pas heurter un obstacle. C'était, autant qu'on pouvait deviner dans la nuit à ses formes massives, une roulotte arrêtée presque au milieu du chemin et qui avait dû rester là, à proximité de la fête, durant ces derniers jours.

Cet obstacle franchi, les chevaux repartis au trot, Meaulnes commençait à se fatiguer de regarder à la vitre, s'efforçant vainement de percer l'obscurité environnante, lorsque soudain, dans la

1. **Char à bancs :** voir note 2 p. 64.
2. **Berline :** voir note 4 p. 64.
3. **Guimbarde :** vieille voiture.

profondeur du bois, il y eut un éclair, suivi d'une détonation. Les chevaux partirent au galop et Meaulnes ne sut pas d'abord si le cocher en blouse s'efforçait de les retenir ou, au contraire, les excitait à fuir. Il voulut ouvrir la portière. Comme la poignée se trouvait à l'extérieur, il essaya vainement de baisser la glace, la secoua... Les enfants, réveillés en peur, se serraient l'un contre l'autre, sans rien dire. Et tandis qu'il secouait la vitre, le visage collé au carreau, il aperçut, grâce à un coude du chemin, une forme blanche qui courait. C'était, hagard et affolé, le grand pierrot de la fête, le bohémien en tenue de mascarade[1], qui portait dans ses bras un corps humain serré contre sa poitrine. Puis tout disparut.

Dans la voiture qui fuyait au grand galop à travers la nuit, les deux enfants s'étaient rendormis. Personne à qui parler des événements mystérieux de ces deux jours. Après avoir longtemps repassé dans son esprit tout ce qu'il avait vu et entendu, plein de fatigue et le cœur gros, le jeune homme lui aussi s'abandonna au sommeil, comme un enfant triste...

Ce n'était pas encore le petit jour lorsque, la voiture s'étant arrêtée sur la route, Meaulnes fut réveillé par quelqu'un qui cognait à la vitre. Le conducteur ouvrit péniblement la portière et cria, tandis que le vent froid de la nuit glaçait l'écolier jusqu'aux os :

« Il va falloir descendre ici. Le jour se lève. Nous allons prendre la traverse. Vous êtes tout près de Sainte-Agathe. »

À demi replié, Meaulnes obéit, chercha vaguement, d'un geste inconscient, sa casquette, qui avait roulé sous les pieds des deux enfants endormis, dans le coin le plus sombre de la voiture, puis il sortit en se baissant.

« Allons, au revoir, dit l'homme en remontant sur son siège. Vous n'avez plus que six kilomètres à faire. Tenez, la borne est là, au bord du chemin. »

Meaulnes, qui ne s'était pas encore arraché de son sommeil, marcha courbé en avant, d'un pas lourd, jusqu'à la borne et s'y assit, les bras croisés, la tête inclinée, comme pour se rendormir.

---

1. **Mascarade :** défilé de personnes déguisées et masquées, mais aussi mise en scène trompeuse, imposture.

« Ah ! non, cria le voiturier. Il ne faut pas vous endormir là. Il fait trop froid. Allons, debout, marchez un peu... »

Vacillant comme un homme ivre, le grand garçon, les mains dans ses poches, les épaules rentrées, s'en alla lentement sur le chemin de Sainte-Agathe ; tandis que, dernier vestige de la fête mystérieuse, la vieille berline quittait le gravier de la route et s'éloignait, cahotant en silence, sur l'herbe de la traverse. On ne voyait plus que le chapeau du conducteur, dansant au-dessus des clôtures...

Clefs d'analyse

Première partie :
chapitres XII à XVII

Action et personnages

1. Qui invite finalement Meaulnes à la fête ?
2. Qu'apprend-on sur les deux comédiens ? Ces personnages ont-ils un rôle à jouer dans la suite du roman ?
3. Quels sont les différents guides de Meaulnes dans le château ? À quel roman anglais vous font-ils penser ?
4. Chapitre XV : quels sont les éléments autobiographiques que vous reconnaissez dans ce passage ? Le récit devient-il une confession d'Alain-Fournier ?
5. Qui est Frantz de Galais ? Comment les chapitres XII à XIV font-ils attendre le personnage ? Qu'apprend-on sur lui ? Comment l'apprend-on ? Que devine-t-on ? Pourquoi sa fiancée n'est-elle pas venue ?
6. Chapitre XVI : pourquoi Meaulnes ne transmet-il pas le message de Frantz ?

Langue

7. Relevez les mots appartenant au vocabulaire du costume et donnez leur définition.
8. Chapitre XIV : montrez comment les éléments caractérisants et descriptifs font de cette pièce au centre du château un lieu idéal.
9. Chapitre XV : relevez les formes superlatives qui caractérisent Yvonne.
10. Chapitre XVI : transformez les phrases du dialogue en discours indirect.
11. Chapitre XVII : relevez les mots qui donnent une orientation négative à la fin de la fête.

Genre ou thèmes

12. Comment le texte préserve-t-il une part de flou ? Par quels moyens l'interprétation de la réalité est-elle donnée comme incertaine ?

13. Relevez les éléments qui apportent des informations dans les dialogues. Est-ce que ces éclaircissements permettent de comprendre ce qui se passe autour de Meaulnes ? Montrez que les renseignements arrivent très progressivement.
14. Sait-on à la fin de la première partie – à défaut de savoir où – pour quoi et pour qui a été donnée cette fête ?

Écriture

15. Quelle rencontre vous paraît la plus bouleversante pour Meaulnes ? Celle d'Yvonne ou celle de Frantz ? Vous justifierez votre réponse par deux arguments au moins.
16. Qu'aurait pu faire Meaulnes au lieu de rentrer à Sainte-Agathe ? Vous imaginerez une fin heureuse à la fête étrange, où la fiancée arrive et où Meaulnes ne part pas avec les paysans.

Pour aller plus loin

17. Relevez les éléments venus d'une tradition romantique. À propos de quel personnage les mots « romanesque » et « romantique » sont-ils employés dans le chapitre XV ? À qui vous fait songer le personnage de Frantz avec sa pèlerine qui flotte dans le vent, son visage très pâle sous une abondante chevelure et son grand chagrin d'amour ?
18. Quelles images peut évoquer la traversée de la forêt en pleine nuit au galop ?

À retenir

Arrivé par hasard au domaine sans nom, Meaulnes, qui est reçu comme un invité, reste cependant mal à l'aise. C'est là qu'il fait les deux rencontres qui vont bouleverser toute sa vie : la jeune fille représente l'amour et le jeune garçon, l'amitié.

Deuxième partie

I

Le grand jeu

LE GRAND VENT et le froid, la pluie ou la neige, l'impossibilité où nous étions de mener à bien de longues recherches nous empêchèrent, Meaulnes et moi, de reparler du Pays perdu avant la fin de l'hiver. Nous ne pouvions rien commencer de sérieux, durant ces brèves journées de février, ces jeudis sillonnés de bourrasques, qui finissaient régulièrement vers cinq heures par une morne pluie glacée.

Rien ne nous rappelait l'aventure de Meaulnes sinon ce fait étrange que depuis l'après-midi de son retour nous n'avions plus d'amis. Aux récréations, les mêmes jeux qu'autrefois s'organisaient, mais Jasmin ne parlait jamais plus au grand Meaulnes. Les soirs, aussitôt la classe balayée, la cour se vidait comme au temps où j'étais seul, et je voyais errer mon compagnon, du jardin au hangar et de la cour à la salle à manger.

Les jeudis matin, chacun de nous installé sur le bureau d'une des deux salles de classe, nous lisions Rousseau et Paul-Louis Courier[1] que nous avions dénichés dans les placards, entre des méthodes d'anglais et des cahiers de musique finement recopiés. L'après-midi, c'était quelque visite qui nous faisait fuir l'appartement ; et nous regagnions l'école... Nous entendions parfois des groupes de grands élèves qui s'arrêtaient un instant, comme par hasard, devant le grand portail, le heurtaient en jouant à des jeux militaires incompréhensibles et puis s'en allaient... Cette triste vie se poursuivit jusqu'à la fin de février. Je commençais à croire que Meaulnes avait tout oublié, lorsqu'une aventure, plus étrange que les autres, vint me prouver que je m'étais trompé et qu'une crise violente se préparait sous la surface morne de cette vie d'hiver.

1. **Paul-Louis Courier :** écrivain (1772-1825) ; défenseur des paysans de Touraine contre les abus de la Restauration.

Ce fut justement un jeudi soir, vers la fin du mois, que la première nouvelle du Domaine étrange, la première vague de cette aventure dont nous ne reparlions pas arriva jusqu'à nous. Nous étions en pleine veillée. Mes grands-parents repartis, restaient seulement avec nous Millie et mon père, qui ne se doutaient nullement de la sourde fâcherie par quoi toute la classe était divisée en deux clans.

À huit heures, Millie qui avait ouvert la porte pour jeter dehors les miettes du repas fit : « Ah ! » d'une voix si claire que nous nous approchâmes pour regarder. Il y avait sur le seuil une couche de neige... Comme il faisait très sombre, je m'avançai de quelques pas dans la cour pour voir si la couche était profonde. Je sentis des flocons légers qui me glissaient sur la figure et fondaient aussitôt. On me fit rentrer très vite et Millie ferma la porte frileusement.

À neuf heures, nous nous disposions à monter nous coucher ; ma mère avait déjà la lampe à la main, lorsque nous entendîmes très nettement deux grands coups lancés à toute volée dans le portail, à l'autre bout de la cour. Elle replaça la lampe sur la table et nous restâmes tous debout, aux aguets, l'oreille tendue.

Il ne fallait pas songer à aller voir ce qui se passait. Avant d'avoir traversé seulement la moitié de la cour, la lampe eût été éteinte et le verre brisé. Il y eut un court silence et mon père commençait à dire que « c'était sans doute... », lorsque, tout juste sous la fenêtre de la salle à manger, qui donnait, je l'ai dit, sur la route de La Gare, un coup de sifflet partit, strident et très prolongé, qui dut s'entendre jusque dans la rue de l'église. Et, immédiatement, derrière la fenêtre, à peine voilés par les carreaux, poussés par des gens qui devaient être montés à la force des poignets sur l'appui extérieur, éclatèrent des cris perçants.

« Amenez-le ! Amenez-le ! »

À l'autre extrémité du bâtiment, les mêmes cris répondirent. Ceux-là avaient dû passer par le champ du père Martin ; ils devaient être grimpés sur le mur bas qui séparait le champ de notre cour.

Puis, vociférés à chaque endroit par huit ou dix inconnus aux voix déguisées, les cris de : « Amenez-le ! » éclatèrent successivement – sur le toit du cellier[1] qu'ils avaient dû atteindre en escaladant

1. **Cellier :** pièce fraîche où l'on entrepose le vin et les provisions.

un tas de fagots adossé au mur extérieur – sur un petit mur qui joignait le hangar au portail et dont la crête arrondie permettait de se mettre commodément à cheval – sur le mur grillé de la route de La Gare où l'on pouvait facilement monter... Enfin, par derrière, dans le jardin, une troupe retardataire arriva, qui fit la même sarabande[1], criant cette fois :

« À l'abordage ! »

Et nous entendions l'écho de leurs cris résonner dans les salles de classe vides, dont ils avaient ouvert les fenêtres.

Nous connaissions si bien, Meaulnes et moi, les détours et les passages de la grande demeure, que nous voyions très nettement, comme sur un plan, tous les points où ces gens inconnus étaient en train de l'attaquer.

À vrai dire, ce fut seulement au tout premier instant que nous eûmes de l'effroi. Le coup de sifflet nous fit penser tous les quatre à une attaque de rôdeurs et de bohémiens. Justement il y avait depuis une quinzaine, sur la place, derrière l'église, un grand malandrin[2] et un jeune garçon à la tête serrée dans des bandages. Il y avait aussi, chez les charrons et les maréchaux[3], des ouvriers qui n'étaient pas du pays.

Mais, dès que nous eûmes entendu les assaillants crier, nous fûmes persuadés que nous avions affaire à des gens – et probablement à des jeunes gens – du bourg. Il y avait même certainement des gamins – on reconnaissait leurs voix suraiguës – dans la troupe qui se jetait à l'assaut de notre demeure comme à l'abordage d'un navire.

« Ah ! bien, par exemple... » s'écria mon père.

Et Millie demanda à mi-voix :

« Mais qu'est-ce que cela veut dire ? », lorsque soudain les voix du portail et du mur grillé – puis celles de la fenêtre – s'arrêtèrent. Deux coups de sifflet partirent derrière la croisée. Les cris des gens grimpés sur le cellier, comme ceux des assaillants du jardin, décrurent

---

1. **Sarabande :** terme familier synonyme de désordre, de vacarme ; au sens propre, le mot désigne une danse espagnole.
2. **Malandrin :** bandit de grand chemin, voleur, brigand.
3. **Les charrons et les maréchaux :** voir notes 1 et 2 p. 28.

progressivement, puis cessèrent ; nous entendîmes, le long du mur de la salle à manger, le frôlement de toute la troupe qui se retirait en hâte et dont les pas étaient amortis par la neige.

Quelqu'un évidemment les dérangeait. À cette heure où tout dormait, ils avaient pensé mener en paix leur assaut contre cette maison isolée à la sortie du bourg. Mais voici qu'on troublait leur plan de campagne.

À peine avions-nous eu le temps de nous ressaisir – car l'attaque avait été soudaine comme un abordage bien conduit – et nous disposions-nous à sortir, que nous entendîmes une voix connue appeler à la petite grille :

« Monsieur Seurel ! Monsieur Seurel ! »

C'était M. Pasquier, le boucher. Le gros petit homme racla ses sabots sur le seuil, secoua sa courte blouse saupoudrée de neige et entra. Il se donnait l'air finaud et effaré de quelqu'un qui a surpris tout le secret d'une mystérieuse affaire :

« J'étais dans ma cour, qui donne sur la place des Quatre-Routes. J'allais fermer l'étable des chevreaux. Tout d'un coup, dressés sur la neige, qu'est-ce que je vois : deux grands gars qui semblaient faire sentinelle ou guetter quelque chose. Ils étaient vers la croix. Je m'avance : je fais deux pas – Hip ! les voilà partis au grand galop du côté de chez vous. Ah ! je n'ai pas hésité, j'ai pris mon falot et j'ai dit : je vais aller raconter ça à M. Seurel… »

Et le voilà qui recommence son histoire :

« J'étais dans la cour derrière chez moi… » Sur ce, on lui offre une liqueur, qu'il accepte, et on lui demande des détails qu'il est incapable de fournir.

Il n'avait rien vu en arrivant à la maison. Toutes les troupes mises en éveil par les deux sentinelles qu'il avait dérangées s'étaient éclipsées aussitôt. Quant à dire qui ces estafettes[1] pouvaient être…

« Ça pourrait bien être des bohémiens, avançait-il. Depuis bientôt un mois qu'ils sont sur la place, à attendre le beau temps pour jouer la comédie, ils ne sont pas sans avoir organisé quelque mauvais coup. »

Tout cela ne nous avançait guère et nous restions debout, fort perplexes, tandis que l'homme sirotait la liqueur et de nouveau

1. **Estafettes :** une estafette est un militaire chargé de transmettre les dépêches.

mimait son histoire, lorsque Meaulnes, qui avait écouté jusque-là fort attentivement, prit par terre le falot du boucher et décida :

« Il faut aller voir ! »

Il ouvrit la porte et nous le suivîmes, M. Seurel, M. Pasquier et moi.

Millie, déjà rassurée, puisque les assaillants étaient partis, et, comme tous les gens ordonnés et méticuleux, fort peu curieuse de sa nature, déclara :

« Allez-y si vous voulez. Mais fermez la porte et prenez la clef. Moi, je vais me coucher. Je laisserai la lampe allumée. »

II

Nous tombons dans une embuscade

NOUS PARTÎMES sur la neige, dans un silence absolu. Meaulnes marchait en avant, projetant la lueur en éventail de sa lanterne grillagée… À peine sortions-nous par le grand portail que, derrière la bascule municipale, qui s'adossait au mur de notre préau, partirent d'un seul coup, comme perdreaux surpris, deux individus encapuchonnés[1]. Soit moquerie, soit plaisir causé par l'étrange jeu qu'ils jouaient là, soit excitation nerveuse et peur d'être rejoints, ils dirent en courant deux ou trois paroles coupées de rires.

Meaulnes laissa tomber sa lanterne dans la neige, en me criant : « Suis-moi, François !… »

Et laissant là les deux hommes âgés incapables de soutenir une pareille course, nous nous lançâmes à la poursuite des deux ombres, qui, après avoir un instant contourné le bas du bourg, en suivant le chemin de la Vieille-Planche, remontèrent délibérément vers l'église. Ils couraient régulièrement sans trop de hâte et nous n'avions pas de peine à les suivre. Ils traversèrent la rue de l'église où tout était endormi et silencieux, et s'engagèrent derrière le cimetière dans un dédale[2] de petites ruelles et d'impasses.

C'était là un quartier de journaliers[3], de couturières et de tisserands[4], qu'on nommait les Petits-Coins. Nous le connaissions assez mal et nous n'y étions jamais venus la nuit. L'endroit était désert le jour : les journaliers absents, les tisserands enfermés ; et durant cette nuit de grand silence il paraissait plus abandonné, plus endormi encore que les autres quartiers du bourg. Il n'y avait donc aucune chance pour que quelqu'un survînt et nous prêtât main-forte.

Je ne connaissais qu'un chemin, entre ces petites maisons posées au hasard comme des boîtes en carton, c'était celui qui menait

---

1. **Encapuchonnés :** enfouis dans des « capuchons » ; voir note 2 p. 26.
2. **Un dédale :** un labyrinthe.
3. **Journaliers :** travailleurs, ouvriers agricoles, payés à la journée.
4. **Tisserands :** personnes qui fabriquent des tissus.

chez la couturière qu'on surnommait «la Muette». On descendait
30 d'abord une pente assez raide, dallée de place en place, puis après avoir tourné deux ou trois fois, entre des petites cours de tisserands ou des écuries vides, on arrivait dans une large impasse fermée par une cour de ferme depuis longtemps abandonnée. Chez la Muette, tandis qu'elle engageait avec ma mère une conversation
35 silencieuse, les doigts frétillants, coupée seulement de petits cris d'infirme, je pouvais voir par la croisée le grand mur de la ferme, qui était la dernière maison de ce côté du faubourg, et la barrière toujours fermée de la cour sèche, sans paille, où jamais rien ne passait plus…

40 C'est exactement ce chemin que les deux inconnus suivirent. À chaque tournant nous craignions de les perdre, mais, à ma surprise, nous arrivions toujours au détour de la ruelle suivante avant qu'ils l'eussent quittée. Je dis : à ma surprise, car le fait n'eût pas été possible, tant ces ruelles étaient courtes, s'ils n'avaient pas, chaque
45 fois, tandis que nous les avions perdus de vue, ralenti leur allure.

Enfin, sans hésiter, ils s'engagèrent dans la rue qui menait chez la Muette, et je criai à Meaulnes :

« Nous les tenons, c'est une impasse ! »

À vrai dire, c'étaient eux qui nous tenaient… Ils nous avaient
50 conduits là où ils avaient voulu. Arrivés au mur, ils se retournèrent vers nous résolument et l'un des deux lança le même coup de sifflet que nous avions déjà par deux fois entendu, ce soir-là.

Aussitôt une dizaine de gars sortirent de la cour de la ferme abandonnée où ils semblaient avoir été postés pour nous attendre.
55 Ils étaient tous encapuchonnés, le visage enfoncé dans leurs cache-nez…

Qui c'était, nous le savions d'avance, mais nous étions bien résolus à n'en rien dire à M. Seurel, que nos affaires ne regardaient pas. Il y avait Delouche, Denis, Giraudat et tous les autres. Nous recon-
60 nûmes dans la lutte leur façon de se battre et leurs voix entrecoupées. Mais un point demeurait inquiétant et semblait presque effrayer Meaulnes : il y avait là quelqu'un que nous ne connaissions pas et qui paraissait être le chef…

Il ne touchait pas Meaulnes : il regardait manœuvrer ses soldats
65 qui avaient fort à faire et qui, traînés dans la neige, déguenillés du haut en bas, s'acharnaient contre le grand gars essoufflé. Deux

d'entre eux s'étaient occupés de moi, m'avaient immobilisé avec peine, car je me débattais comme un diable. J'étais par terre, les genoux pliés, assis sur les talons ; on me tenait les bras joints par derrière, et je regardais la scène avec une intense curiosité mêlée d'effroi.

Meaulnes s'était débarrassé de quatre garçons du Cours qu'il avait dégrafés de sa blouse en tournant vivement sur lui-même et en les jetant à toute volée dans la neige... Bien droit sur ses deux jambes, le personnage inconnu suivait avec intérêt, mais très calme, la bataille, répétant de temps à autre d'une voix nette :

« Allez... Courage... Revenez-y... *Go on, my boys...* »

C'était évidemment lui qui commandait... D'où venait-il ? Où et comment les avait-il entraînés à la bataille ? Voilà qui restait un mystère pour nous. Il avait, comme les autres, le visage enveloppé dans un cache-nez, mais lorsque Meaulnes, débarrassé de ses adversaires, s'avança vers lui, menaçant, le mouvement qu'il fit pour y voir bien clair et faire face à la situation découvrit un morceau de linge blanc qui lui enveloppait la tête à la façon d'un bandage.

C'est à ce moment que je criai à Meaulnes :

« Prends garde par-derrière ! Il y en a un autre. »

Il n'eut pas le temps de se retourner que, de la barrière à laquelle il tournait le dos, un grand diable avait surgi et, passant habilement son cache-nez autour du cou de mon ami, le renversait en arrière. Aussitôt les quatre adversaires de Meaulnes qui avaient piqué le nez dans la neige revenaient à la charge pour lui immobiliser bras et jambes, lui liaient les bras avec une corde, les jambes avec un cache-nez, et le jeune personnage à la tête bandée fouillait dans ses poches... Le dernier venu, l'homme au lasso, avait allumé une petite bougie qu'il protégeait de la main, et chaque fois qu'il découvrait un papier nouveau, le chef allait auprès de ce lumignon[1] examiner ce qu'il contenait. Il déplia enfin cette espèce de carte couverte d'inscriptions à laquelle Meaulnes travaillait depuis son retour et s'écria avec joie :

« Cette fois nous l'avons. Voilà le plan ! Voilà le guide ! Nous allons voir si ce monsieur est bien allé où je l'imagine... »

1. **Lumignon :** bout de la mèche d'une bougie allumée ; petit morceau de chandelle.

Son acolyte[1] éteignit la bougie. Chacun ramassa sa casquette ou sa ceinture. Et tous disparurent silencieusement comme ils étaient
105 venus, me laissant libre de délier en hâte mon compagnon.

« Il n'ira pas très loin avec ce plan-là », dit Meaulnes en se levant.

Et nous repartîmes lentement, car il boitait un peu. Nous retrouvâmes sur le chemin de l'église M. Seurel et le père Pasquier :

« Vous n'avez rien vu ? dirent-ils... Nous non plus ! »

110 Grâce à la nuit profonde ils ne s'aperçurent de rien. Le boucher nous quitta et M. Seurel rentra bien vite se coucher.

Mais nous deux, dans notre chambre, là-haut, à la lueur de la lampe que Millie nous avait laissée, nous restâmes longtemps à rafistoler nos blouses décousues, discutant à voix basse sur ce qui
115 nous était arrivé, comme deux compagnons d'armes le soir d'une bataille perdue...

---

1. **Acolyte :** complice, compagnon.

III

Le bohémien à l'école

LE RÉVEIL du lendemain fut pénible. À huit heures et demie, à l'instant où M. Seurel allait donner le signal d'entrer, nous arrivâmes tout essoufflés pour nous mettre sur les rangs. Comme nous étions en retard, nous nous glissâmes n'importe où, mais d'ordinaire le grand Meaulnes était le premier de la longue file d'élèves, coude à coude, chargés de livres, de cahiers et de porte-plume, que M. Seurel inspectait.

Je fus surpris de l'empressement silencieux que l'on mit à nous faire place vers le milieu de la file ; et tandis que M. Seurel, retardant de quelques secondes l'entrée au cours, inspectait le grand Meaulnes, j'avançai curieusement la tête, regardant à droite et à gauche pour voir les visages de nos ennemis de la veille.

Le premier que j'aperçus était celui-là même auquel je ne cessais de penser, mais le dernier que j'eusse pu m'attendre à voir en ce lieu. Il était à la place habituelle de Meaulnes, le premier de tous, un pied sur la marche de pierre, une épaule et le coin du sac qu'il avait sur le dos, accotés au chambranle de la porte. Son visage fin, très pâle, un peu piqué de rousseur, était penché et tourné vers nous avec une sorte de curiosité méprisante et amusée. Il avait la tête et tout un côté de la figure bandés de linge blanc. Je reconnaissais le chef de bande, le jeune bohémien qui nous avait volés la nuit précédente.

Mais déjà nous entrions dans la classe et chacun prenait sa place. Le nouvel élève s'assit près du poteau, à la gauche du long banc dont Meaulnes occupait, à droite, la première place. Giraudat, Delouche et les trois autres du premier banc s'étaient serrés les uns contre les autres pour lui faire place, comme si tout eût été convenu d'avance…

Souvent, l'hiver, passaient ainsi parmi nous des élèves de hasard, mariniers[1] pris par les glaces dans le canal, apprentis, voyageurs immobilisés par la neige. Ils restaient au cours deux jours, un mois,

1. **Mariniers :** ou bateliers, personnes qui conduisent des bateaux sur des cours d'eau.

rarement plus... Objets de curiosité durant la première heure, ils étaient aussitôt négligés et disparaissaient bien vite dans la foule des élèves ordinaires.

35 Mais celui-ci ne devait pas se faire aussitôt oublier. Je me rappelle encore cet être singulier et tous les trésors étranges apportés dans ce cartable qu'il s'accrochait au dos. Ce furent d'abord les porte-plume « à vue » qu'il tira pour écrire sa dictée. Dans un œillet du manche, en fermant un œil, on voyait apparaître, trouble 40 et grossie, la basilique de Lourdes ou quelque monument inconnu. Il en choisit un et les autres aussitôt passèrent de main en main. Puis ce fut un plumier chinois rempli de compas et d'instruments amusants qui s'en allèrent par le banc de gauche, glissant silencieusement, sournoisement, de main en main, sous les cahiers, 45 pour que M. Seurel ne pût rien voir.

Passèrent aussi des livres tout neufs, dont j'avais, avec convoitise, lu les titres derrière la couverture des rares bouquins de notre bibliothèque : *La Teppe aux Merles, La Roche aux Mouettes, Mon ami Benoist...* Les uns feuilletaient d'une main sur leurs genoux 50 ces volumes, venus on ne savait d'où, volés peut-être, et écrivaient la dictée de l'autre main. D'autres faisaient tourner les compas au fond de leurs casiers. D'autres, brusquement, tandis que M. Seurel tournant le dos continuait la dictée en marchant du bureau à la fenêtre, fermaient un œil et se collaient sur l'autre la vue glauque 55 et trouée de Notre-Dame de Paris. Et l'élève étranger, la plume à la main, son fin profil contre le poteau gris, clignait des yeux, content de tout ce jeu furtif qui s'organisait autour de lui.

Peu à peu cependant toute la classe s'inquiéta : les objets, qu'on « faisait passer » à mesure, arrivaient l'un après l'autre dans les 60 mains du grand Meaulnes qui, négligemment, sans les regarder, les posait auprès de lui. Il y en eut bientôt un tas, mathématique et diversement coloré, comme aux pieds de la femme qui représente la Science, dans les compositions allégoriques[1]. Fatalement M. Seurel allait découvrir ce déballage insolite et s'apercevoir du 65 manège. Il devait songer, d'ailleurs, à faire une enquête sur les

---

1. **Compositions allégoriques :** tableaux représentant la science sous la figure d'une jeune femme, dotée d'attributs symboliques.

événements de la nuit. La présence du bohémien allait faciliter sa besogne...

Bientôt, en effet, il s'arrêtait, surpris, devant le grand Meaulnes.

« À qui appartient tout cela ? demanda-t-il en désignant "tout cela" du dos de son livre refermé sur son index.

– Je n'en sais rien », répondit Meaulnes d'un ton bourru, sans lever la tête.

Mais l'écolier inconnu intervint :

« C'est à moi », dit-il.

Et il ajouta aussitôt avec un geste large et élégant de jeune seigneur auquel le vieil instituteur ne sut pas résister :

« Mais je les mets à votre disposition, monsieur, si vous voulez regarder. »

Alors, en quelques secondes, sans bruit, comme pour ne pas troubler le nouvel état de choses qui venait de se créer, toute la classe se glissa curieusement autour du maître qui penchait sur ce trésor sa tête demi-chauve, demi-frisée, et du jeune personnage blême qui donnait avec un air de triomphe tranquille les explications nécessaires. Cependant, silencieux à son banc, complètement délaissé, le grand Meaulnes avait ouvert son cahier de brouillons et, fronçant le sourcil, s'absorbait dans un problème difficile...

Le « quart d'heure » nous surprit dans ces occupations. La dictée n'était pas finie et le désordre régnait dans la classe. À vrai dire, depuis le matin la récréation durait.

À dix heures et demie, donc, lorsque la cour sombre et boueuse fut envahie par les élèves, on s'aperçut bien vite qu'un nouveau maître régnait sur les jeux.

De tous les plaisirs nouveaux que le bohémien, dès ce matin-là, introduisit chez nous, je ne me rappelle que le plus sanglant : c'était une espèce de tournoi[1] où les chevaux étaient les grands élèves chargés des plus jeunes grimpés sur leurs épaules.

Partagés en deux groupes qui partaient des deux bouts de la cour, ils fondaient les uns sur les autres[2], cherchant à terrasser l'adversaire par la violence du choc, et les cavaliers, usant de cache-nez comme de lassos, ou de leurs bras tendus comme de

---

1. **Tournoi :** fête guerrière où les chevaliers s'affrontaient à cheval.

2. **Ils fondaient les uns sur les autres :** ils se précipitaient les uns sur les autres.

lances, s'efforçaient de désarçonner leurs rivaux. Il y en eut dont on esquivait le choc et qui, perdant l'équilibre, allaient s'étaler dans la boue, le cavalier roulant sous sa monture. Il y eut des écoliers à moitié désarçonnés que le cheval rattrapait par les jambes et
105 qui, de nouveau acharnés à la lutte, regrimpaient sur ses épaules. Monté sur le grand Delage qui avait des membres démesurés, le poil roux et les oreilles décollées, le mince cavalier à la tête bandée excitait les deux troupes rivales et dirigeait malignement[1] sa monture en riant aux éclats.

110 Augustin, debout sur le seuil de la classe, regardait d'abord avec mauvaise humeur s'organiser ces jeux. Et j'étais auprès de lui, indécis.

« C'est un malin, dit-il entre ses dents, les mains dans les poches. Venir ici, dès ce matin, c'était le seul moyen de n'être pas soup-
115 çonné. Et M. Seurel s'y est laissé prendre ! »

Il resta là un long moment, sa tête rase au vent, à maugréer[2] contre ce comédien qui allait faire assommer tous ces gars dont il avait été peu de temps auparavant le capitaine. Et, enfant paisible que j'étais, je ne manquais pas de l'approuver.

120 Partout, dans tous les coins, en l'absence du maître se poursuivait la lutte : les plus petits avaient fini par grimper les uns sur les autres ; ils couraient et culbutaient avant même d'avoir reçu le choc de l'adversaire... Bientôt il ne resta plus debout, au milieu de la cour, qu'un groupe acharné et tourbillonnant d'où surgissait par
125 moments le bandeau blanc du nouveau chef.

Alors le grand Meaulnes ne sut plus résister. Il baissa la tête, mit ses mains sur ses cuisses et me cria :

« Allons-y, François ! »

Surpris par cette décision soudaine, je sautai pourtant sans hési-
130 ter sur ses épaules et en une seconde nous étions au fort de la mêlée, tandis que la plupart des combattants, éperdus, fuyaient en criant :

« Voilà Meaulnes ! Voilà le grand Meaulnes ! »

Au milieu de ceux qui restaient il se mit à tourner sur lui-même
135 en me disant :

---

1. **Malignement :** méchamment.
2. **Maugréer :** manifester sa mauvaise humeur, son mécontentement.

« Étends les bras : empoigne-les comme j'ai fait cette nuit. »

Et moi, grisé par la bataille, certain du triomphe, j'agrippais au passage les gamins qui se débattaient, oscillaient un instant sur les épaules des grands et tombaient dans la boue. En moins de rien il ne resta debout que le nouveau venu monté sur Delage ; mais celui-ci, peu désireux d'engager la lutte avec Augustin, d'un violent coup de reins en arrière se redressa et fit descendre le cavalier blanc.

La main à l'épaule de sa monture, comme un capitaine tient le mors de son cheval, le jeune garçon debout par terre regarda le grand Meaulnes avec un peu de saisissement et une immense admiration :

« À la bonne heure ! » dit-il.

Mais aussitôt la cloche sonna, dispersant les élèves qui s'étaient rassemblés autour de nous dans l'attente d'une scène curieuse. Et Meaulnes, dépité de n'avoir pu jeter à terre son ennemi, tourna le dos en disant, avec mauvaise humeur :

« Ce sera pour une autre fois ! »

Jusqu'à midi la classe continua comme à l'approche des vacances, mêlée d'intermèdes amusants et de conversations dont l'écolier-comédien était le centre.

Il expliquait comment, immobilisés par le froid sur la place, ne songeant pas même à organiser des représentations nocturnes où personne ne viendrait, ils avaient décidé que lui-même irait au cours pour se distraire pendant la journée, tandis que son compagnon soignerait les oiseaux des Îles et la chèvre savante. Puis il racontait leurs voyages dans le pays environnant, alors que l'averse tombe sur le mauvais toit de zinc de la voiture et qu'il faut descendre aux côtes pour pousser à la roue. Les élèves du fond quittaient leur table pour venir écouter de plus près. Les moins romanesques profitaient de cette occasion pour se chauffer autour du poêle. Mais bientôt la curiosité les gagnait et ils se rapprochaient du groupe bavard en tendant l'oreille, laissant une main posée sur le couvercle du poêle pour y garder leur place.

« Et de quoi vivez-vous ? » demanda M. Seurel qui suivait tout cela avec sa curiosité un peu puérile de maître d'école et qui posait une foule de questions.

Le garçon hésita un instant, comme si jamais il ne s'était inquiété de ce détail.

175 « Mais, répondit-il, de ce que nous avons gagné l'automne précédent, je pense. C'est Ganache[1] qui règle les comptes. »

Personne ne lui demanda qui était Ganache. Mais moi je pensai au grand diable, qui traîtreusement, la veille au soir, avait attaqué Meaulnes par-derrière et l'avait renversé…

1. **Ganache :** nom désignant une personne stupide et incapable.

IV

Où il est question du domaine mystérieux

L'APRÈS-MIDI ramena les mêmes plaisirs et, tout le long du cours, le même désordre et la même fraude. Le bohémien avait apporté d'autres objets précieux, coquillages, jeux, chansons et jusqu'à un petit singe qui griffait sourdement l'intérieur de sa gibecière[1]... À chaque instant, il fallait que M. Seurel s'interrompît pour examiner ce que le malin garçon venait de tirer de son sac... Quatre heures arrivèrent et Meaulnes était le seul à avoir fini ses problèmes.

Ce fut sans hâte que tout le monde sortit. Il n'y avait plus, semblait-il, entre les heures de cours et de récréation, cette dure démarcation qui faisait la vie scolaire simple et réglée comme par la succession de la nuit et du jour. Nous en oubliâmes même de désigner comme d'ordinaire à M. Seurel, vers quatre heures moins dix, les deux élèves qui devaient rester pour balayer la classe. Or, nous n'y manquions jamais car c'était une façon d'annoncer et de hâter la sortie du cours.

Le hasard voulut que ce fût ce jour-là le tour du grand Meaulnes ; et dès le matin j'avais, en causant avec lui, averti le bohémien que les nouveaux étaient toujours désignés d'office pour faire le second balayeur, le jour de leur arrivée.

Meaulnes revint en classe dès qu'il eut été chercher le pain de son goûter. Quant au bohémien, il se fit longtemps attendre et arriva le dernier, en courant, comme la nuit commençait de tomber...

« Tu resteras dans la classe, m'avait dit mon compagnon, et pendant que je le tiendrai, tu lui reprendras le plan qu'il m'a volé. »

Je m'étais donc assis sur une petite table, auprès de la fenêtre, lisant à la dernière lueur du jour, et je les vis tous les deux déplacer en silence les bancs de l'école – le grand Meaulnes, taciturne et l'air dur, sa blouse noire boutonnée à trois boutons en arrière et sanglée à la ceinture ; l'autre, délicat, nerveux, la tête bandée

1. **Gibecière :** sac en toile ou en peau servant au transport du gibier.

comme un blessé. Il était vêtu d'un mauvais paletot[1], avec des déchirures que je n'avais pas remarquées pendant le jour. Plein d'une ardeur presque sauvage, il soulevait et poussait les tables avec une précipitation folle, en souriant un peu. On eût dit qu'il jouait là quelque jeu extraordinaire dont nous ne connaissions pas le fin mot.

Ils arrivèrent ainsi dans le coin le plus obscur de la salle, pour déplacer la dernière table.

En cet endroit, d'un tour de main, Meaulnes pouvait renverser son adversaire, sans que personne du dehors eût chance de les apercevoir ou de les entendre par les fenêtres. Je ne comprenais pas qu'il laissât échapper une pareille occasion. L'autre, revenu près de la porte, allait s'enfuir d'un instant à l'autre, prétextant que la besogne était terminée, et nous ne le reverrions plus. Le plan et tous les renseignements que Meaulnes avait mis si longtemps à retrouver, à concilier, à réunir, seraient perdus pour nous…

À chaque seconde j'attendais de mon camarade un signe, un mouvement, qui m'annonçât le début de la bataille, mais le grand garçon ne bronchait pas. Par instants, seulement, il regardait avec une fixité étrange et d'un air interrogatif le bandeau du bohémien, qui, dans la pénombre de la nuit, paraissait largement taché de noir.

La dernière table fut déplacée sans que rien arrivât.

Mais au moment où, remontant tous les deux vers le haut de la classe, ils allaient donner sur le seuil un dernier coup de balai, Meaulnes, baissant la tête, et sans regarder notre ennemi, dit à mi-voix :

« Votre bandeau est rouge de sang et vos habits sont déchirés. »

L'autre le regarda un instant, non pas surpris de ce qu'il disait, mais profondément ému de le lui entendre dire.

« Ils ont voulu, répondit-il, m'arracher votre plan tout à l'heure, sur la place. Quand ils ont su que je voulais revenir ici balayer la classe, ils ont compris que j'allais faire la paix avec vous, ils se sont révoltés contre moi. Mais je l'ai tout de même sauvé », ajouta-t-il fièrement, en tendant à Meaulnes le précieux papier plié.

Meaulnes se tourna lentement vers moi :

---

1. **Paletot :** voir note 4 p. 45.

« Tu entends ? dit-il. Il vient de se battre et de se faire blesser pour nous, tandis que nous lui tendions un piège ! »

Puis cessant d'employer ce « vous » insolite chez des écoliers de Sainte-Agathe :

« Tu es un vrai camarade », dit-il, et il lui tendit la main.

Le comédien la saisit et demeura sans parole une seconde, très troublé, la voix coupée... Mais bientôt avec une curiosité ardente il poursuivit :

« Ainsi vous me tendiez un piège ! Que c'est amusant ! Je l'avais deviné et je me disais : ils vont être bien étonnés, quand, m'ayant repris ce plan, ils s'apercevront que je l'ai complété...

– Complété ?

– Oh ! attendez ! Pas entièrement... »

Quittant ce ton enjoué, il ajouta gravement et lentement, se rapprochant de nous :

« Meaulnes, il est temps que je vous le dise : moi aussi je suis allé là où vous avez été. J'assistais à cette fête extraordinaire. J'ai bien pensé, quand les garçons du Cours m'ont parlé de votre aventure mystérieuse, qu'il s'agissait du vieux Domaine perdu. Pour m'en assurer je vous ai volé votre carte... Mais je suis comme vous : j'ignore le nom de ce château ; je ne saurais pas y retourner ; je ne connais pas en entier le chemin qui d'ici vous y conduirait. »

Avec quel élan, avec quelle intense curiosité, avec quelle amitié nous nous pressâmes contre lui ! Avidement Meaulnes lui posait des questions... Il nous semblait à tous deux qu'en insistant ardemment auprès de notre nouvel ami, nous lui ferions dire cela même qu'il prétendait ne pas savoir.

« Vous verrez, vous verrez, répondait le jeune garçon avec un peu d'ennui et d'embarras, je vous ai mis sur le plan quelques indications que vous n'aviez pas... C'est tout ce que je pouvais faire. »

Puis, nous voyant pleins d'admiration et d'enthousiasme :

« Oh ! dit-il, tristement et fièrement, je préfère vous avertir : je ne suis pas un garçon comme les autres. Il y a trois mois, j'ai voulu me tirer une balle dans la tête et c'est ce qui vous explique ce bandeau sur le front, comme un mobile[1] de la Seine, en 1870...

---

1. **Mobile :** ou garde mobile, soldat appartenant à une troupe qui peut se déplacer rapidement.

– Et ce soir, en vous battant, la plaie s'est rouverte », dit Meaulnes avec amitié.

Mais l'autre, sans y prendre garde, poursuivit d'un ton légèrement emphatique[1] :

« Je voulais mourir. Et puisque je n'ai pas réussi, je ne continuerai à vivre que pour l'amusement, comme un enfant, comme un bohémien. J'ai tout abandonné. Je n'ai plus ni père, ni sœur, ni maison, ni amour... Plus rien, que des compagnons de jeux.

– Ces compagnons-là vous ont déjà trahi, dis-je.

– Oui, répondit-il avec animation. C'est la faute d'un certain Delouche. Il a deviné que j'allais faire cause commune avec vous. Il a démoralisé ma troupe qui était si bien en main. Vous avez vu cet abordage, hier au soir, comme c'était conduit, comme ça marchait ! Depuis mon enfance, je n'avais rien organisé d'aussi réussi... »

Il resta songeur un instant, et il ajouta pour nous désabuser tout à fait sur son compte :

« Si je suis venu vers vous deux, ce soir, c'est que – je m'en suis aperçu ce matin – il y a plus de plaisir à prendre avec vous qu'avec la bande de tous les autres. C'est ce Delouche surtout qui me déplaît. Quelle idée de faire l'homme à dix-sept ans ! Rien ne me dégoûte davantage... Pensez-vous que nous puissions le repincer ?

– Certes, dit Meaulnes. Mais resterez-vous longtemps avec nous ?

– Je ne sais. Je le voudrais beaucoup. Je suis terriblement seul. Je n'ai que Ganache... »

Toute sa fièvre, tout son enjouement étaient tombés soudain. Un instant, il plongea dans ce même désespoir où sans doute, un jour, l'idée de se tuer l'avait surpris.

« Soyez mes amis, dit-il soudain. Voyez : je connais votre secret et je l'ai défendu contre tous. Je puis vous remettre sur la trace que vous avez perdue... »

Et il ajouta presque solennellement :

« Soyez mes amis pour le jour où je serais encore à deux doigts de l'enfer comme une fois déjà... Jurez-moi que vous répondrez quand je vous appellerai – quand je vous appellerai ainsi... (et il poussa une sorte de cri étrange : Hou-ou !...) Vous, Meaulnes, jurez d'abord ! »

---

1. **Emphatique :** pompeux, solennel.

Et nous jurâmes, car, enfants que nous étions, tout ce qui était plus solennel et plus sérieux que nature nous séduisait.

« En retour, dit-il, voici maintenant tout ce que je puis vous dire : je vous indiquerai la maison de Paris où la jeune fille du château avait l'habitude de passer les fêtes : Pâques et la Pentecôte, le mois de juin et quelquefois une partie de l'hiver. »

À ce moment une voix inconnue appela du grand portail, à plusieurs reprises, dans la nuit. Nous devinâmes que c'était Ganache, le bohémien, qui n'osait pas ou ne savait comment traverser la cour. D'une voix pressante, anxieuse, il appelait tantôt très haut, tantôt presque bas :

« Hou-ou ! Hou-ou !

– Dites ! Dites vite ! » cria Meaulnes au jeune bohémien qui avait tressailli et qui rajustait ses habits pour partir.

Le jeune garçon nous donna rapidement une adresse à Paris, que nous répétâmes à mi-voix. Puis il courut, dans l'ombre, rejoindre son compagnon à la grille, nous laissant dans un état de trouble inexprimable.

V

L'homme aux espadrilles

CETTE NUIT-LÀ, vers trois heures du matin, la veuve Delouche, l'aubergiste, qui habitait dans le milieu du bourg, se leva pour allumer son feu. Dumas, son beau-frère, qui habitait chez elle, devait partir en route à quatre heures, et la triste bonne femme, dont la main droite était recroquevillée par une brûlure ancienne, se hâtait dans la cuisine obscure pour préparer le café. Il faisait froid. Elle mit sur sa camisole[1] un vieux fichu, puis tenant d'une main sa bougie allumée, abritant la flamme de l'autre main – la mauvaise – avec son tablier levé, elle traversa la cour encombrée de bouteilles vides et de caisses à savon, ouvrit pour y prendre du petit bois la porte du bûcher qui servait de cabane aux poules... Mais à peine avait-elle poussé la porte que, d'un coup de casquette si violent qu'il fit ronfler l'air, un individu surgissant de l'obscurité profonde éteignit la chandelle, abattit du même coup la bonne femme et s'enfuit à toutes jambes, tandis que les poules et les coqs affolés menaient un tapage infernal.

L'homme emportait dans un sac – comme la veuve Delouche retrouvant son aplomb s'en aperçut un instant plus tard – une douzaine de ses poulets les plus beaux.

Aux cris de sa belle-sœur, Dumas était accouru. Il constata que le chenapan, pour entrer, avait dû ouvrir avec une fausse clef la porte de la petite cour et qu'il s'était enfui, sans la refermer, par le même chemin. Aussitôt, en homme habitué aux braconniers[2] et aux chapardeurs[3], il alluma le falot de sa voiture, et le prenant d'une main, son fusil chargé de l'autre, il s'efforça de suivre la trace du voleur, trace très imprécise – l'individu devait être chaussé d'espadrilles[4] – qui le mena sur la route de La Gare puis se perdit devant la barrière d'un pré. Forcé d'arrêter là ses recherches, il

1. **Camisole :** chemise de nuit.
2. **Braconniers :** personnes qui chassent ou qui pêchent sans respecter la loi.
3. **Chapardeurs :** voleurs de choses sans valeur.
4. **Espadrilles :** chaussures de toile à semelles de corde.

releva la tête, s'arrêta… et entendit au loin, sur la même route, le bruit d'une voiture lancée au grand galop, qui s'enfuyait…

De son côté, Jasmin Delouche, le fils de la veuve, s'était levé et, jetant en hâte un capuchon[1] sur ses épaules, il était sorti en chaussons pour inspecter le bourg. Tout dormait, tout était plongé dans l'obscurité et le silence profond qui précèdent les premières lueurs du jour. Arrivé aux Quatre-Routes, il entendit seulement – comme son oncle – très loin, sur la colline des Riaudes, le bruit d'une voiture dont le cheval devait galoper les quatre pieds levés. Garçon malin et fanfaron, il se dit alors, comme il nous le répéta par la suite avec l'insupportable grasseyement[2] des faubourgs de Montluçon :

« Ceux-là sont partis vers La Gare, mais il n'est pas dit que je n'en « chaufferai »[3] pas d'autres, de l'autre côté du bourg. »

Et il rebroussa chemin vers l'église, dans le même silence nocturne.

Sur la place, dans la roulotte des bohémiens, il y avait une lumière. Quelqu'un de malade sans doute. Il allait s'approcher, pour demander ce qui était arrivé, lorsqu'une ombre silencieuse, une ombre chaussée d'espadrilles, déboucha des Petits-Coins et accourut au galop, sans rien voir, vers le marchepied de la voiture… Jasmin, qui avait reconnu l'allure de Ganache, s'avança soudain dans la lumière et demanda à mi-voix :

« Eh bien ! Qu'y a-t-il ? »

Hagard, échevelé, édenté, l'autre s'arrêta, le regarda, avec un rictus[4] misérable causé par l'effroi et la suffocation, et répondit d'une haleine hachée :

« C'est le compagnon qui est malade… Il s'est battu hier soir et sa blessure s'est rouverte… Je viens d'aller chercher la sœur. »

En effet, comme Jasmin Delouche, fort intrigué, rentrait chez lui pour se recoucher, il rencontra, vers le milieu du bourg, une religieuse qui se hâtait.

---

1. **Capuchon :** voir note 2 p. 26.
2. **Grasseyement :** prononciation de la gorge qui affecte certaines consonnes, en particulier le R.
3. **Chaufferai :** du verbe « chauffer », prendre sur le fait, surprendre.
4. **Rictus :** expression crispée du visage.

Au matin, plusieurs habitants de Sainte-Agathe sortirent sur le seuil de leurs portes avec les mêmes yeux bouffis et meurtris par une nuit sans sommeil. Ce fut, chez tous, un cri d'indignation et, par le bourg, comme une traînée de poudre.

65 Chez Giraudat, on avait entendu, vers deux heures du matin, une carriole qui s'arrêtait et dans laquelle on chargeait en hâte des paquets qui tombaient mollement. Il n'y avait, dans la maison, que deux femmes et elles n'avaient pas osé bouger. Au jour, elles avaient compris, en ouvrant la basse-cour, que les paquets en 70 question étaient les lapins et la volaille... Millie, durant la première récréation, trouva devant la porte de la buanderie plusieurs allumettes à demi brûlées. On en conclut qu'ils étaient mal renseignés sur notre demeure et n'avaient pu entrer... Chez Perreux, chez Boujardon et chez Clément, on crut d'abord qu'ils avaient volé 75 aussi les cochons, mais on les retrouva dans la matinée, occupés à déterrer des salades, dans différents jardins. Tout le troupeau avait profité de l'occasion et de la porte ouverte pour faire une petite promenade nocturne... Presque partout on avait enlevé la volaille ; mais on s'en était tenu là. Mme Pignot, la boulangère, qui ne faisait 80 pas d'élevage, cria bien toute la journée qu'on lui avait volé son battoir[1] et une livre d'indigo[2], mais le fait ne fut jamais prouvé, ni inscrit sur le procès-verbal...

Cet affolement, cette crainte, ce bavardage durèrent tout le matin. En classe, Jasmin raconta son aventure de la nuit :

85 « Ah ! ils sont malins, disait-il. Mais si mon oncle en avait rencontré un, il l'a bien dit : Je le fusillais comme un lapin ! »

Et il ajoutait en nous regardant :

« C'est heureux qu'il n'ait pas rencontré Ganache, il était capable de tirer dessus. C'est tous la même race, qu'il dit, et Dessaigne le 90 disait aussi. »

Personne cependant ne songeait à inquiéter nos nouveaux amis. C'est le lendemain soir seulement que Jasmin fit remarquer à son oncle que Ganache, comme leur voleur, était chaussé d'espadrilles. Ils furent d'accord pour trouver qu'il valait la peine de dire cela 95 aux gendarmes. Ils décidèrent donc, en grand secret, d'aller dès

1. **Battoir :** palette de bois utilisée pour essorer le linge.
2. **Indigo :** matière colorante donnant une teinte bleu violacé.

leur premier loisir au chef-lieu de canton prévenir le brigadier de la gendarmerie.

Durant les jours qui suivirent, le jeune bohémien, malade de sa blessure légèrement rouverte, ne parut pas.

Sur la place de l'église, le soir, nous allions rôder, rien que pour voir sa lampe derrière le rideau rouge de la voiture. Pleins d'angoisse et de fièvre, nous restions là, sans oser approcher de l'humble bicoque, qui nous paraissait être le mystérieux passage et l'antichambre[1] du Pays dont nous avions perdu le chemin.

---

1. **Antichambre :** pièce commandant une ou plusieurs autres pièces ; sorte de salle d'attente.

VI

Une dispute dans la coulisse

Tant d'anxiétés et de troubles divers, durant ces jours passés, nous avaient empêchés de prendre garde que mars était venu et que le vent avait molli. Mais le troisième jour après cette aventure, en descendant, le matin, dans la cour, brusquement je compris que c'était le printemps. Une brise délicieuse comme une eau tiédie coulait par-dessus le mur, une pluie silencieuse avait mouillé la nuit les feuilles des pivoines ; la terre remuée du jardin avait un goût puissant, et j'entendais, dans l'arbre voisin de la fenêtre, un oiseau qui essayait d'apprendre la musique...

Meaulnes, à la première récréation, parla d'essayer tout de suite l'itinéraire qu'avait précisé l'écolier-bohémien. À grand'peine je lui persuadai d'attendre que nous eussions revu notre ami, que le temps fût sérieusement au beau... que tous les pruniers de Sainte-Agathe fussent en fleur. Appuyés contre le mur bas de la petite ruelle, les mains aux poches et nu-tête, nous parlions et le vent tantôt nous faisait frissonner de froid, tantôt, par bouffées de tiédeur, réveillait en nous je ne sais quel vieil enthousiasme profond. Ah ! frère, compagnon, voyageur, comme nous étions persuadés, tous deux, que le bonheur était proche, et qu'il allait suffire de se mettre en chemin pour l'atteindre !...

À midi et demi, pendant le déjeuner, nous entendîmes un roulement de tambour sur la place des Quatre-Routes. En un clin d'œil, nous étions sur le seuil de la petite grille, nos serviettes à la main... C'était Ganache qui annonçait pour le soir, à huit heures, « vu le beau temps », une grande représentation sur la place de l'église. À tout hasard, « pour se prémunir contre la pluie », une tente serait dressée. Suivait un long programme des attractions, que le vent emporta, mais où nous pûmes distinguer vaguement « pantomimes[1]... chansons... fantaisies équestres... », le tout scandé par de nouveaux roulements de tambour.

---

1. **Pantomimes :** voir note 1 p. 78.

Pendant le dîner du soir, la grosse caisse[1], pour annoncer la séance, tonna sous nos fenêtres et fit trembler les vitres. Bientôt après, passèrent, avec un bourdonnement de conversations, les gens des faubourgs, par petits groupes, qui s'en allaient vers la place de l'église. Et nous étions là, tous deux, forcés de rester à table, trépignant d'impatience !

Vers neuf heures, enfin, nous entendîmes des frottements de pieds et des rires étouffés à la petite grille : les institutrices venaient nous chercher. Dans l'obscurité complète nous partîmes en bande vers le lieu de la comédie. Nous apercevions de loin le mur de l'église illuminé comme par un grand feu. Deux quinquets[2] allumés devant la porte de la baraque ondulaient au vent...

À l'intérieur, des gradins étaient aménagés comme dans un cirque. M. Seurel, les institutrices, Meaulnes et moi nous nous installâmes sur les bancs les plus bas. Je revois ce lieu, qui devait être fort étroit, comme un cirque véritable, avec de grandes nappes d'ombre où s'étageaient Mme Pignot, la boulangère, et Fernande, l'épicière, les filles du bourg, les ouvriers maréchaux, des dames, des gamins, des paysans, d'autres gens encore.

La représentation était avancée plus qu'à moitié. On voyait sur la piste une petite chèvre savante qui bien docilement mettait ses pieds sur quatre verres, puis sur deux, puis sur un seul. C'était Ganache qui la commandait doucement, à petits coups de baguette, en regardant vers nous d'un air inquiet, la bouche ouverte, les yeux morts.

Assis sur un tabouret, près de deux autres quinquets, à l'endroit où la piste communiquait avec la roulotte, nous reconnûmes, en fin maillot noir, front bandé, le meneur de jeu, notre ami.

À peine étions-nous assis que bondissait sur la piste un poney tout harnaché à qui le jeune personnage blessé fit faire plusieurs tours, et qui s'arrêtait toujours devant l'un de nous lorsqu'il fallait désigner la personne la plus aimable ou la plus brave de la société ; mais toujours devant Mme Pignot lorsqu'il s'agissait de découvrir la plus menteuse, la plus avare ou « la plus amoureuse... » Et

---

1. **Grosse caisse :** gros tambour.
2. **Quinquets :** lampes à huile.

c'étaient autour d'elle des rires, des cris et des coin-coin, comme dans un troupeau d'oies que pourchasse un épagneul !...

À l'entracte, le meneur de jeu vint s'entretenir un instant avec M. Seurel, qui n'eût pas été plus fier d'avoir parlé à Talma[1] ou à Léotard ; et nous, nous écoutions avec un intérêt passionné tout ce qu'il disait : de sa blessure – refermée ; de ce spectacle – préparé durant les longues journées d'hiver ; de leur départ – qui ne serait pas avant la fin du mois, car ils pensaient donner jusque-là des représentations variées et nouvelles.

Le spectacle devait se terminer par une grande pantomime.

Vers la fin de l'entracte, notre ami nous quitta, et, pour regagner l'entrée de la roulotte, fut obligé de traverser un groupe qui avait envahi la piste et au milieu duquel nous aperçûmes soudain Jasmin Delouche. Les femmes et les filles s'écartèrent. Ce costume noir, cet air blessé, étrange et brave, les avaient toutes séduites. Quant à Jasmin, qui paraissait revenir à cet instant d'un voyage, et qui s'entretenait à voix basse mais animée avec Mme Pignot, il était évident qu'une cordelière[2], un col bas et des pantalons-éléphant[3] eussent fait plus sûrement sa conquête... Il se tenait les pouces au revers de son veston, dans une attitude à la fois très fate[4] et très gênée. Au passage du bohémien, dans un mouvement de dépit, il dit à haute voix à Mme Pignot quelque chose que je n'entendis pas, mais certainement une injure, un mot provocant à l'adresse de notre ami. Ce devait être une menace grave et inattendue, car le jeune homme ne put s'empêcher de se retourner et de regarder l'autre, qui, pour ne pas perdre contenance, ricanait, poussait ses voisins du coude, comme pour les mettre de son côté... Tout ceci se passa d'ailleurs en quelques secondes. Je fus sans doute le seul de mon banc à m'en apercevoir.

Le meneur de jeu rejoignit son compagnon derrière le rideau qui masquait l'entrée de la roulotte. Chacun regagna sa place sur les

---

1. **Talma :** acteur tragique (1763-1826) préféré de Napoléon Ier.
2. **Cordelière :** petite tresse de couleur servant de cravate.
3. **Pantalons-éléphant :** pantalons dont les jambes s'évasent du genou à la cheville, comme des pattes d'éléphant.
4. **Fate :** sotte, vaniteuse.

gradins, croyant que la deuxième partie du spectacle allait aussitôt commencer, et un grand silence s'établit. Alors, derrière le rideau, tandis que s'apaisaient les dernières conversations à voix basse, un bruit de dispute monta. Nous n'entendions pas ce qui était dit, mais nous reconnûmes les deux voix, celle du grand gars et celle du jeune homme – la première qui expliquait, qui se justifiait ; l'autre qui gourmandait[1], avec indignation et tristesse à la fois :

« Mais malheureux ! disait celle-ci, pourquoi ne m'avoir pas dit… »

Et nous ne distinguions pas la suite, bien que tout le monde prêtât l'oreille. Puis tout se tut soudainement. L'altercation se poursuivit à voix basse ; et les gamins des hauts gradins commencèrent à crier :

« Les lampions, le rideau ! »

et à frapper du pied.

1. **Gourmandait :** du verbe « gourmander » qui signifie corriger, réprimander.

VII

Le bohémien enlève son bandeau

ENFIN GLISSA lentement, entre les rideaux, la face – sillonnée de rides, tout écarquillée tantôt par la gaieté tantôt par la détresse, et semée de pains à cacheter[1] ! – d'un long pierrot en trois pièces mal articulées, recroquevillé sur son ventre comme par une colique, marchant sur la pointe des pieds comme par excès de prudence et de crainte, les mains empêtrées dans des manches trop longues qui balayaient la piste.

Je ne saurais plus reconstituer aujourd'hui le sujet de sa pantomime. Je me rappelle seulement que dès son arrivée dans le cirque, après s'être vainement et désespérément retenu sur les pieds, il tomba. Il eut beau se relever ; c'était plus fort que lui : il tombait. Il ne cessait pas de tomber. Il s'embarrassait dans quatre chaises à la fois. Il entraînait dans sa chute une table énorme qu'on avait apportée sur la piste. Il finit par aller s'étaler par-delà la barrière du cirque jusque sur les pieds des spectateurs. Deux aides, racolés[2] dans le public à grand'peine, le tiraient par les pieds et le remettaient debout après d'inconcevables efforts. Et chaque fois qu'il tombait, il poussait un petit cri, varié chaque fois, un petit cri insupportable, où la détresse et la satisfaction se mêlaient à doses égales. Au dénouement, grimpé sur un échafaudage de chaises, il fit une chute immense et très lente, et son ululement de triomphe strident et misérable durait aussi longtemps que sa chute, accompagné par les cris d'effroi des femmes.

Durant la seconde partie de sa pantomime, je revois, sans bien m'en rappeler la raison, « le pauvre pierrot qui tombe » sortant d'une de ses manches une petite poupée bourrée de son[3] et mimant avec elle tout une scène tragi-comique. En fin de compte, il lui faisait sortir par la bouche tout le son qu'elle avait dans le ventre.

1. **Pains à cacheter :** petites rondelles de cire à cacheter sèches, qui servaient, une fois humectées, à cacheter des lettres. Ici, le mot désigne des taches de rousseur.
2. **Racolés :** recrutés pour l'occasion.
3. **Son :** résidu de la mouture des céréales avec lequel on remplissait les poupées.

Puis, avec de petits cris pitoyables, il la remplissait de bouillie et, au moment de la plus grande attention, tandis que tous les spectateurs, la lèvre pendante, avaient les yeux fixés sur la fille visqueuse et crevée du pauvre pierrot, il la saisit soudain par un bras et la lança à toute volée, à travers les spectateurs, sur la figure de Jasmin Delouche, dont elle ne fit que mouiller l'oreille, pour aller ensuite s'aplatir sur l'estomac de Mme Pignot, juste au-dessous du menton. La boulangère poussa un tel cri, elle se renversa si fort en arrière et toutes ses voisines l'imitèrent si bien que le banc se rompit, et la boulangère, Fernande, la triste veuve Delouche et vingt autres s'effondrèrent, les jambes en l'air, au milieu des rires, des cris et des applaudissements, tandis que le grand clown, abattu la face contre terre, se relevait pour saluer et dire :

« Nous avons, messieurs et mesdames, l'honneur de vous remercier ! »

Mais à ce moment même et au milieu de l'immense brouhaha, le grand Meaulnes, silencieux depuis le début de la pantomime et qui semblait plus absorbé de minute en minute, se leva brusquement, me saisit par le bras, comme incapable de se contenir, et me cria :

« Regarde le bohémien ! Regarde ! Je l'ai enfin reconnu. »

Avant même d'avoir regardé, comme si depuis longtemps, inconsciemment, cette pensée couvait en moi et n'attendait que l'instant d'éclore, j'avais deviné ! Debout auprès d'un quinquet, à l'entrée de la roulotte, le jeune personnage inconnu avait défait son bandeau et jeté sur ses épaules une pèlerine. On voyait, dans la lueur fumeuse, comme naguère à la lumière de la bougie, dans la chambre du Domaine, un très fin, très aquilin[1] visage sans moustache. Pâle, les lèvres entr'ouvertes, il feuilletait hâtivement une sorte de petit album rouge qui devait être un atlas de poche. Sauf une cicatrice qui lui barrait la tempe et disparaissait sous la masse des cheveux, c'était, tel que me l'avait décrit minutieusement le grand Meaulnes, le fiancé du Domaine inconnu.

Il était évident qu'il avait ainsi enlevé son bandage pour être reconnu de nous. Mais à peine le grand Meaulnes avait-il fait ce mouvement et poussé ce cri, que le jeune homme rentrait dans

---

1. **Aquilin :** voir note 2 p. 88.

la roulotte, après nous avoir jeté un coup d'œil d'entente et nous avoir souri, avec une vague tristesse, comme il souriait d'ordinaire.

« Et l'autre ! disait Meaulnes avec fièvre, comment ne l'ai-je pas reconnu tout de suite ! C'est le pierrot de la fête, là-bas… »

Et il descendit les gradins pour aller vers lui. Mais déjà Ganache avait coupé toutes les communications avec la piste ; un à un il éteignait les quatre quinquets du cirque, et nous étions obligés de suivre la foule qui s'écoulait très lentement, canalisée entre les bancs parallèles, dans l'ombre où nous piétinions d'impatience.

Dès qu'il fut dehors enfin, le grand Meaulnes se précipita vers la roulotte, escalada le marchepied, frappa à la porte, mais tout était clos déjà. Déjà sans doute, dans la voiture à rideaux, comme dans celle du poney, de la chèvre et des oiseaux savants, tout le monde était rentré et commençait à dormir.

VIII

Les gendarmes !

IL NOUS FALLUT rejoindre la troupe de messieurs et de dames qui revenaient vers le Cours supérieur, par les rues obscures. Cette fois nous comprenions tout. Cette grande silhouette blanche que Meaulnes avait vue, le dernier soir de la fête, filer entre les arbres, c'était Ganache, qui avait recueilli le fiancé désespéré et s'était enfui avec lui. L'autre avait accepté cette existence sauvage, pleine de risques, de jeux et d'aventures. Il lui avait semblé recommencer son enfance...

Frantz de Galais nous avait jusqu'ici caché son nom et il avait feint d'ignorer le chemin du Domaine, par peur sans doute d'être forcé de rentrer chez ses parents ; mais pourquoi, ce soir-là, lui avait-il plu soudain de se faire connaître à nous et de nous laisser deviner la vérité tout entière ?...

Que de projets le grand Meaulnes ne fit-il pas, tandis que la troupe des spectateurs s'écoulait lentement à travers le bourg. Il décida que, dès le lendemain matin, qui était un jeudi, il irait trouver Frantz. Et, tous les deux, ils partiraient pour là-bas ! Quel voyage sur la route mouillée ! Frantz expliquerait tout ; tout s'arrangerait, et la merveilleuse aventure allait reprendre là où elle s'était interrompue...

Quant à moi je marchais dans l'obscurité avec un gonflement de cœur indéfinissable. Tout se mêlait pour contribuer à ma joie, depuis le faible plaisir que donnait l'attente du jeudi jusqu'à la très grande découverte que nous venions de faire, jusqu'à la très grande chance qui nous était échue. Et je me souviens que, dans ma soudaine générosité de cœur, je m'approchai de la plus laide des filles du notaire à qui l'on m'imposait parfois le supplice d'offrir mon bras, et spontanément je lui donnai la main.

Amers souvenirs ! Vains espoirs écrasés !

Le lendemain, dès huit heures, lorsque nous débouchâmes tous les deux sur la place de l'église, avec nos souliers bien cirés, nos plaques de ceinturons bien astiquées et nos casquettes neuves, Meaulnes, qui jusque-là se retenait de sourire en me regardant, poussa un cri et s'élança vers la place vide... Sur l'emplacement de la baraque et des voitures, il n'y avait plus qu'un pot cassé et des chiffons. Les bohémiens étaient partis...

Un petit vent qui nous parut glacé soufflait. Il me semblait qu'à chaque pas nous allions buter sur le sol caillouteux et dur de la place et que nous allions tomber. Meaulnes, affolé, fit deux fois le mouvement de s'élancer, d'abord sur la route du Vieux-Nançay, puis sur la route de Saint-Loup-des-Bois. Il mit sa main au-dessus de ses yeux, espérant un instant que nos gens venaient seulement de partir. Mais que faire ? Dix traces de voitures s'embrouillaient sur la place, puis s'effaçaient sur la route dure. Il fallut rester là, inertes.

Et tandis que nous revenions, à travers le village où la matinée du jeudi commençait, quatre gendarmes à cheval, avertis par Delouche la veille au soir, débouchèrent au galop sur la place et s'éparpillèrent à travers les rues pour garder toutes les issues, comme des dragons qui font la reconnaissance d'un village... Mais il était trop tard. Ganache, le voleur de poulets, avait fui avec son compagnon. Les gendarmes ne retrouvèrent personne, ni lui, ni ceux-là qui chargeaient dans des voitures les chapons[1] qu'il étranglait. Prévenu à temps par le mot imprudent de Jasmin, Frantz avait dû comprendre soudain de quel métier son compagnon et lui vivaient quand la caisse de la roulotte était vide ; plein de honte et de fureur, il avait arrêté aussitôt un itinéraire et décidé de prendre du champ avant l'arrivée des gendarmes. Mais, ne craignant plus désormais qu'on tentât de le ramener au domaine de son père, il avait voulu se montrer à nous sans bandage, avant de disparaître.

Un seul point resta toujours obscur : comment Ganache avait-il pu à la fois dévaliser les basses-cours et quérir la bonne sœur pour la fièvre de son ami ? Mais n'était-ce pas là toute l'histoire du pauvre diable ? Voleur et chemineau[2] d'un côté, bonne créature de l'autre...

1. **Chapons :** un chapon est un coq castré et engraissé pour la consommation.
2. **Chemineau :** vagabond qui parcourt les chemins.

Clefs d'analyse Deuxième partie : chapitres I à VIII

Action et personnages

1. Comment la deuxième partie s'enchaîne-t-elle à la première ? Qu'est-ce qui fait l'unité des chapitres I à IV ?
2. Comment apparaît le bohémien ? Que signifie le bandage qu'il porte au front ? D'où vient son ascendant sur les autres élèves ? Que représente la roulotte ? Où l'a-t-on déjà vue ? Quelle information essentielle est omise jusqu'au chapitre VII ? Comment s'explique le charme de Frantz ?
3. Quelle est la position de François entre Meaulnes et le bohémien ? Les trois garçons sont-ils à égalité ?
4. Comment les villageois perçoivent-ils les bohémiens ? Montrez que deux mondes s'opposent ici, celui des bohémiens et celui des bourgeois. Comment sont présentés ici les notables de Sainte-Agathe ?

Langue

5. Chapitre II : relevez les mots qui appartiennent au champ lexical de la guerre. Quel est le rapport de ces mots à la réalité des jeux de cour de récréation ?
6. Chapitre III : relevez les mots qui explicitent la rivalité entre Meaulnes et Frantz.
7. Chapitres VI et VII : montrez que les images de Frantz et de Ganache s'opposent point par point.
8. Qu'appelle-t-on une pantomime ?

Genre ou thèmes

9. Observez les titres de chapitre : vous aident-ils à reconstruire l'histoire ? fonctionnent-ils comme des résumés ou comme des fausses pistes ? Est-ce le fonctionnement habituel des titres de chapitre dans un roman ? Proposez d'autres titres et justifiez-les.

Écriture

10. Chapitre IV : réécrivez le dialogue entre Meaulnes et le bohémien dans une autre version, où Frantz de Galais révèle son identité sans la moindre tricherie.
11. Essayez de dessiner la carte de Meaulnes.
12. Imaginez le dialogue dont nous n'avons que des échos au chapitre VI entre Frantz et Ganache derrière le rideau.

Pour aller plus loin

13. Le roman n'est pas construit comme un roman réaliste selon les règles de la vraisemblance : l'attaque de la maison-école est-elle crédible ? La présence du bohémien en classe est-elle justifiée ? L'attitude de M. Seurel vous paraît-elle cohérente ? Est-il vraisemblable que Meaulnes ne reconnaisse pas le bohémien ?
14. Dans le même temps, quels sont les éléments réalistes qui construisent l'image d'une école primaire d'autrefois ?

✻ *À retenir*

Ces chapitres forment le centre du livre. Le pacte entre les trois garçons est essentiel dans la construction narrative : cette promesse amène la fin de l'histoire, elle explique le retour de Frantz et le départ de Meaulnes. Cependant le bohémien propose un marché de dupes, puisqu'il ne dit pas toute la vérité. Meaulnes engage sa vie et son bonheur. La solennité qui entoure cet instant vise à transformer un serment d'enfant en un terrible pacte dont Frantz viendra dans la troisième partie demander l'accomplissement.

IX

À la recherche du sentier perdu

COMME NOUS RENTRIONS, le soleil dissipait la légère brume du matin ; les ménagères sur le seuil des maisons secouaient leurs tapis ou bavardaient ; et, dans les champs et les bois, aux portes du bourg, commençait la plus radieuse matinée de printemps qui soit restée dans ma mémoire.

Tous les grands élèves du cours devaient arriver vers huit heures, ce jeudi-là, pour préparer, durant la matinée, les uns le Certificat d'Études supérieures, les autres le concours de l'École Normale[1]. Lorsque nous arrivâmes tous les deux, Meaulnes plein d'un regret et d'une agitation qui ne lui permettaient pas de rester immobile, moi très abattu, l'école était vide... Un rayon de frais soleil glissait sur la poussière d'un banc vermoulu, et sur le vernis écaillé d'un planisphère.

Comment rester là, devant un livre, à ruminer notre déception, tandis que tout nous appelait au-dehors : les poursuites des oiseaux dans les branches près des fenêtres, la fuite des autres élèves vers les prés et les bois, et surtout le fiévreux désir d'essayer au plus vite l'itinéraire incomplet vérifié par le bohémien – dernière ressource de notre sac presque vide, dernière clef du trousseau, après avoir essayé toutes les autres ?... Cela était au-dessus de nos forces ! Meaulnes marchait de long en large, allait auprès des fenêtres, regardait dans le jardin, puis revenait et regardait vers le bourg, comme s'il eût attendu quelqu'un qui ne viendrait certainement pas.

« J'ai l'idée, me dit-il enfin, j'ai l'idée que ce n'est peut-être pas aussi loin que nous l'imaginons...

« Frantz a supprimé sur mon plan toute une portion de la route que j'avais indiquée.

« Cela veut dire, peut-être, que la jument a fait, pendant mon sommeil, un long détour inutile... »

---

1. **École Normale :** en 1900, il y en a une dans chaque département ; elle forme des instituteurs.

J'étais à moitié assis sur le coin d'une grande table, un pied par terre, l'autre ballant, l'air découragé et désœuvré, la tête basse.

« Pourtant, dis-je, au retour, dans la berline, ton voyage a duré toute la nuit.

35 – Nous étions partis à minuit, répondit-il vivement. On m'a déposé à quatre heures du matin, à environ six kilomètres à l'ouest de Sainte-Agathe, tandis que j'étais parti par la route de La Gare à l'est. Il faut donc compter ces six kilomètres en moins entre Sainte-Agathe et le Pays perdu.

40 « Vraiment, il me semble qu'en sortant du bois des Communaux, on ne doit pas être à plus de deux lieues de ce que nous cherchons.

– Ce sont précisément ces deux lieues-là qui manquent sur ta carte.

– C'est vrai. Et la sortie du bois est bien à une lieue et demie
45 d'ici, mais pour un bon marcheur, cela peut se faire en une matinée… »

À cet instant Mouchebœuf arriva. Il avait une tendance irritante à se faire passer pour bon élève, non pas en travaillant mieux que les autres, mais en se signalant dans des circonstances comme
50 celle-ci.

« Je savais bien, dit-il triomphant, ne trouver que vous deux. Tous les autres sont partis pour le bois des Communaux. En tête : Jasmin Delouche qui connaît les nids. »

Et, voulant faire le bon apôtre, il commença à raconter tout ce
55 qu'ils avaient dit pour narguer le Cours, M. Seurel et nous, en décidant cette expédition.

« S'ils sont au bois, je les verrai sans doute en passant, dit Meaulnes, car je m'en vais aussi. Je serai de retour vers midi et demi. »

60 Mouchebœuf resta ébahi.

« Ne viens-tu pas ? » me demanda Augustin, s'arrêtant une seconde sur le seuil de la porte entr'ouverte – ce qui fit entrer dans la pièce grise, en une bouffée d'air tiédi par le soleil, un fouillis de cris, d'appels, de pépiements, le bruit d'un seau sur la margelle du
65 puits et le claquement d'un fouet au loin.

« Non, dis-je, bien que la tentation fût forte, je ne puis pas, à cause de M. Seurel. Mais hâte-toi. Je t'attendrai avec impatience. »

Il fit un geste vague et partit, très vite, plein d'espoir.

Lorsque M. Seurel arriva, vers dix heures, il avait quitté sa veste d'alpaga[1] noir, revêtu un paletot de pêcheur aux vastes poches boutonnées, un chapeau de paille et de courtes jambières vernies pour serrer le bas de son pantalon. Je crois bien qu'il ne fut guère surpris de ne trouver personne. Il ne voulut pas entendre Mouchebœuf qui lui répéta trois fois que les gars avaient dit :

« S'il a besoin de nous, qu'il vienne donc nous chercher ! »

Et il commanda :

« Serrez vos affaires, prenez vos casquettes, et nous allons les dénicher à notre tour... Pourras-tu marcher jusque-là, François ? »

J'affirmai que oui et nous partîmes.

Il fut entendu que Mouchebœuf conduirait M. Seurel et lui servirait d'appeau[2]... C'est-à-dire que, connaissant les futaies[3] où se trouvaient les dénicheurs, il devait de temps à autre crier à toute voix :

« Hop ! Holà ! Giraudat ! Delouche ! Où êtes-vous ?... Y en a-t-il ?... En avez-vous trouvé ?... »

Quant à moi, je fus chargé, à mon vif plaisir, de suivre la lisière est du bois, pour le cas où les écoliers fugitifs chercheraient à s'échapper de ce côté.

Or, dans le plan rectifié par le bohémien et que nous avions maintes fois étudié avec Meaulnes, il semblait qu'un chemin à un trait, un *chemin de terre*, partît de cette lisière du bois pour aller dans la direction du Domaine. Si j'allais le découvrir ce matin !... Je commençai à me persuader que, avant midi, je me trouverais sur le chemin du manoir perdu...

La merveilleuse promenade !... Dès que nous eûmes passé le Glacis et contourné le Moulin, je quittai mes deux compagnons, M. Seurel dont on eût dit qu'il partait en guerre – je crois bien qu'il avait mis dans sa poche un vieux pistolet – et ce traître de Mouchebœuf.

Prenant un chemin de traverse, j'arrivai bientôt à la lisière du bois – seul à travers la campagne pour la première fois de ma vie comme une patrouille que son caporal a perdue.

---

1. **Alpaga :** tissu doux et soyeux en laine de lama.
2. **Appeau :** petit sifflet avec lequel on imite le cri des animaux pour les attirer.
3. **Futaies :** forêts de grands arbres.

Me voici, j'imagine, près de ce bonheur mystérieux que Meaulnes a entrevu un jour. Toute la matinée est à moi pour explorer la lisière du bois, l'endroit le plus frais et le plus caché du pays, tandis que 105 mon grand frère aussi est parti à la découverte. C'est comme un ancien lit de ruisseau. Je passe sous les basses branches d'arbres dont je ne sais pas le nom mais qui doivent être des aulnes[1]. J'ai sauté tout à l'heure un échalier[2] au bout de la sente, et je me suis trouvé dans cette grande voie d'herbe verte qui coule sous les feuilles, foulant 110 par endroits les orties, écrasant les hautes valérianes[3].

Parfois mon pied se pose, durant quelques pas, sur un banc de sable fin. Et dans le silence, j'entends un oiseau – je m'imagine que c'est un rossignol, mais sans doute je me trompe, puisqu'ils ne chantent que le soir –, un oiseau qui répète obstinément la même 115 phrase : voix de la matinée, parole dite sous l'ombrage, invitation délicieuse au voyage entre les aulnes. Invisible, entêté, il semble m'accompagner sous la feuille.

Pour la première fois me voilà, moi aussi, sur le chemin de l'aventure. Ce ne sont plus des coquilles abandonnées par les eaux 120 que je cherche, sous la direction de M. Seurel, ni des orchis[4] que le maître d'école ne connaisse pas, ni même, comme cela nous arrivait souvent dans le champ du père Martin, cette fontaine profonde et tarie, couverte d'un grillage, enfouie sous tant d'herbes folles qu'il fallait chaque fois plus de temps pour la retrouver... 125 Je cherche quelque chose de plus mystérieux encore. C'est le passage dont il est question dans les livres, l'ancien chemin obstrué, celui dont le prince harassé de fatigue n'a pu trouver l'entrée. Cela se découvre à l'heure la plus perdue de la matinée, quand on a depuis longtemps oublié qu'il va être onze heures, midi... Et sou- 130 dain, en écartant, dans le feuillage profond, les branches, avec ce geste hésitant des mains à hauteur du visage inégalement écartées, on l'aperçoit comme une longue avenue sombre dont la sortie est un rond de lumière tout petit.

---

1. **Aulnes :** un aulne est un arbre qui croît dans les lieux humides.
2. **Échalier :** clôture mobile à l'entrée d'un champ.
3. **Valérianes :** la valériane est une plante qui pousse dans les lieux humides et qui a des vertus calmantes.
4. **Orchis :** un orchis est une orchidée des régions tempérées.

Mais tandis que j'espère et m'enivre ainsi, voici que brusquement je débouche dans une sorte de clairière, qui se trouve être tout simplement un pré. Je suis arrivé sans y penser à l'extrémité des Communaux[1], que j'avais toujours imaginée infiniment loin. Et voici à ma droite, entre des piles de bois, toute bourdonnante dans l'ombre, la maison du garde. Deux paires de bas sèchent sur l'appui de la fenêtre. Les années passées, lorsque nous arrivions à l'entrée du bois, nous disions toujours, en montrant un point de lumière tout au bout de l'immense allée noire : « C'est là-bas la maison du garde ; la maison de Baladier. » Mais jamais nous n'avions poussé jusque-là. Nous entendions dire quelquefois, comme s'il se fût agi d'une expédition extraordinaire : « Il a été jusqu'à la maison du garde !... »

Cette fois, je suis allé jusqu'à la maison de Baladier, et je n'ai rien trouvé.

Je commençais à souffrir de ma jambe fatiguée et de la chaleur que je n'avais pas sentie jusque-là ; je craignais de faire tout seul le chemin du retour, lorsque j'entendis près de moi l'appeau de M. Seurel, la voix de Mouchebœuf, puis d'autres voix qui m'appelaient...

Il y avait là une troupe de six grands gamins, où, seul, le traître Mouchebœuf avait l'air triomphant. C'était Giraudat, Auberger, Delage et d'autres... Grâce à l'appeau, on avait pris les uns grimpés dans un merisier isolé au milieu d'une clairière, les autres en train de dénicher des pics-verts. Giraudat, le nigaud aux yeux bouffis, à la blouse crasseuse, avait caché les petits dans son estomac, entre sa chemise et sa peau. Deux de leurs compagnons s'étaient enfuis à l'approche de M. Seurel : ce devait être Delouche et le petit Coffin. Ils avaient d'abord répondu par des plaisanteries à l'adresse de « Mouchevache ! », que répétaient les échos des bois, et celui-ci, maladroitement, se croyant sûr de son affaire, avait répondu, vexé :

« Vous n'avez qu'à descendre, vous savez ! M. Seurel est là... »

Alors tout s'était tu subitement ; ç'avait été une fuite silencieuse à travers le bois. Et comme ils le connaissaient à fond, il ne fallait

1. **Communaux** : terrains appartenant à une commune ; le mot est toujours au pluriel.

pas songer à les rejoindre. On ne savait pas non plus où le grand Meaulnes était passé. On n'avait pas entendu sa voix ; et l'on dut
170 renoncer à poursuivre les recherches.

Il était plus de midi lorsque nous reprîmes la route de Sainte-Agathe, lentement, la tête basse, fatigués, terreux. À la sortie du bois, lorsque nous eûmes frotté et secoué la boue de nos souliers sur la route sèche, le soleil commença de frapper dur. Déjà ce
175 n'était plus ce matin de printemps si frais et si luisant. Les bruits de l'après-midi avaient commencé. De loin en loin un coq criait, cri désolé ! dans les fermes désertes aux alentours de la route. À la descente du Glacis, nous nous arrêtâmes un instant pour causer avec des ouvriers des champs qui avaient repris leur travail après le
180 déjeuner. Ils étaient accoudés à la barrière, et M. Seurel leur disait :

« De fameux galopins ! Tenez, regardez Giraudat. Il a mis les oisillons dans sa chemise. Ils ont fait là-dedans ce qu'ils ont voulu. C'est du propre !... »

Il me semblait que c'était de ma débâcle aussi que les ouvriers
185 riaient. Ils riaient en hochant la tête, mais ils ne donnaient pas tout à fait tort aux jeunes gars qu'ils connaissaient bien. Ils nous confièrent même, lorsque M. Seurel eut repris la tête de la colonne :

« Il y en a un autre qui est passé, un grand, vous savez bien... Il a dû rencontrer, en revenant, la voiture des Granges, et on l'a fait
190 monter, il est descendu, plein de terre, tout déchiré, ici, à l'entrée du chemin des Granges ! Nous lui avons dit que nous vous avions vus passer ce matin, mais que vous n'étiez pas de retour encore. Et il a continué tout doucement sa route vers Sainte-Agathe. »

En effet, assis sur une pile du pont des Glacis, nous attendait le
195 grand Meaulnes, l'air brisé de fatigue. Aux questions de M. Seurel, il répondit que lui aussi était parti à la recherche des écoliers buissonniers. Et à celle que je lui posai tout bas, il dit seulement en hochant la tête avec découragement :

« Non ! rien ! rien qui ressemble à ça. »

200 Après déjeuner, dans la classe fermée, noire et vide, au milieu du pays radieux, il s'assit à l'une des grandes tables et, la tête dans les bras, il dormit longtemps, d'un sommeil triste et lourd. Vers le soir, après un long instant de réflexion, comme s'il venait de prendre une décision importante, il écrivit une lettre à sa mère. Et c'est tout
205 ce que je me rappelle de cette morne fin d'un grand jour de défaite.

X

La lessive

NOUS AVIONS escompté trop tôt la venue du printemps.

Le lundi soir, nous voulûmes faire nos devoirs aussitôt après quatre heures comme en plein été, et pour y voir plus clair nous sortîmes deux grandes tables dans la cour. Mais le temps s'assombrit tout de suite ; une goutte de pluie tomba sur un cahier ; nous rentrâmes en hâte. Et de la grande salle obscurcie, par les larges fenêtres, nous regardions silencieusement dans le ciel gris la déroute des nuages.

Alors Meaulnes, qui regardait comme nous, la main sur une poignée de croisée, ne put s'empêcher de dire, comme s'il eût été fâché de sentir monter en lui tant de regret :

« Ah ! ils filaient autrement que cela les nuages, lorsque j'étais sur la route, dans la voiture de la Belle-Étoile.

– Sur quelle route ? » demanda Jasmin.

Mais Meaulnes ne répondit pas.

« Moi, dis-je, pour faire diversion, j'aurais aimé voyager comme cela en voiture, par la pluie battante, abrité sous un grand parapluie.

– Et lire tout le long du chemin comme dans une maison, ajouta un autre.

– Il ne pleuvait pas et je n'avais pas envie de lire, répondit Meaulnes, je ne pensais qu'à regarder le pays. »

Mais lorsque Giraudat, à son tour, demanda de quel pays il s'agissait, Meaulnes de nouveau resta muet. Et Jasmin dit :

« Je sais... Toujours la fameuse aventure !... »

Il avait dit ces mots d'un ton conciliant et important, comme s'il eût été lui-même un peu dans le secret. Ce fut peine perdue ; ses avances lui restèrent pour compte ; et comme la nuit tombait chacun s'en fut au galop, la blouse relevée sur la tête sous la froide averse.

Jusqu'au jeudi suivant le temps resta à la pluie. Et ce jeudi-là fut plus triste encore que le précédent. Toute la campagne était baignée dans une sorte de brume glacée comme aux plus mauvais jours de l'hiver.

Millie, trompée par le beau soleil de l'autre semaine, avait fait
35 faire la lessive, mais il ne fallait pas songer à mettre sécher le linge sur les haies du jardin, ni même sur des cordes dans le grenier, tant l'air était humide et froid.

En discutant avec M. Seurel, il lui vint l'idée d'étendre sa lessive dans les classes, puisque c'était jeudi, et de chauffer le poêle à
40 blanc. Pour économiser les feux de la cuisine et de la salle à manger, on ferait cuire les repas sur le poêle et nous nous tiendrions toute la journée dans la grande salle du Cours.

Au premier instant, – j'étais si jeune encore ! – je considérai cette nouveauté comme une fête.

45 Morne fête !... Toute la chaleur du poêle était prise par la lessive et il faisait grand froid. Dans la cour, tombait interminablement et mollement une petite pluie d'hiver. C'est là pourtant que dès neuf heures du matin, dévoré d'ennui, je retrouvai le grand Meaulnes. Par les barreaux du grand portail, où nous appuyions silencieu-
50 sement nos têtes, nous regardâmes, au haut du bourg, sur les Quatre-Routes, le cortège d'un enterrement venu du fond de la campagne. Le cercueil, amené dans une charrette à bœufs, était déchargé et posé sur une dalle, au pied de la grande croix où le boucher avait aperçu naguère les sentinelles du bohémien ! Où
55 était-il maintenant, le jeune capitaine qui si bien menait l'abordage ?... Le curé et les chantres[1] vinrent comme c'était l'usage au-devant du cercueil posé là, et les tristes chants arrivaient jusqu'à nous. Ce serait là, nous le savions, le seul spectacle de la journée, qui s'écoulerait tout entière comme une eau jaunie dans
60 un caniveau.

« Et maintenant, dit Meaulnes soudain, je vais préparer mon bagage. Apprends-le, Seurel : j'ai écrit à ma mère jeudi dernier, pour lui demander de finir mes études à Paris. C'est aujourd'hui que je pars. »

65 Il continuait à regarder vers le bourg, les mains appuyées aux barreaux, à la hauteur de sa tête. Inutile de demander si sa mère, qui était riche et lui passait toutes ses volontés, lui avait passé celle-là. Inutile aussi de demander pourquoi soudainement il désirait s'en aller à Paris !...

---

1. **Chantres :** un chantre est une personne chargée de chanter les offices religieux.

Mais il y avait en lui, certainement, le regret et la crainte de quitter ce cher pays de Sainte-Agathe d'où il était parti pour son aventure. Quant à moi, je sentais monter une désolation violente que je n'avais pas sentie d'abord.

« Pâques approche ! dit-il pour m'expliquer, avec un soupir.

– Dès que tu l'auras trouvée là-bas, tu m'écriras, n'est-ce pas ? demandai-je.

– C'est promis, bien sûr. N'es-tu pas mon compagnon et mon frère ?... »

Et il me posa la main sur l'épaule.

Peu à peu je comprenais que c'était bien fini, puisqu'il voulait terminer ses études à Paris ; jamais plus je n'aurais avec moi mon grand camarade.

Il n'y avait d'espoir, pour nous réunir, qu'en cette maison de Paris où devait se retrouver la trace de l'aventure perdue... Mais de voir Meaulnes lui-même si triste, quel pauvre espoir c'était là pour moi !

Mes parents furent avertis : M. Seurel se montra très étonné, mais se rendit bien vite aux raisons d'Augustin ; Millie, femme d'intérieur, se désola surtout à la pensée que la mère de Meaulnes verrait notre maison dans un désordre inaccoutumé... La malle, hélas ! fut bientôt faite. Nous cherchâmes sous l'escalier ses souliers des dimanches ; dans l'armoire, un peu de linge ; puis ses papiers et ses livres d'école – tout ce qu'un jeune homme de dix-huit ans possède au monde.

À midi, Mme Meaulnes arrivait avec sa voiture. Elle déjeuna au café Daniel en compagnie d'Augustin, et l'emmena sans donner presque aucune explication, dès que le cheval fut affené[1] et attelé. Sur le seuil, nous leur dîmes au revoir ; et la voiture disparut au tournant des Quatre-Routes.

Millie frotta ses souliers devant la porte et rentra dans la froide salle à manger, remettre en ordre ce qui avait été dérangé. Quant à moi, je me trouvai, pour la première fois depuis de longs mois, seul en face d'une longue soirée de jeudi – avec l'impression que, dans cette vieille voiture, mon adolescence venait de s'en aller pour toujours.

1. **Affené :** du verbe « affener », donner du fourrage aux bestiaux.

XI

Je trahis...

QUE faire ?

Le temps s'élevait un peu. On eût dit que le soleil allait se montrer.

Une porte claquait dans la grande maison. Puis le silence retombait. De temps à autre mon père traversait la cour, pour remplir un seau de charbon dont il bourrait le poêle. J'apercevais les linges blancs pendus aux cordes et je n'avais aucune envie de rentrer dans le triste endroit transformé en séchoir, pour m'y trouver en tête-à-tête avec l'examen de la fin de l'année, ce concours de l'École Normale qui devait être désormais ma seule préoccupation.

Chose étrange : à cet ennui qui me désolait se mêlait comme une sensation de liberté. Meaulnes parti, toute cette aventure terminée et manquée, il me semblait du moins que j'étais libéré de cet étrange souci, de cette occupation mystérieuse, qui ne me permettaient plus d'agir comme tout le monde. Meaulnes parti, je n'étais plus son compagnon d'aventures, le frère de ce chasseur de pistes ; je redevenais un gamin du bourg pareil aux autres. Et cela était facile et je n'avais qu'à suivre pour cela mon inclination[1] la plus naturelle.

Le cadet des Roy passa dans la rue boueuse, faisant tourner au bout d'une ficelle, puis lâchant en l'air trois marrons attachés qui retombèrent dans la cour. Mon désœuvrement était si grand que je pris plaisir à lui relancer deux ou trois fois ses marrons de l'autre côté du mur.

Soudain je le vis abandonner ce jeu puéril pour courir vers un tombereau[2] qui venait par le chemin de la Vieille-Planche. Il eut vite fait de grimper par-derrière sans même que la voiture s'arrêtât. Je reconnaissais le petit tombereau de Delouche et son cheval. Jasmin conduisait ; le gros Boujardon était debout. Ils revenaient du pré.

---

1. **Inclination :** penchant.
2. **Tombereau :** voir note 1 p. 59.

« Viens avec nous, François ! » cria Jasmin, qui devait savoir déjà que Meaulnes était parti.

Ma foi ! sans avertir personne, j'escaladai la voiture cahotante et me tins comme les autres, debout, appuyé contre un des montants du tombereau. Il nous conduisit chez la veuve Delouche…

Nous sommes maintenant dans l'arrière-boutique, chez la bonne femme qui est en même temps épicière et aubergiste. Un rayon de soleil blanc glisse à travers la fenêtre basse sur les boîtes en fer-blanc et sur les tonneaux de vinaigre. Le gros Boujardon s'assoit sur l'appui de la fenêtre et tourné vers nous, avec un gros rire d'homme pâteux, il mange des biscuits à la cuiller. À la portée de la main, sur un tonneau, la boîte est ouverte et entamée. Le petit Roy pousse des cris de plaisir. Une sorte d'intimité de mauvais aloi[1] s'est établie entre nous. Jasmin et Boujardon seront maintenant mes camarades, je le vois. Le cours de ma vie a changé tout d'un coup. Il me semble que Meaulnes est parti depuis très longtemps et que son aventure est une vieille histoire triste, mais finie.

Le petit Roy a déniché sous une planche une bouteille de liqueur entamée. Delouche nous offre à chacun la goutte, mais il n'y a qu'un verre et nous buvons tous dans le même. On me sert le premier avec un peu de condescendance[2] comme si je n'étais pas habitué à ces mœurs de chasseurs et de paysans… Cela me gêne un peu. Et comme on vient à parler de Meaulnes, l'envie me prend, pour dissiper cette gêne et retrouver mon aplomb, de montrer que je connais son histoire et de la raconter un peu. En quoi cela pourrait-il lui nuire puisque tout est fini maintenant de ses aventures ici ?…

………………………………………………………………………………

Est-ce que je raconte mal cette histoire ? Elle ne produit pas l'effet que j'attendais.

Mes compagnons, en bons villageois que rien n'étonne, ne sont pas surpris pour si peu.

« C'était une noce, quoi ! » dit Boujardon.

---

1. **De mauvais aloi :** de mauvaise qualité, peu estimable.
2. **Condescendance :** supériorité bienveillante mêlée de mépris.

Delouche en a vu une, à Préveranges, qui était plus curieuse encore.

65 Le château ? On trouverait certainement des gens du pays qui en ont entendu parler.

La jeune fille ? Meaulnes se mariera avec elle quand il aura fait son année de service.

« Il aurait dû, ajoute l'un d'eux, nous en parler et nous montrer 70 son plan au lieu de confier cela à un bohémien !... »

Empêtré dans mon insuccès, je veux profiter de l'occasion pour exciter leur curiosité : je me décide à expliquer qui était ce bohémien ; d'où il venait ; son étrange destinée... Boujardon et Delouche ne veulent rien entendre : « C'est celui-là qui a tout fait. 75 C'est lui qui a rendu Meaulnes insociable[1], Meaulnes qui était un si brave camarade ! C'est lui qui a organisé toutes ces sottises d'abordages et d'attaques nocturnes, après nous avoir tous embrigadés comme un bataillon scolaire... »

« Tu sais, dit Jasmin, en regardant Boujardon, et en secouant la 80 tête à petits coups, j'ai rudement bien fait de le dénoncer aux gendarmes. En voilà un qui a fait du mal au pays et qui en aurait fait encore !... »

Me voici presque de leur avis. Tout aurait sans doute autrement tourné si nous n'avions pas considéré l'affaire d'une façon si mys- 85 térieuse et si tragique. C'est l'influence de ce Frantz qui a tout perdu...

Mais soudain, tandis que je suis absorbé dans ces réflexions, il se fait du bruit dans la boutique. Jasmin Delouche cache rapidement son flacon de goutte[2] derrière un tonneau ; le gros Boujardon 90 dégringole du haut de sa fenêtre, met le pied sur une bouteille vide et poussiéreuse qui roule, et manque deux fois de s'étaler. Le petit Roy les pousse par-derrière, pour sortir plus vite, à demi suffoqué de rire.

Sans bien comprendre ce qui se passe je m'enfuis avec eux, 95 nous traversons la cour et nous grimpons par une échelle dans un grenier à foin. J'entends une voix de femme qui nous traite de propres-à-rien !...

---

1. **Insociable :** sauvage ; on dirait aujourd'hui « asocial ».
2. **Goutte :** alcool fort, eau-de-vie.

« Je n'aurais pas cru qu'elle serait rentrée si tôt », dit Jasmin tout bas.

Je comprends, maintenant seulement, que nous étions là en fraude, à voler des gâteaux et de la liqueur. Je suis déçu comme ce naufragé qui croyait causer avec un homme et qui reconnut soudain que c'était un singe. Je ne songe plus qu'à quitter ce grenier, tant ces aventures-là me déplaisent. D'ailleurs la nuit tombe… On me fait passer par-derrière, traverser deux jardins, contourner une mare ; je me retrouve dans la rue mouillée, boueuse, où se reflète la lueur du café Daniel.

Je ne suis pas fier de ma soirée. Me voici aux Quatre-Routes. Malgré moi, tout d'un coup, je revois, au tournant, un visage dur et fraternel qui me sourit ; un dernier signe de la main – et la voiture disparaît…

Un vent froid fait claquer ma blouse, pareil au vent de cet hiver qui était si tragique et si beau. Déjà tout me paraît moins facile. Dans la grande classe où l'on m'attend pour dîner, de brusques courants d'air traversent la maigre tiédeur que répand le poêle. Je grelotte, tandis qu'on me reproche mon après-midi de vagabondage. Je n'ai pas même, pour rentrer dans la régulière vie passée, la consolation de prendre place à table et de retrouver mon siège habituel. On n'a pas mis la table ce soir-là ; chacun dîne sur ses genoux, où il peut, dans la salle de classe obscure. Je mange silencieusement la galette cuite sur le poêle, qui devait être la récompense de ce jeudi passé dans l'école, et qui a brûlé sur les cercles rougis.

Le soir, tout seul dans ma chambre, je me couche bien vite pour étouffer le remords que je sens monter du fond de ma tristesse. Mais par deux fois je me suis éveillé, au milieu de la nuit, croyant entendre, la première fois, le craquement du lit voisin, où Meaulnes avait coutume de se retourner brusquement d'une seule pièce, et, l'autre fois, son pas léger de chasseur aux aguets, à travers les greniers du fond…

XII

Les trois lettres de Meaulnes

DE TOUTE MA VIE je n'ai reçu que trois lettres de Meaulnes. Elles sont encore chez moi dans un tiroir de commode. Je retrouve chaque fois que je les relis la même tristesse que naguère.

La première m'arriva dès le surlendemain de son départ.

5 « Mon cher François,

« Aujourd'hui, dès mon arrivée à Paris, je suis allé devant la maison indiquée. Je n'ai rien vu. Il n'y avait personne. Il n'y aura jamais personne.

« La maison que disait Frantz est un petit hôtel[1] à un étage. La 10 chambre de Mlle de Galais doit être au premier. Les fenêtres du haut sont les plus cachées par les arbres. Mais en passant sur le trottoir on les voit très bien. Tous les rideaux sont fermés et il faudrait être fou pour espérer qu'un jour, entre ces rideaux tirés, le visage d'Yvonne de Galais puisse apparaître.

15 « C'est sur un boulevard. Il pleuvait un peu dans les arbres déjà verts. On entendait les cloches claires des tramways qui passaient indéfiniment.

« Pendant près de deux heures, je me suis promené de long en large sous les fenêtres. Il y a un marchand de vins chez qui je me 20 suis arrêté pour boire, de façon à n'être pas pris pour un bandit qui veut faire un mauvais coup. Puis j'ai repris ce guet sans espoir.

« La nuit est venue. Les fenêtres se sont allumées un peu partout mais non pas dans cette maison. Il n'y a certainement personne. Et pourtant Pâques approche.

25 « Au moment où j'allais partir, une jeune fille, ou une jeune femme – je ne sais – est venue s'asseoir sur un des bancs mouillés de pluie. Elle était vêtue de noir avec une petite collerette blanche. Lorsque je suis parti, elle était encore là, immobile malgré le froid du soir, à attendre je ne sais quoi, je ne sais qui. Tu vois que Paris 30 est plein de fous comme moi.

« Augustin »

---

1. **Hôtel :** grosse demeure de ville entièrement habitée par un riche particulier.

Le temps passa. Vainement j'attendis un mot d'Augustin le lundi de Pâques et durant tous les jours qui suivirent – jours où il semble, tant ils sont calmes après la grande fièvre de Pâques, qu'il n'y ait plus qu'à attendre l'été. Juin ramena le temps des examens et une terrible chaleur dont la buée suffocante planait sur le pays sans qu'un souffle de vent la vînt dissiper. La nuit n'apportait aucune fraîcheur et par conséquent aucun répit à ce supplice. C'est durant cet insupportable mois de juin que je reçus la deuxième lettre du grand Meaulnes.

« Juin 189…

« Mon cher ami,

« Cette fois tout espoir est perdu. Je le sais depuis hier soir. La douleur, que je n'avais presque pas sentie tout de suite, monte depuis ce temps.

« Tous les soirs, j'allais m'asseoir sur ce banc, guettant, réfléchissant, espérant malgré tout.

« Hier après dîner, la nuit était noire et étouffante. Des gens causaient sur le trottoir, sous les arbres. Au-dessus des noirs feuillages, verdis par les lumières, les appartements des seconds, des troisièmes étages étaient éclairés. Çà et là, une fenêtre que l'été avait ouverte toute grande… On voyait la lampe allumée sur la table, refoulant à peine autour d'elle la chaude obscurité de juin ; on voyait presque jusqu'au fond de la pièce… Ah ! si la fenêtre noire d'Yvonne de Galais s'était allumée aussi, j'aurais osé, je crois, monter l'escalier, frapper, entrer…

« La jeune fille de qui je t'ai parlé était là encore, attendant comme moi. Je pensai qu'elle devait connaître la maison et je l'interrogeai :

« – Je sais, a-t-elle dit, qu'autrefois, dans cette maison, une jeune fille et son frère venaient passer les vacances. Mais j'ai appris que le frère avait fui le château de ses parents sans qu'on puisse jamais le retrouver, et la jeune fille s'est mariée. C'est ce qui vous explique que l'appartement soit fermé. »

« Je suis parti. Au bout de dix pas mes pieds butaient sur le trottoir et je manquais tomber. La nuit – c'était la nuit dernière – lorsqu'enfin les enfants et les femmes se sont tus, dans les cours, pour me laisser dormir, j'ai commencé d'entendre rouler les

fiacres[1] dans la rue. Ils ne passaient que de loin en loin. Mais quand
70 l'un était passé, malgré moi, j'attendais l'autre : le grelot, les pas du cheval qui claquaient sur l'asphalte[2]... Et cela répétait : c'est la ville déserte, ton amour perdu, la nuit interminable, l'été, la fièvre...

« Seurel, mon ami, je suis dans une grande détresse.

« Augustin »

75 Lettres de peu de confidence quoi qu'il paraisse ! Meaulnes ne me disait ni pourquoi il était resté si longtemps silencieux, ni ce qu'il comptait faire maintenant. J'eus l'impression qu'il rompait avec moi, parce que son aventure était finie, comme il rompait avec son passé. J'eus beau lui écrire, en effet, je ne reçus plus de
80 réponse. Un mot de félicitations seulement, lorsque j'obtins mon Brevet Simple. En septembre je sus par un camarade d'école qu'il était venu en vacances chez sa mère à La Ferté-d'Angillon. Mais nous dûmes, cette année-là, invités par mon oncle Florentin du Vieux-Nançay, passer chez lui les vacances. Et Meaulnes repartit
85 pour Paris sans que j'eusse pu le voir.

À la rentrée, exactement vers la fin de novembre, tandis que je m'étais remis avec une morne ardeur à préparer le Brevet Supérieur, dans l'espoir d'être nommé instituteur l'année suivante, sans passer par l'École Normale de Bourges, je reçus la dernière des
90 trois lettres que j'aie jamais reçues d'Augustin :

« Je passe encore sous cette fenêtre, écrivait-il. J'attends encore, sans le moindre espoir, par folie. À la fin de ces froids dimanches d'automne, au moment où il va faire nuit, je ne puis me décider à rentrer, à fermer les volets de ma chambre, sans être retourné là-
95 bas, dans la rue gelée.

« Je suis comme cette folle de Sainte-Agathe qui sortait à chaque minute sur le pas de la porte et regardait, la main sur les yeux, du côté de La Gare, pour voir si son fils qui était mort ne venait pas.

« Assis sur le banc, grelottant, misérable, je me plais à imaginer
100 que quelqu'un va me prendre doucement par le bras... Je me retournerais. Ce serait elle. "Je me suis un peu attardée", dirait-

1. **Fiacres :** un fiacre est une voiture à cheval qu'on loue à la course ou à l'heure.
2. **Asphalte :** goudron servant au revêtement des chaussées.

elle simplement. Et toute peine et toute démence[1] s'évanouissent. Nous entrons dans notre maison. Ses fourrures sont toutes glacées, sa voilette mouillée ; elle apporte avec elle le goût de brume du dehors ; et tandis qu'elle s'approche du feu, je vois ses cheveux blonds givrés, son beau profil au dessin si doux penché vers la flamme...

« Hélas ! la vitre reste blanchie par le rideau qui est derrière. Et la jeune fille du Domaine perdu l'ouvrirait-elle, que je n'ai maintenant plus rien à lui dire.

« Notre aventure est finie. L'hiver de cette année est mort comme la tombe. Peut-être quand nous mourrons, peut-être la mort seule nous donnera la clef et la suite et la fin de cette aventure manquée.

« Seurel, je te demandais l'autre jour de penser à moi. Maintenant, au contraire, il vaut mieux m'oublier. Il vaudrait mieux tout oublier.

....

« A.M. »

Et ce fut un nouvel hiver, aussi mort que le précédent avait été vivant d'une mystérieuse vie : la place de l'église sans bohémiens ; la cour d'école que les gamins désertaient à quatre heures... la salle de classe où j'étudiais seul et sans goût... En février, pour la première fois de l'hiver, la neige tomba, ensevelissant définitivement notre roman d'aventures de l'an passé, brouillant toute piste, effaçant les dernières traces. Et je m'efforçai, comme Meaulnes me l'avait demandé dans sa lettre, de tout oublier.

1. **Démence :** folie.

Clefs d'analyse

Deuxième partie : chapitres IX à XII

Action et personnages

1. Pourquoi est-ce que, au chapitre IX, François ne part pas avec Meaulnes ? Est-ce que vous êtes satisfait des explications du narrateur ?
2. En quoi est-ce que François peut ressentir comme un exploit le fait d'aller jusqu'à la maison du garde ?
3. Pourquoi Meaulnes décide-t-il de partir pour Paris ?
4. Quels éléments de la vie d'Alain-Fournier deviennent matière romanesque dans le chapitre XII ?
5. Pourquoi François passe-t-il si vite sur ses résultats scolaires dans le chapitre XII ? Quel examen l'a-t-on vu préparer dans les chapitres précédents ? Quel examen réussit-il ? Quel échec le flou de la narration s'efforce-t-il d'escamoter ?
6. Qu'attend la jeune fille inconnue devant l'immeuble parisien ?
7. Qu'évoquent ses vêtements ?

Langue

8. Qu'est-ce qui caractérise le style des trois lettres écrites par Meaulnes ? S'agit-il de récit ou de discours ? François est-il satisfait des lettres de Meaulnes ? Pourquoi juge-t-il qu'elles sont de peu de confidence ?
9. Relevez les mots qui désignent Meaulnes dans le chapitre XII. Est-ce que le narrateur utilise les mêmes désignateurs que dans les chapitres précédents ? Qu'est-ce que cela nous indique sur leurs relations ?

Genre ou thèmes

10. Quel est le point de vue dominant ?
11. Est-ce que François s'interroge sur la disparition de Meaulnes au chapitre IX ? Selon vous, jusqu'où Meaulnes a-t-il pu aller ? Pourquoi est-il brisé de fatigue ?

Écriture

12. Vous imaginez que Meaulnes, en marchant vite, a réussi à atteindre le domaine sans nom. Imaginez sa déception devant le château en ruine et abandonné.
13. Réécrivez la troisième des lettres de Meaulnes à la troisième personne et à la manière de François.

Pour aller plus loin

14. Montrez comment l'errance de Meaulnes dans la ville est l'envers de la quête et du château.
15. Relevez au début des trois lettres les mots qui indiquent un renoncement. Qu'est-ce qui explique la résignation de Meaulnes ? Relevez une progression d'une lettre à l'autre dans le désespoir de Meaulnes.
16. En quoi la fin de la deuxième partie pourrait-elle être la fin du livre ?

* *À retenir*

Les quatre derniers chapitres de la deuxième partie expriment la désunion des êtres et le renoncement : la désunion de Meaulnes et François qui se concrétise avec le départ du grand compagnon ; la séparation d'avec la jeune fille du domaine que l'on croit mariée. La dernière missive de Meaulnes donne la mort comme unique garant des rêves de jeunesse : « peut-être la mort seule nous donnera la clef et la suite et la fin de cette aventure manquée. » Tout le sens du roman est dans ces mots. Faut-il conclure que grandir, c'est devenir semblable aux villageois caricaturaux ou bien à Ganache ?

Troisième partie

I

La baignade

FUMER LA CIGARETTE, se mettre de l'eau sucrée sur les cheveux pour qu'ils frisent, embrasser les filles du Cours Complémentaire dans les chemins et crier « À la cornette[1] ! » derrière la haie pour narguer la religieuse qui passe, c'était la joie de tous les mauvais drôles du pays. À vingt ans, d'ailleurs, les mauvais drôles de cette espèce peuvent très bien s'amender et deviennent parfois des jeunes gens fort sensibles. Le cas est plus grave lorsque le drôle en question a la figure déjà vieillotte et fanée, lorsqu'il s'occupe des histoires louches des femmes du pays, lorsqu'il dit de Gilberte Poquelin mille bêtises pour faire rire les autres. Mais enfin le cas n'est pas encore désespéré…

C'était le cas de Jasmin Delouche. Il continuait, je ne sais pourquoi, mais certainement sans aucun désir de passer les examens, à suivre le Cours Supérieur que tout le monde aurait voulu lui voir abandonner. Entre-temps, il apprenait avec son oncle Dumas le métier de plâtrier. Et bientôt ce Jasmin Delouche, avec Boujardon et un autre garçon très doux, le fils de l'adjoint qui s'appelait Denis, furent les seuls grands élèves que j'aimasse à fréquenter, parce qu'ils étaient « du temps de Meaulnes ».

Il y avait d'ailleurs, chez Delouche, un désir très sincère d'être mon ami. Pour tout dire, lui qui avait été l'ennemi du grand Meaulnes, il eût voulu devenir le grand Meaulnes de l'école : tout au moins regrettait-il peut-être de n'avoir pas été son lieutenant. Moins lourd que Boujardon, il avait senti, je pense, tout ce que Meaulnes avait apporté, dans notre vie, d'extraordinaire. Et souvent je l'entendais répéter :

« Il le disait bien, le grand Meaulnes… » ou encore : « Ah ! disait le grand Meaulnes… »

---

1. **Cornette** : coiffure de certaines religieuses, retroussée sur les côtés.

Outre que Jasmin était plus homme que nous, le vieux petit gars disposait de trésors d'amusements qui consacraient sur nous sa supériorité : un chien de race mêlée, aux longs poils blancs, qui répondait au nom agaçant de Bécali et rapportait les pierres qu'on lançait au loin, sans avoir d'aptitude bien nette pour aucun autre sport ; une vieille bicyclette achetée d'occasion et sur quoi Jasmin nous faisait quelquefois monter, le soir après le cours, mais avec laquelle il préférait exercer les filles du pays ; enfin et surtout un âne blanc et aveugle qui pouvait s'atteler à tous les véhicules.

C'était l'âne de Dumas, mais il le prêtait à Jasmin quand nous allions nous baigner au Cher, en été. Sa mère, à cette occasion, donnait une bouteille de limonade que nous mettions sous le siège, parmi les caleçons de bains desséchés. Et nous partions, huit ou dix grands élèves du Cours, accompagnés de M. Seurel, les uns à pied, les autres grimpés dans la voiture à âne, qu'on laissait à la ferme de Grand'Fons, au moment où le chemin du Cher devenait trop raviné[1].

J'ai lieu de me rappeler jusqu'en ses moindres détails une promenade de ce genre, où l'âne de Jasmin conduisit au Cher nos caleçons, nos bagages, la limonade et M. Seurel, tandis que nous suivions à pied par-derrière. On était au mois d'août. Nous venions de passer les examens. Délivrés de ce souci, il nous semblait que tout l'été, tout le bonheur nous appartenaient, et nous marchions sur la route en chantant, sans savoir quoi ni pourquoi, au début d'un bel après-midi de jeudi.

Il n'y eut, à l'aller, qu'une ombre à ce tableau innocent. Nous aperçûmes, marchant devant nous, Gilberte Poquelin. Elle avait la taille bien prise, une jupe demi-longue, des souliers hauts, l'air doux et effronté d'une gamine qui devient une jeune fille. Elle quitta la route et prit un chemin détourné, pour aller chercher du lait sans doute. Le petit Coffin proposa aussitôt à Jasmin de la suivre.

« Ce ne serait pas la première fois que j'irais l'embrasser… », dit l'autre.

Et il se mit à raconter sur elle et ses amies plusieurs histoires grivoises, tandis que toute la troupe, par fanfaronnade, s'engageait

1. **Raviné :** creusé, sillonné par les eaux de pluie.

dans le chemin, laissant M. Seurel continuer en avant, sur la route, dans la voiture à âne. Une fois là, pourtant, la bande commença à s'égrener[1]. Delouche lui-même paraissait peu soucieux de s'attaquer devant nous à la gamine qui filait, et il ne l'approcha pas à plus de cinquante mètres. Il y eut quelques cris de coqs et de poules, des petits coups de sifflet galants, puis nous rebroussâmes chemin, un peu mal à l'aise, abandonnant la partie. Sur la route, en plein soleil, il fallut courir. Nous ne chantions plus.

Nous nous déshabillâmes et rhabillâmes dans les saulaies[2] arides qui bordent le Cher. Les saules nous abritaient des regards, mais non pas du soleil. Les pieds dans le sable et la vase desséchée, nous ne pensions qu'à la bouteille de limonade de la veuve Delouche, qui fraîchissait dans la fontaine de Grand'Fons, une fontaine creusée dans la rive même du Cher. Il y avait toujours, dans le fond, des herbes glauques[3] et deux ou trois bêtes pareilles à des cloportes[4] ; mais l'eau était si claire, si transparente, que les pêcheurs n'hésitaient pas à s'agenouiller, les deux mains sur chaque bord, pour y boire.

Hélas ! ce fut ce jour-là comme les autres fois... Lorsque, tous habillés, nous nous mettions en rond, les jambes croisées en tailleur, pour nous partager, dans deux gros verres sans pied, la limonade rafraîchie, il ne revenait guère à chacun, lorsqu'on avait prié M. Seurel de prendre sa part, qu'un peu de mousse qui piquait le gosier et ne faisait qu'irriter la soif. Alors, à tour de rôle, nous allions à la fontaine que nous avions d'abord méprisée, et nous approchions lentement le visage de la surface de l'eau pure. Mais tous n'étaient pas habitués à ces mœurs d'hommes des champs. Beaucoup, comme moi, n'arrivaient pas à se désaltérer : les uns, parce qu'ils n'aimaient pas l'eau, d'autres, parce qu'ils avaient le gosier serré par la peur d'avaler un cloporte, d'autres, trompés par la grande transparence de l'eau immobile et n'en sachant pas calculer exactement la surface, s'y baignaient la moitié du visage en même temps que la bouche et aspiraient âcrement par le nez

---

1. **S'égrener :** s'éparpiller, se clairsemer.
2. **Saulaies :** une saulaie est un lieu planté de saules.
3. **Glauques :** voir note 2 p. 68.
4. **Cloportes :** un cloporte est un petit animal qui vit sous les pierres.

une eau qui leur semblait brûlante, d'autres enfin pour toutes ces raisons à la fois... N'importe ! il nous semblait, sur ces bords arides du Cher, que toute la fraîcheur terrestre était enclose en ce lieu. Et maintenant encore, au seul mot de fontaine, prononcé n'importe où, c'est à celle-là, pendant longtemps, que je pense.

Le retour se fit à la brune[1], avec insouciance d'abord, comme l'aller. Le chemin de Grand'Fons, qui remontait vers la route, était un ruisseau l'hiver et, l'été, un ravin impraticable, coupé de trous et de grosses racines, qui montait dans l'ombre entre de grandes haies d'arbres. Une partie des baigneurs s'y engagea par jeu. Mais nous suivîmes, avec M. Seurel, Jasmin et plusieurs camarades, un sentier doux et sablonneux, parallèle à celui-là, qui longeait la terre voisine. Nous entendions causer et rire les autres, près de nous, au-dessous de nous, invisibles dans l'ombre, tandis que Delouche racontait ses histoires d'homme... Au faîte des arbres de la grande haie grésillaient[2] les insectes du soir qu'on voyait, sur le clair du ciel, remuer tout autour de la dentelle des feuillages. Parfois il en dégringolait un, brusquement, dont le bourdonnement grinçait tout à coup. – Beau soir d'été calme !... Retour, sans espoir mais sans désir, d'une pauvre partie de campagne... Ce fut encore Jasmin, sans le vouloir, qui vint troubler cette quiétude...

Au moment où nous arrivions au sommet de la côte, à l'endroit où il reste deux grosses vieilles pierres qu'on dit être les vestiges d'un château fort, il en vint à parler des domaines qu'il avait visités et spécialement d'un domaine à demi abandonné aux environs du Vieux-Nançay : le domaine des Sablonnières. Avec cet accent de l'Allier qui arrondit vaniteusement certains mots et abrège avec préciosité les autres, il racontait avoir vu quelques années auparavant, dans la chapelle en ruine de cette vieille propriété, une pierre tombale sur laquelle étaient gravés ces mots :

Ci-gît le chevalier Galois
Fidèle à son Dieu, à son Roi, à sa Belle.

---

1. **À la brune :** au crépuscule, à la tombée de la nuit.
2. **Grésillaient :** du verbe « grésiller », faire entendre de petits crépitements. Le grésillement désigne aussi le chant du grillon.

130 « Ah ! Bah ! Tiens ! » disait M. Seurel, avec un léger haussement d'épaules, un peu gêné du ton que prenait la conversation, mais désireux cependant de nous laisser parler comme des hommes.

Alors Jasmin continua de décrire ce château, comme s'il y avait passé sa vie.

135 Plusieurs fois, en revenant du Vieux-Nançay, Dumas et lui avaient été intrigués par la vieille tourelle grise qu'on apercevait au-dessus des sapins. Il y avait là, au milieu des bois, tout un dédale de bâtiments ruinés que l'on pouvait visiter en l'absence des maîtres. Un jour, un garde de l'endroit, qu'ils avaient fait mon-140 ter dans leur voiture, les avait conduits dans le domaine étrange. Mais depuis lors on avait fait tout abattre ; il ne restait plus guère, disait-on, que la ferme et une petite maison de plaisance. Les habitants étaient toujours les mêmes : un vieil officier retraité, demi-ruiné, et sa fille.

145 Il parlait… Il parlait… J'écoutais attentivement, sentant sans m'en rendre compte qu'il s'agissait là d'une chose bien connue de moi, lorsque soudain, tout simplement, comme se font les choses extraordinaires, Jasmin se tourna vers moi et me touchant le bras, frappé d'une idée qui ne lui était jamais venue :

150 « Tiens, mais, j'y pense, dit-il, c'est là que Meaulnes – tu sais, le grand Meaulnes ? – avait dû aller.

« Mais oui, ajouta-t-il, car je ne répondais pas, et je me rappelle que le garde parlait du fils de la maison, un excentrique, qui avait des idées extraordinaires… »

155 Je ne l'écoutais plus, persuadé dès le début qu'il avait deviné juste et que devant moi, loin de Meaulnes, loin de tout espoir, venait de s'ouvrir, net et facile comme une route familière, le chemin du Domaine sans nom.

II

Chez Florentin

AUTANT j'avais été un enfant malheureux et rêveur et fermé, autant je devins résolu et, comme on dit chez nous, « décidé », lorsque je sentis que dépendait de moi l'issue de cette grave aventure.

Ce fut, je crois bien, à dater de ce soir-là que mon genou cessa 5 définitivement de me faire mal.

Au Vieux-Nançay, qui était la commune du domaine des Sablonnières, habitait toute la famille de M. Seurel et en particulier mon oncle Florentin, un commerçant chez qui nous passions quelquefois la fin de septembre. Libéré de tout examen, je ne voulus 10 pas attendre et j'obtins d'aller immédiatement voir mon oncle. Mais je décidai de ne rien faire savoir à Meaulnes aussi longtemps que je ne serais pas certain de pouvoir lui annoncer quelque bonne nouvelle. À quoi bon en effet l'arracher à son désespoir pour l'y replonger ensuite plus profondément peut-être ?

15 Le Vieux-Nançay fut pendant très longtemps le lieu du monde que je préférais, le pays des fins de vacances, où nous n'allions que bien rarement, lorsqu'il se trouvait une voiture à louer pour nous y conduire. Il y avait eu, jadis, quelque brouille avec la branche de la famille qui habitait là-bas, et c'est pourquoi sans doute Millie se 20 faisait tant prier chaque fois pour monter en voiture. Mais moi, je me souciais bien de ces fâcheries !... Et sitôt arrivé, je me perdais et m'ébattais parmi les oncles, les cousines et les cousins, dans une existence faite de mille occupations amusantes et de plaisirs qui me ravissaient.

25 Nous descendions chez l'oncle Florentin et la tante Julie, qui avaient un garçon de mon âge, le cousin Firmin, et huit filles dont les aînées, Marie-Louise, Charlotte, pouvaient avoir dix-sept et quinze ans. Ils tenaient un très grand magasin à l'une des entrées de ce bourg de Sologne, devant l'église – un magasin universel, 30 auquel s'approvisionnaient tous les châtelains-chasseurs de la région, isolés dans la contrée perdue, à trente kilomètres de toute gare.

Ce magasin, avec ses comptoirs d'épicerie et de rouennerie[1], donnait par de nombreuses fenêtres sur la route et, par la porte vitrée, sur la grande place de l'église. Mais, chose étrange, quoiqu'assez ordinaire dans ce pays pauvre, la terre battue dans toute la boutique tenait lieu de plancher.

Par-derrière, c'étaient six chambres, chacune remplie d'une seule et même marchandise : la chambre aux chapeaux, la chambre au jardinage, la chambre aux lampes... que sais-je ? Il me semblait, lorsque j'étais enfant et que je traversais ce dédale d'objets de bazar, que je n'en épuiserais jamais du regard toutes les merveilles. Et, à cette époque encore, je trouvais qu'il n'y avait de vraies vacances que passées en ce lieu.

La famille vivait dans une grande cuisine dont la porte s'ouvrait sur le magasin – cuisine où brillaient aux fins de septembre de grandes flambées de cheminée, où les chasseurs et les braconniers qui vendaient du gibier à Florentin venaient de grand matin se faire servir à boire, tandis que les petites filles, déjà levées, couraient, criaient, se passaient les unes aux autres du « sent-y-bon » sur leurs cheveux lissés. Aux murs, de vieilles photographies, de vieux *groupes scolaires* jaunis montraient mon père – on mettait longtemps à le reconnaître en uniforme – au milieu de ses camarades d'École Normale...

C'est là que se passaient nos matinées ; et aussi dans la cour où Florentin faisait pousser des dahlias et élevait des pintades ; où l'on torréfiait[2] le café, assis sur des boîtes à savon, où nous déballions des caisses remplies d'objets divers précieusement enveloppés et dont nous ne savions pas toujours le nom...

Toute la journée, le magasin était envahi par des paysans ou par les cochers des châteaux voisins. À la porte vitrée s'arrêtaient et s'égouttaient, dans le brouillard de septembre, des charrettes, venues du fond de la campagne. Et de la cuisine nous écoutions ce que disaient les paysannes, curieux de toutes leurs histoires...

Mais le soir, après huit heures, lorsqu'avec des lanternes on portait le foin aux chevaux dont la peau fumait dans l'écurie – tout le magasin nous appartenait !

---

1. **Rouennerie :** toile de coton de couleur fabriquée dans la région de Rouen.
2. **Torréfiait :** du verbe « torréfier », calciner superficiellement le café.

Marie-Louise, qui était l'aînée de mes cousines mais une des plus petites, achevait de plier et de ranger les piles de drap dans la boutique ; elle nous encourageait à venir la distraire. Alors, Firmin et moi avec toutes les filles, nous faisions irruption dans la grande boutique, sous les lampes d'auberge, tournant les moulins à café, faisant des tours de force sur les comptoirs ; et parfois Firmin allait chercher dans les greniers, car la terre battue invitait à la danse, quelque vieux trombone[1] plein de vert-de-gris[2]...

Je rougis encore à l'idée que, les années précédentes, Mlle de Galais eût pu venir à cette heure et nous surprendre au milieu de ces enfantillages... Mais ce fut un peu avant la tombée de la nuit, un soir de ce mois d'août, tandis que je causais tranquillement avec Marie-Louise et Firmin que je la vis pour la première fois.

Dès le soir de mon arrivée au Vieux-Nançay, j'avais interrogé mon oncle Florentin sur le Domaine des Sablonnières.

« Ce n'est plus un Domaine, avait-il dit. On a tout vendu, et les acquéreurs, des chasseurs, ont fait abattre les vieux bâtiments pour agrandir leurs terrains de chasse ; la cour d'honneur n'est plus maintenant qu'une lande de bruyères et d'ajoncs[3]. Les anciens possesseurs n'ont gardé qu'une petite maison d'un étage et la ferme. Tu auras bien l'occasion de voir ici Mlle de Galais ; c'est elle-même qui vient faire ses provisions, tantôt en selle, tantôt en voiture, mais toujours avec le même cheval, le vieux Bélisaire... C'est un drôle d'équipage ! »

J'étais si troublé que je ne savais plus quelle question poser pour en apprendre davantage.

« Ils étaient riches, pourtant ?

– Oui. M. de Galais donnait des fêtes pour amuser son fils, un garçon étrange, plein d'idées extraordinaires. Pour le distraire, il imaginait ce qu'il pouvait. On faisait venir des Parisiennes... des gars de Paris et d'ailleurs...

« Toutes les Sablonnières étaient en ruine, Mme de Galais près de sa fin, qu'ils cherchaient encore à l'amuser et lui passaient toutes

1. **Trombone :** instrument à vent qui fait partie des cuivres.
2. **Vert-de-gris :** dépôt verdâtre qui se forme sur le cuivre.
3. **Bruyères [...] ajoncs :** plantes poussant sur les sols sablonneux.

ses fantaisies. C'est l'hiver dernier – non, l'autre hiver, qu'ils ont fait leur plus grande fête costumée. Ils avaient invité moitié gens de Paris et moitié gens de campagne. Ils avaient acheté ou loué des quantités d'habits merveilleux, des jeux, des chevaux, des bateaux. 105 Toujours pour amuser Frantz de Galais. On disait qu'il allait se marier et qu'on fêtait là ses fiançailles. Mais il était bien trop jeune. Et tout a cassé d'un coup ; il s'est sauvé ; on ne l'a jamais revu... La châtelaine morte, Mlle de Galais est restée soudain toute seule avec son père, le vieux capitaine de vaisseau.

110 – N'est-elle pas mariée ? demandai-je enfin.

– Non, dit-il, je n'ai entendu parler de rien. Serais-tu un prétendant[1] ? »

Tout déconcerté, je lui avouai aussi brièvement, aussi discrètement que possible, que mon meilleur ami, Augustin Meaulnes, 115 peut-être, en serait un.

« Ah ! dit Florentin, en souriant, s'il ne tient pas à la fortune, c'est un joli parti[2]... Faudra-t-il que j'en parle à M. de Galais ? Il vient encore quelquefois jusqu'ici chercher du petit plomb pour la chasse. Je lui fais toujours goûter ma vieille eau-de-vie de marc. »

120 Mais je le priai bien vite de n'en rien faire, d'attendre. Et moi-même je ne me hâtai pas de prévenir Meaulnes. Tant d'heureuses chances accumulées m'inquiétaient un peu. Et cette inquiétude me commandait de ne rien annoncer à Meaulnes que je n'eusse au moins vu la jeune fille.

125 Je n'attendis pas longtemps. Le lendemain, un peu avant le dîner, la nuit commençait à tomber ; une brume fraîche, plutôt de septembre que d'août, descendait avec la nuit. Firmin et moi, pressentant le magasin vide d'acheteurs un instant, nous étions venus voir Marie-Louise et Charlotte. Je leur avais confié le secret qui m'ame-130 nait au Vieux-Nançay à cette date prématurée. Accoudés sur le comptoir ou assis les deux mains à plat sur le bois ciré, nous nous racontions mutuellement ce que nous savions de la mystérieuse jeune fille – et cela se réduisait à fort peu de chose – lorsqu'un bruit de roues nous fit tourner la tête.

---

1. **Prétendant :** qui aspire à prendre une femme pour épouse.
2. **Parti :** personne à marier, considérée du point de vue de sa situation sociale.

« La voici, c'est elle », dirent-ils à voix basse.

Quelques secondes après, devant la porte vitrée, s'arrêtait l'étrange équipage. Une vieille voiture de ferme, aux panneaux arrondis, avec de petites galeries moulées, comme nous n'en avions jamais vu dans cette contrée ; un vieux cheval blanc qui semblait toujours vouloir brouter quelque herbe sur la route, tant il baissait la tête pour marcher ; et sur le siège – je le dis dans la simplicité de mon cœur, mais sachant bien ce que je dis – la jeune fille la plus belle qu'il y ait peut-être jamais eu au monde.

Jamais je ne vis tant de grâce s'unir à tant de gravité. Son costume lui faisait la taille si mince qu'elle semblait fragile. Un grand manteau marron, qu'elle enleva en entrant, était jeté sur ses épaules. C'était la plus grave des jeunes filles, la plus frêle des femmes. Une lourde chevelure blonde pesait sur son front et sur son visage délicatement dessiné, finement modelé. Sur son teint très pur, l'été avait posé deux taches de rousseur... Je ne remarquai qu'un défaut à tant de beauté : aux moments de tristesse, de découragement ou seulement de réflexion profonde, ce visage si pur se marbrait légèrement de rouge, comme il arrive chez certains malades gravement atteints sans qu'on le sache. Alors toute l'admiration de celui qui la regardait faisait place à une sorte de pitié d'autant plus déchirante qu'elle surprenait davantage.

Voilà du moins ce que je découvrais, tandis qu'elle descendait lentement de voiture et qu'enfin Marie-Louise, me présentant avec aisance à la jeune fille, m'engageait à lui parler.

On lui avança une chaise cirée et elle s'assit, adossée au comptoir, tandis que nous restions debout. Elle paraissait bien connaître et aimer le magasin. Ma tante Julie, aussitôt prévenue, arriva, et le temps qu'elle parla, sagement, les mains croisées sur son ventre, hochant doucement sa tête de paysanne-commerçante coiffée d'un bonnet blanc, retarda le moment – qui me faisait trembler un peu – où la conversation s'engagerait avec moi...

Ce fut très simple.

« Ainsi, dit Mlle de Galais, vous serez bientôt instituteur ? »

Ma tante allumait au-dessus de nos têtes la lampe de porcelaine qui éclairait faiblement le magasin. Je voyais le doux visage enfantin de la jeune fille, ses yeux bleus si ingénus, et j'étais d'autant plus surpris de sa voix si nette, si sérieuse. Lorsqu'elle cessait de parler, ses yeux se fixaient ailleurs, ne bougeaient plus en attendant la réponse, et elle tenait sa lèvre un peu mordue.

175 « J'enseignerais, moi aussi, dit-elle, si M. de Galais voulait ! J'enseignerais les petits garçons, comme votre mère... »

Et elle sourit, montrant ainsi que mes cousins lui avaient parlé de moi.

« C'est, continua-t-elle, que les villageois sont toujours avec moi 180 polis, doux et serviables. Et je les aime beaucoup. Mais aussi quel mérite ai-je à les aimer ?

« Tandis qu'avec l'institutrice, ils sont, n'est-ce pas ? chicaniers[1] et avares. Il y a sans cesse des histoires de porte-plume perdus, de cahiers trop chers ou d'enfants qui n'apprennent pas... Eh bien, je 185 me débattrais avec eux et ils m'aimeraient tout de même. Ce serait beaucoup plus difficile... »

Et, sans sourire, elle reprit sa pose songeuse et enfantine, son regard bleu, immobile.

Nous étions gênés tous les trois par cette aisance à parler des 190 choses délicates, de ce qui est secret, subtil, et dont on ne parle bien que dans les livres. Il y eut un instant de silence ; et lentement une discussion s'engagea...

Mais avec une sorte de regret et d'animosité contre je ne sais quoi de mystérieux dans sa vie, la jeune demoiselle poursuivit :

195 « Et puis j'apprendrais aux garçons à être sages, d'une sagesse que je sais. Je ne leur donnerais pas le désir de courir le monde, comme vous le ferez sans doute, monsieur Seurel, quand vous serez sous-maître. Je leur enseignerais à trouver le bonheur qui est tout près d'eux et qui n'en a pas l'air... »

200 Marie-Louise et Firmin étaient interdits comme moi. Nous restions sans mot dire. Elle sentit notre gêne et s'arrêta, se mordit la lèvre, baissa la tête et puis elle sourit comme si elle se moquait de nous :

« Ainsi, dit-elle, il y a peut-être quelque grand jeune homme fou 205 qui me cherche au bout du monde, pendant que je suis ici dans le magasin de Mme Florentin, sous cette lampe, et que mon vieux cheval m'attend à la porte. Si ce jeune homme me voyait, il ne voudrait pas y croire, sans doute ?... »

---

1. **Chicaniers :** qui cherchent querelle (chicane) sur les moindres sujets.

De la voir sourire, l'audace me prit et je sentis qu'il était temps de dire, en riant aussi :

« Et peut-être que ce grand jeune homme fou, je le connais, moi ? »

Elle me regarda vivement.

À ce moment le timbre[1] de la porte sonna, deux bonnes femmes entrèrent avec des paniers :

« Venez dans la "salle à manger", vous serez en paix », nous dit ma tante en poussant la porte de la cuisine.

Et comme Mlle de Galais refusait et voulait partir aussitôt, ma tante ajouta :

« M. de Galais est ici et cause avec Florentin, auprès du feu. »

Il y avait toujours, même au mois d'août, dans la grande cuisine, un éternel fagot de sapins qui flambait et craquait. Là aussi une lampe de porcelaine était allumée et un vieillard au doux visage, creusé et rasé, presque toujours silencieux comme un homme accablé par l'âge et les souvenirs, était assis auprès de Florentin devant deux verres de marc[2].

Florentin salua :

« François ! cria-t-il de sa forte voix de marchand forain, comme s'il y avait eu entre nous une rivière ou plusieurs hectares de terrain, je viens d'organiser un après-midi de plaisir au bord du Cher pour jeudi prochain. Les uns chasseront, les autres pêcheront, les autres danseront, les autres se baigneront !... Mademoiselle, vous viendrez à cheval ; c'est entendu avec M. de Galais. J'ai tout arrangé...

« Et, François ! ajouta-t-il comme s'il y eût seulement pensé, tu pourras amener ton ami, M. Meaulnes... C'est bien Meaulnes qu'il s'appelle ? »

Mlle de Galais s'était levée, soudain devenue très pâle. Et, à ce moment précis, je me rappelai que Meaulnes, autrefois, dans le Domaine singulier, près de l'étang, lui avait dit son nom...

Lorsqu'elle me tendit la main, pour partir, il y avait entre nous, plus clairement que si nous avions dit beaucoup de paroles, une entente secrète que la mort seule devait briser et une amitié plus pathétique qu'un grand amour.

---

1. **Timbre :** sonnette.
2. **Marc :** eau-de-vie.

... À quatre heures, le lendemain matin, Firmin frappait à la
245 porte de la petite chambre que j'habitais dans la cour aux pintades.
Il faisait nuit encore et j'eus grand'peine à retrouver mes affaires
sur la table encombrée de chandeliers de cuivre et de statuettes
de bons saints toutes neuves, choisies au magasin pour meubler
mon logis la veille de mon arrivée. Dans la cour, j'entendais Firmin
250 gonfler ma bicyclette, et ma tante dans la cuisine souffler le feu.
Le soleil se levait à peine lorsque je partis. Mais ma journée devait
être longue : j'allais d'abord déjeuner à Sainte-Agathe pour expliquer mon absence prolongée et, poursuivant ma course, je devais
arriver avant le soir à La Ferté-d'Angillon, chez mon ami Augustin
255 Meaulnes.

III

Une apparition

JE N'AVAIS jamais fait de longue course à bicyclette. Celle-ci était la première. Mais, depuis longtemps, malgré mon mauvais genou, en cachette, Jasmin m'avait appris à monter. Si déjà pour un jeune homme ordinaire la bicyclette est un instrument bien amusant, que ne devait-elle pas sembler à un pauvre garçon comme moi, qui naguère encore traînais misérablement la jambe, trempé de sueur, dès le quatrième kilomètre !... Du haut des côtes, descendre et s'enfoncer dans le creux des paysages ; découvrir comme à coups d'ailes les lointains de la route qui s'écartent et fleurissent à votre approche, traverser un village dans l'espace d'un instant et l'emporter tout entier d'un coup d'œil... En rêve seulement j'avais connu jusque-là course aussi charmante, aussi légère. Les côtes mêmes me trouvaient plein d'entrain. Car c'était, il faut le dire, le chemin du pays de Meaulnes que je buvais ainsi...

« Un peu avant l'entrée du bourg, me disait Meaulnes, lorsque jadis il décrivait son village, on voit une grande roue à palettes que le vent fait tourner... » Il ne savait pas à quoi elle servait, ou peut-être feignait-il de n'en rien savoir pour piquer ma curiosité davantage.

C'est seulement au déclin de cette journée de fin d'août que j'aperçus, tournant au vent dans une immense prairie, la grande roue qui devait monter l'eau pour une métairie voisine. Derrière les peupliers du pré se découvraient déjà les premiers faubourgs. À mesure que je suivais le grand détour que faisait la route pour contourner le ruisseau, le paysage s'épanouissait et s'ouvrait... Arrivé sur le pont, je découvris enfin la grand'rue du village.

Des vaches paissaient, cachées dans les roseaux de la prairie et j'entendais leurs cloches, tandis que, descendu de bicyclette, les deux mains sur mon guidon, je regardais le pays où j'allais porter une si grave nouvelle. Les maisons, où l'on entrait en passant sur un petit pont de bois, étaient toutes alignées au bord d'un fossé qui descendait la rue, comme autant de barques, voiles carguées[1],

1. **Voiles carguées** : voiles serrées contre leurs vergues ou contre le mât au moyen de cordages.

amarrées dans le calme du soir. C'était l'heure où dans chaque cuisine on allume un feu.

Alors la crainte et je ne sais quel obscur regret de venir troubler tant de paix commencèrent à m'enlever tout courage. À point pour aggraver ma soudaine faiblesse, je me rappelai que la tante Moinel habitait là, sur une petite place de La Ferté-d'Angillon.

C'était une de mes grand'tantes. Tous ses enfants étaient morts et j'avais bien connu Ernest, le dernier de tous, un grand garçon qui allait être instituteur. Mon grand-oncle Moinel, le vieux greffier[1], l'avait suivi de près. Et ma tante était restée toute seule dans sa bizarre petite maison où les tapis étaient faits d'échantillons cousus, les tables couvertes de coqs, de poules et de chats en papier – mais où les murs étaient tapissés de vieux diplômes, de portraits de défunts, de médaillons en boucles de cheveux morts.

Avec tant de regrets et de deuil, elle était la bizarrerie et la bonne humeur mêmes. Lorsque j'eus découvert la petite place où se tenait sa maison, je l'appelai bien fort par la porte entr'ouverte, et je l'entendis tout au bout des trois pièces en enfilade pousser un petit cri suraigu :

« Eh là ! Mon Dieu ! »

Elle renversa son café dans le feu – à cette heure-là comment pouvait-elle faire du café ? – et elle apparut... Très cambrée en arrière, elle portait une sorte de chapeau-capote-capeline sur le faîte de la tête, tout en haut de son front immense et cabossé où il y avait de la femme mongole et de la Hottentote[2] ; et elle riait à petits coups, montrant le reste de ses dents très fines.

Mais tandis que je l'embrassais, elle me prit maladroitement, hâtivement, une main que j'avais derrière le dos. Avec un mystère parfaitement inutile puisque nous étions tous les deux seuls, elle me glissa une petite pièce que je n'osai pas regarder et qui devait être de un franc... Puis comme je faisais mine de demander des explications ou de la remercier, elle me donna une bourrade[3] en criant :

« Va donc ! Ah ! je sais bien ce que c'est ! »

---

1. **Greffier :** officier de justice.
2. **Hottentote :** de la population des pasteurs nomades d'Afrique du Sud-Ouest.
3. **Bourrade :** tape brusque mais amicale.

Elle avait toujours été pauvre, toujours empruntant, toujours dépensant.

« J'ai toujours été bête et toujours malheureuse », disait-elle sans amertume mais de sa voix de fausset[1].

Persuadée que les sous me préoccupaient comme elle, la brave femme n'attendait pas que j'eusse soufflé pour me cacher dans la main ses très minces économies de la journée. Et par la suite c'est toujours ainsi qu'elle m'accueillit.

Le dîner fut aussi étrange – à la fois triste et bizarre – que l'avait été la réception. Toujours une bougie à portée de la main, tantôt elle l'enlevait, me laissant dans l'ombre, et tantôt la posait sur la petite table couverte de plats et de vases ébréchés ou fendus.

« Celui-là, disait-elle, les Prussiens lui ont cassé les anses, en soixante-dix, parce qu'ils ne pouvaient pas l'emporter. »

Je me rappelai seulement alors, en revoyant ce grand vase à la tragique histoire, que nous avions dîné et couché là jadis. Mon père m'emmenait dans l'Yonne, chez un spécialiste qui devait guérir mon genou. Il fallait prendre un grand express qui passait avant le jour… Je me souvins du triste dîner de jadis, de toutes les histoires du vieux greffier accoudé devant sa bouteille de boisson rose.

Et je me souvenais aussi de mes terreurs… Après le dîner, assise devant le feu, ma grand'tante avait pris mon père à part pour lui raconter une histoire de revenants : « Je me retourne… Ah ! mon pauvre Louis, qu'est-ce que je vois, une petite femme grise… » Elle passait pour avoir la tête farcie de ces sornettes terrifiantes.

Et voici que ce soir-là, le dîner fini, lorsque, fatigué par la bicyclette, je fus couché dans la grande chambre avec une chemise de nuit à carreaux de l'oncle Moinel, elle vint s'asseoir à mon chevet et commença de sa voix la plus mystérieuse et la plus pointue :

« Mon pauvre François, il faut que je te raconte à toi ce que je n'ai jamais dit à personne… »

Je pensai :

« Mon affaire est bonne, me voilà terrorisé pour toute la nuit, comme il y a dix ans !… »

Et j'écoutai. Elle hochait la tête, regardant droit devant soi comme si elle se fût raconté l'histoire à elle-même :

---

1. **Voix de fausset :** voix d'homme aiguë.

« Je revenais d'une fête avec Moinel. C'était le premier mariage où nous allions tous les deux, depuis la mort de notre pauvre Ernest ; et j'y avais rencontré ma sœur Adèle que je n'avais pas vue depuis quatre ans ! Un vieil ami de Moinel, très riche, l'avait invité à la noce de son fils, au domaine des Sablonnières. Nous avions loué une voiture. Cela nous avait coûté bien cher. Nous revenions sur la route vers sept heures du matin, en plein hiver. Le soleil se levait. Il n'y avait absolument personne. Qu'est-ce que je vois tout d'un coup devant nous, sur la route ? Un petit homme, un petit jeune homme arrêté, beau comme le jour, qui ne bougeait pas, qui nous regardait venir. À mesure que nous approchions, nous distinguions sa jolie figure, si blanche, si jolie que cela faisait peur !...

« Je prends le bras de Moinel ; je tremblais comme la feuille ; je croyais que c'était le Bon Dieu !... Je lui dis :

« – Regarde ! C'est une apparition !

« Il me répond tout bas, furieux :

« – Je l'ai bien vu ! Tais-toi donc, vieille bavarde...

« Il ne savait que faire ; lorsque le cheval s'est arrêté... De près, cela avait une figure pâle, le front en sueur, un béret sale et un pantalon long. Nous entendîmes sa voix douce, qui disait :

« – Je ne suis pas un homme, je suis une jeune fille. Je me suis sauvée et je n'en puis plus. Voulez-vous bien me prendre dans votre voiture, monsieur et madame ?

« Aussitôt nous l'avons fait monter. À peine assise, elle a perdu connaissance. Et devines-tu à qui nous avions affaire ? C'était la fiancée du jeune homme des Sablonnières, Frantz de Galais, chez qui nous étions invités aux noces !

– Mais il n'y a pas eu de noces, dis-je, puisque la fiancée s'est sauvée !

– Eh bien, non, fit-elle toute penaude en me regardant. Il n'y a pas eu de noces. Puisque cette pauvre folle s'était mis dans la tête mille folies qu'elle nous a expliquées. C'était une des filles d'un pauvre tisserand. Elle était persuadée que tant de bonheur était impossible ; que le jeune homme était trop jeune pour elle ; que toutes les merveilles qu'il lui décrivait étaient imaginaires, et lorsqu'enfin Frantz est venu la chercher, Valentine a pris peur. Il se promenait avec elle et sa sœur dans le jardin de l'Archevêché à Bourges, malgré le froid et le grand vent. Le jeune homme, par délicatesse certainement et parce qu'il aimait la cadette, était plein d'attentions pour l'aînée. Alors ma folle s'est imaginé je ne sais quoi ; elle a dit qu'elle allait chercher un fichu à la maison ; et là, pour être plus sûre de n'être pas suivie, elle a revêtu des habits d'homme et s'est enfuie à pied sur la route de Paris.

« Son fiancé a reçu d'elle une lettre où elle lui déclarait qu'elle allait rejoindre un jeune homme qu'elle aimait. Et ce n'était pas vrai...

« – Je suis plus heureuse de mon sacrifice, me disait-elle, que si j'étais sa femme. » Oui, mon imbécile, mais en attendant, il n'avait pas du tout l'idée d'épouser sa sœur ; il s'est tiré une balle de pistolet ; on a vu le sang dans le bois ; mais on n'a jamais retrouvé son corps.

– Et qu'avez-vous fait de cette malheureuse fille ?

– Nous lui avons fait boire une goutte, d'abord. Puis nous lui avons donné à manger et elle a dormi auprès du feu quand nous avons été de retour. Elle est restée chez nous une bonne partie de l'hiver. Tout le jour, tant qu'il faisait clair, elle taillait, cousait des robes, arrangeait des chapeaux et nettoyait la maison avec rage. C'est elle qui a recollé toute la tapisserie que tu vois là. Et depuis son passage les hirondelles nichent dehors. Mais, le soir, à la tombée de la nuit, son ouvrage fini, elle trouvait toujours un prétexte pour aller dans la cour, dans le jardin, ou sur le devant de la porte, même quand il gelait à pierre fendre. Et on la découvrait là, debout, pleurant de tout son cœur.

« – Eh bien, qu'avez-vous encore ? Voyons ?

« – Rien, madame Moinel !

« – Et elle rentrait.

« Les voisins disaient :

« – Vous avez trouvé une bien jolie petite bonne, madame Moinel.

« Malgré nos supplications, elle a voulu continuer son chemin sur Paris, au mois de mars ; je lui ai donné des robes qu'elle a retaillées, Moinel lui a pris son billet à la gare et donné un peu d'argent.

« Elle ne nous a pas oubliés ; elle est couturière à Paris auprès de Notre-Dame ; elle nous écrit encore pour nous demander si nous ne savons rien des Sablonnières. Une bonne fois, pour la délivrer de cette idée, je lui ai répondu que le domaine était vendu, abattu, le jeune homme disparu pour toujours et la jeune fille mariée. Tout cela doit être vrai, je pense. Depuis ce temps ma Valentine écrit bien moins souvent… »

Ce n'était pas une histoire de revenants que racontait la tante Moinel de sa petite voix stridente si bien faite pour les raconter. J'étais cependant au comble du malaise. C'est que nous avions juré à Frantz le bohémien de le servir comme des frères et voici que l'occasion m'en était donnée…

Or, était-ce le moment de gâter la joie que j'allais porter à Meaulnes le lendemain matin, et de lui dire ce que je venais d'apprendre ? À quoi bon le lancer dans une entreprise mille fois impossible ? Nous avions en effet l'adresse de la jeune fille ; mais où chercher le bohémien qui courait le monde ?… Laissons les fous avec les fous, pensai-je… Delouche et Boujardon n'avaient pas tort. Que de mal nous a fait ce Frantz romanesque ! Et je résolus de ne rien dire tant que je n'aurais pas vu mariés Augustin Meaulnes et Mlle de Galais.

Cette résolution prise, il me restait encore l'impression pénible d'un mauvais présage – impression absurde que je chassai bien vite.

La chandelle était presque au bout ; un moustique vibrait ; mais la tante Moinel, la tête penchée sous sa capote de velours qu'elle ne quittait que pour dormir, les coudes appuyés sur ses genoux, recommençait son histoire… Par moments, elle relevait brusquement la tête et me regardait pour connaître mes impressions, ou peut-être pour voir si je ne m'endormais pas. À la fin, sournoisement, la tête sur l'oreiller, je fermai les yeux, faisant semblant de m'assoupir.

« Allons ! tu dors… », fit-elle d'un ton plus sourd et un peu déçu.

J'eus pitié d'elle et je protestai :

« Mais non, ma tante, je vous assure…

– Mais si ! dit-elle. Je comprends bien d'ailleurs que tout cela ne t'intéresse guère. Je te parle là de gens que tu n'as pas connus… »

Et lâchement, cette fois, je ne répondis pas.

IV

La grande nouvelle

IL FAISAIT, le lendemain matin, quand j'arrivai dans la grand'rue, un si beau temps de vacances, un si grand calme, et sur tout le bourg passaient des bruits si paisibles, si familiers, que j'avais retrouvé toute la joyeuse assurance d'un porteur de bonne nouvelle...

Augustin et sa mère habitaient l'ancienne maison d'école. À la mort de son père, retraité depuis longtemps, et qu'un héritage avait enrichi, Meaulnes avait voulu qu'on achetât l'école où le vieil instituteur avait enseigné pendant vingt années, où lui-même avait appris à lire. Non pas qu'elle fût d'aspect fort aimable : c'était une grosse maison carrée comme une mairie qu'elle avait été ; les fenêtres du rez-de-chaussée qui donnaient sur la rue étaient si hautes que personne n'y regardait jamais ; et la cour de derrière, où il n'y avait pas un arbre et dont un haut préau barrait la vue sur la campagne, était bien la plus sèche et la plus désolée cour d'école abandonnée que j'aie jamais vue...

Dans le couloir compliqué où s'ouvraient quatre portes, je trouvai la mère de Meaulnes rapportant du jardin un gros paquet de linge, qu'elle avait dû mettre sécher dès la première heure de cette longue matinée de vacances. Ses cheveux gris étaient à demi défaits ; des mèches lui battaient la figure ; son visage régulier sous sa coiffure ancienne était bouffi et fatigué, comme par une nuit de veille ; et elle baissait tristement la tête d'un air songeur.

Mais, m'apercevant soudain, elle me reconnut et sourit :

« Vous arrivez à temps, dit-elle. Voyez, je rentre le linge que j'ai fait sécher pour le départ d'Augustin. J'ai passé la nuit à régler ses comptes et à préparer ses affaires. Le train part à cinq heures, mais nous arriverons à tout apprêter... »

On eût dit, tant elle montrait d'assurance, qu'elle-même avait pris cette décision. Or, sans doute ignorait-elle même où Meaulnes devait aller.

« Montez, dit-elle, vous le trouverez dans la mairie en train d'écrire. »

En hâte je grimpai l'escalier, ouvris la porte de droite où l'on
35 avait laissé l'écriteau *Mairie*, et me trouvai dans une grande salle à quatre fenêtres, deux sur le bourg, deux sur la campagne, ornée aux murs des portraits jaunis des présidents Grévy[1] et Carnot[2]. Sur une longue estrade qui tenait tout le fond de la salle, il y avait encore, devant une table à tapis vert, les chaises des conseillers
40 municipaux. Au centre, assis sur un vieux fauteuil qui était celui du maire, Meaulnes écrivait, trempant sa plume au fond d'un encrier de faïence démodé, en forme de cœur. Dans ce lieu qui semblait fait pour quelque rentier de village, Meaulnes se retirait, quand il ne battait pas la contrée, durant les longues vacances…
45 Il se leva, dès qu'il m'eut reconnu, mais non pas avec la précipitation que j'avais imaginée :

« Seurel ! » dit-il seulement, d'un air de profond étonnement.

C'était le même grand gars au visage osseux, à la tête rasée. Une moustache inculte commençait à lui traîner sur les lèvres. Toujours
50 ce même regard loyal… Mais sur l'ardeur des années passées on croyait voir comme un voile de brume, que par instants sa grande passion de jadis dissipait…

Il paraissait très troublé de me voir. D'un bond j'étais monté sur l'estrade. Mais, chose étrange à dire, il ne songea pas même à me
55 tendre la main. Il s'était tourné vers moi, les mains derrière le dos, appuyé contre la table, renversé en arrière, et l'air profondément gêné. Déjà, me regardant sans me voir, il était absorbé par ce qu'il allait me dire. Comme autrefois et comme toujours, homme lent à commencer de parler, ainsi que sont les solitaires, les chasseurs et
60 les hommes d'aventures, il avait pris une décision sans se soucier des mots qu'il faudrait pour l'expliquer. Et maintenant que j'étais devant lui, il commençait seulement à ruminer péniblement les paroles nécessaires.

Cependant, je lui racontais avec gaieté comment j'étais venu,
65 où j'avais passé la nuit et que j'avais été bien surpris de voir Mme Meaulnes préparer le départ de son fils…

« Ah ! elle t'a dit ?… demanda-t-il.

---

1. **Grévy :** Jules Grévy, ancien président de la République (1807-1891).
2. **Carnot :** Sadi Carnot, ancien président de la République assassiné par un anarchiste (1837-1894).

– Oui. Ce n'est pas, je pense, pour un long voyage ?

– Si, un très long voyage. »

Un instant décontenancé, sentant que j'allais tout à l'heure, d'un mot, réduire à néant cette décision que je ne comprenais pas, je n'osais plus rien dire et ne savais par où commencer ma mission.

Mais lui-même parla enfin, comme quelqu'un qui veut se justifier.

« Seurel ! dit-il, tu sais ce qu'était pour moi mon étrange aventure de Sainte-Agathe. C'était ma raison de vivre et d'avoir de l'espoir. Cet espoir-là perdu, que pouvais-je devenir ?... Comment vivre à la façon de tout le monde !

« Eh bien j'ai essayé de vivre là-bas, à Paris, quand j'ai vu que tout était fini et qu'il ne valait plus même la peine de chercher le Domaine perdu... Mais un homme qui a fait une fois un bond dans le paradis, comment pourrait-il s'accommoder ensuite de la vie de tout le monde ? Ce qui est le bonheur des autres m'a paru dérision. Et lorsque, sincèrement, délibérément, j'ai décidé un jour de faire comme les autres, ce jour-là j'ai amassé du remords pour longtemps... »

Assis sur une chaise de l'estrade, la tête basse, l'écoutant sans le regarder, je ne savais que penser de ces explications obscures :

« Enfin, dis-je, Meaulnes, explique-toi mieux ! Pourquoi ce long voyage ? As-tu quelque faute à réparer ? Une promesse à tenir ?

– Eh bien, oui, répondit-il. Tu te souviens de cette promesse que j'avais faite à Frantz ?...

– Ah ! fis-je, soulagé, il ne s'agit que de cela ?...

– De cela. Et peut-être aussi d'une faute à réparer. Les deux en même temps... »

Suivit un moment de silence pendant lequel je décidai de commencer à parler et préparai mes mots.

« Il n'y a qu'une explication à laquelle je crois, dit-il encore. Certes, j'aurais voulu revoir une fois Mlle de Galais, seulement la revoir... Mais, j'en suis persuadé maintenant, lorsque j'avais découvert le Domaine sans nom, j'étais à une hauteur, à un degré de perfection et de pureté que je n'atteindrai jamais plus. Dans la mort seulement, comme je te l'écrivais un jour, je retrouverai peut-être la beauté de ce temps-là... »

Il changea de ton pour reprendre avec une animation étrange, en se rapprochant de moi :

« Mais, écoute, Seurel ! Cette intrigue nouvelle et ce grand voyage, cette faute que j'ai commise et qu'il faut réparer, c'est, en un sens, mon ancienne aventure qui se poursuit... »

Un temps, pendant lequel péniblement il essaya de ressaisir ses souvenirs. J'avais manqué l'occasion précédente. Je ne voulais pour rien au monde laisser passer celle-ci ; et, cette fois, je parlai – trop vite, car je regrettai amèrement, plus tard, de n'avoir pas attendu ses aveux.

Je prononçai donc ma phrase, qui était préparée pour l'instant d'avant, mais qui n'allait plus maintenant. Je dis, sans un geste, à peine en soulevant un peu la tête :

« Et si je venais t'annoncer que tout espoir n'est pas perdu ?... »

Il me regarda, puis, détournant brusquement les yeux, rougit comme je n'ai jamais vu quelqu'un rougir : une montée de sang qui devait lui cogner à grands coups dans les tempes...

« Que veux-tu dire ? » demanda-t-il enfin, à peine distinctement.

Alors, tout d'un trait, je racontai ce que je savais, ce que j'avais fait, et comment, la face des choses ayant tourné, il semblait presque que ce fût Yvonne de Galais qui m'envoyât vers lui.

Il était maintenant affreusement pâle.

Durant tout ce récit, qu'il écoutait en silence, la tête un peu rentrée, dans l'attitude de quelqu'un qu'on a surpris et qui ne sait comment se défendre, se cacher ou s'enfuir, il ne m'interrompit, je me rappelle, qu'une seule fois. Je lui racontais, en passant, que toutes les Sablonnières avaient été démolies et que le Domaine d'autrefois n'existait plus :

« Ah ! dit-il, tu vois... (comme s'il eût guetté une occasion de justifier sa conduite et le désespoir où il avait sombré) tu vois : il n'y a plus rien... »

Pour terminer, persuadé qu'enfin l'assurance de tant de facilité emporterait le reste de sa peine, je lui racontai qu'une partie de campagne était organisée par mon oncle Florentin, que Mlle de Galais devait y venir à cheval et que lui-même était invité... Mais il paraissait complètement désemparé et continuait à ne rien répondre.

« Il faut tout de suite décommander ton voyage, dis-je avec impatience. Allons avertir ta mère... »

Et comme nous descendions tous les deux :

« Cette partie de campagne ?… me demanda-t-il avec hésitation. Alors, vraiment, il faut que j'y aille ?…

– Mais, voyons, répliquai-je, cela ne se demande pas. »

Il avait l'air de quelqu'un qu'on pousse par les épaules.

En bas, Augustin avertit Mme Meaulnes que je déjeunerais avec eux, dînerais, coucherais là et que, le lendemain, lui-même louerait une bicyclette et me suivrait au Vieux-Nançay.

« Ah ! très bien », fit-elle, en hochant la tête, comme si ces nouvelles eussent confirmé toutes ses prévisions.

Je m'assis dans la petite salle à manger, sous les calendriers illustrés, les poignards ornementés et les outres[1] soudanaises[2] qu'un frère de M. Meaulnes, ancien soldat d'infanterie de marine, avait rapportés de ses lointains voyages.

Augustin me laissa là un instant, avant le repas, et, dans la chambre voisine, où sa mère avait préparé ses bagages, je l'entendis qui lui disait, en baissant un peu la voix, de ne pas défaire sa malle – car son voyage pouvait être seulement retardé…

---

1. **Outres :** une outre est une gourde en peau.
2. **Soudanaises :** provenant du Soudan.

V

La partie de plaisir

J'EUS PEINE à suivre Augustin sur la route du Vieux-Nançay. Il allait comme un coureur de bicyclette. Il ne descendait pas aux côtes. À son inexplicable hésitation de la veille avaient succédé une fièvre, une nervosité, un désir d'arriver au plus vite, qui ne laissaient pas de m'effrayer un peu. Chez mon oncle il montra la même impatience, il parut incapable de s'intéresser à rien jusqu'au moment où nous fûmes tous installés en voiture, vers dix heures, le lendemain matin, et prêts à partir pour les bords de la rivière.

On était à la fin du mois d'août, au déclin de l'été. Déjà les fourreaux[1] vides des châtaigniers jaunis commençaient à joncher les routes blanches. Le trajet n'était pas long ; la ferme des Aubiers, près du Cher où nous allions, ne se trouvait guère qu'à deux kilomètres au-delà des Sablonnières. De loin en loin, nous rencontrions d'autres invités en voiture, et même des jeunes gens à cheval, que Florentin avait conviés audacieusement au nom de M. de Galais... On s'était efforcé comme jadis de mêler riches et pauvres, châtelains et paysans. C'est ainsi que nous vîmes arriver à bicyclette Jasmin Delouche, qui, grâce au garde Baladier, avait fait naguère la connaissance de mon oncle.

« Et voilà, dit Meaulnes en l'apercevant, celui qui tenait la clef de tout, pendant que nous cherchions jusqu'à Paris. C'est à désespérer ! »

Chaque fois qu'il le regardait sa rancune en était augmentée. L'autre, qui s'imaginait au contraire avoir droit à toute notre reconnaissance, escorta notre voiture de très près, jusqu'au bout. On voyait qu'il avait fait, misérablement, sans grand résultat, des frais de toilette, et les pans de sa jaquette élimée battaient le garde-crotte[2] de son vélocipède[3]...

1. **Fourreaux :** coques épineuses qui enveloppent les châtaignes.
2. **Garde-crotte :** garde-boue.
3. **Vélocipède :** ancêtre de la bicyclette.

Malgré la contrainte qu'il s'imposait pour être aimable, sa figure vieillotte ne parvenait pas à plaire. Il m'inspirait plutôt à moi une vague pitié. Mais de qui n'aurais-je pas eu pitié durant cette journée-là ?...

Je ne me rappelle jamais cette partie de plaisir sans un obscur regret, comme une sorte d'étouffement. Je m'étais fait de ce jour tant de joie à l'avance ! Tout paraissait si parfaitement concerté pour que nous soyons heureux. Et nous l'avons été si peu !...

Que les bords du Cher étaient beaux, pourtant ! Sur la rive où l'on s'arrêta, le coteau venait finir en pente douce et la terre se divisait en petits prés verts, en saulaies séparées par des clôtures, comme autant de jardins minuscules. De l'autre côté de la rivière les bords étaient formés de collines grises, abruptes, rocheuses ; et sur les plus lointaines on découvrait, parmi les sapins, de petits châteaux romantiques avec une tourelle. Au loin, par instants, on entendait aboyer la meute du château de Préveranges.

Nous étions arrivés en ce lieu par un dédale de petits chemins, tantôt hérissés de cailloux blancs, tantôt remplis de sable – chemins qu'aux abords de la rivière les sources vives transformaient en ruisseaux. Au passage, les branches des groseilliers sauvages nous agrippaient par la manche. Et tantôt nous étions plongés dans la fraîche obscurité des fonds de ravins, tantôt au contraire, les haies interrompues, nous baignions dans la claire lumière de toute la vallée. Au loin sur l'autre rive, quand nous approchâmes, un homme accroché aux rocs, d'un geste lent, tendait des cordes à poissons. Qu'il faisait beau, mon Dieu !

Nous nous installâmes sur une pelouse, dans le retrait que formait un taillis de bouleaux. C'était une grande pelouse rase, où il semblait qu'il y eût place pour des jeux sans fin.

Les voitures furent dételées, les chevaux conduits à la ferme des Aubiers. On commença à déballer les provisions dans le bois, et à dresser sur la prairie de petites tables pliantes que mon oncle avait apportées.

Il fallut, à ce moment, des gens de bonne volonté pour aller à l'entrée du grand chemin voisin guetter les derniers arrivants et leur indiquer où nous étions. Je m'offris aussitôt ; Meaulnes me suivit, et nous allâmes nous poster près du pont suspendu, au carrefour de plusieurs sentiers et du chemin qui venait des Sablonnières.

Marchant de long en large, parlant du passé, tâchant tant bien que mal de nous distraire, nous attendions. Il arriva encore une voiture du Vieux-Nançay, des paysans inconnus avec une grande fille enrubannée. Puis plus rien. Si, trois enfants dans une voiture à âne, les enfants de l'ancien jardinier des Sablonnières.

« Il me semble que je les reconnais, dit Meaulnes. Ce sont eux, je crois bien, qui m'ont pris par la main, jadis, le premier soir de la fête, et m'ont conduit au dîner... »

Mais à ce moment, l'âne ne voulant plus marcher, les enfants descendirent pour le piquer, le tirer, cogner sur lui tant qu'ils purent ; alors Meaulnes, déçu, prétendit s'être trompé...

Je leur demandai s'ils avaient rencontré sur la route M. et Mlle de Galais. L'un d'eux répondit qu'il ne savait pas ; l'autre : « Je pense que oui, monsieur. » Et nous ne fûmes pas plus avancés. Ils descendirent enfin vers la pelouse, les uns tirant l'ânon par la bride, les autres poussant derrière la voiture. Nous reprîmes notre attente. Meaulnes regardait fixement le détour du chemin des Sablonnières, guettant avec une sorte d'effroi la venue de la jeune fille qu'il avait tant cherchée jadis. Un énervement bizarre et presque comique, qu'il passait sur Jasmin, s'était emparé de lui. Du petit talus où nous étions grimpés pour voir au loin le chemin, nous apercevions sur la pelouse, en contrebas, un groupe d'invités où Delouche essayait de faire bonne figure.

« Regarde-le pérorer[1], cet imbécile », me disait Meaulnes.

Et je lui répondais :

« Mais laisse-le. Il fait ce qu'il peut, le pauvre garçon. »

Augustin ne désarmait pas. Là-bas, un lièvre ou un écureuil avait dû déboucher d'un fourré. Jasmin, pour assurer sa contenance, fit mine de le poursuivre :

« Allons, bon ! Il court, maintenant... », fit Meaulnes, comme si vraiment cette audace-là dépassait toutes les autres !

Et cette fois je ne pus m'empêcher de rire. Meaulnes aussi ; mais ce ne fut qu'un éclair.

---

1. **Pérorer :** discourir, parler d'une manière prétentieuse.

Après un nouveau quart d'heure :

« Si elle ne venait pas ?... » dit-il.

Je répondis :

« Mais puisqu'elle a promis. Sois donc plus patient ! »

Il recommença de guetter. Mais à la fin, incapable de supporter plus longtemps cette attente intolérable :

« Écoute-moi, dit-il. Je redescends avec les autres. Je ne sais ce qu'il y a maintenant contre moi : mais si je reste là, je sens qu'elle ne viendra jamais – qu'il est impossible qu'au bout de ce chemin, tout à l'heure, elle apparaisse. »

Et il s'en alla vers la pelouse, me laissant tout seul. Je fis quelque cent mètres sur la petite route, pour passer le temps. Et au premier détour j'aperçus Yvonne de Galais, montée en amazone[1] sur son vieux cheval blanc, si fringant ce matin-là qu'elle était obligée de tirer sur les rênes pour l'empêcher de trotter. À la tête du cheval, péniblement, en silence, marchait M. de Galais. Sans doute ils avaient dû se relayer sur la route, chacun à tour de rôle se servant de la vieille monture.

Quand la jeune fille me vit tout seul, elle sourit, sauta prestement à terre, et confiant les rênes à son père se dirigea vers moi qui accourais :

« Je suis bien heureuse, dit-elle, de vous trouver seul. Car je ne veux montrer à personne qu'à vous le vieux Bélisaire, ni le mettre avec les autres chevaux. Il est trop laid et trop vieux d'abord ; puis je crains toujours qu'il ne soit blessé par un autre. Or, je n'ose monter que lui, et, quand il sera mort, je n'irai plus à cheval. »

Chez Mlle de Galais, comme chez Meaulnes, je sentais sous cette animation charmante, sous cette grâce en apparence si paisible, de l'impatience et presque de l'anxiété. Elle parlait plus vite qu'à l'ordinaire. Malgré ses joues et ses pommettes roses, il y avait autour de ses yeux, à son front, par endroits, une pâleur violente où se lisait tout son trouble.

Nous convînmes d'attacher Bélisaire à un arbre dans un petit bois, proche de la route. Le vieux M. de Galais, sans mot dire

---

1. **En amazone :** pour une femme, monter à cheval avec les deux jambes du même côté.

comme toujours, sortit le licol[1] des fontes[2] et attacha la bête – un peu bas à ce qu'il me sembla. De la ferme je promis d'envoyer tout à l'heure du foin, de l'avoine, de la paille…

Et Mlle de Galais arriva sur la pelouse comme jadis, je l'imagine, elle descendit vers la berge du lac, lorsque Meaulnes l'aperçut pour la première fois.

Donnant le bras à son père, écartant de sa main gauche le pan du grand manteau léger qui l'enveloppait, elle s'avançait vers les invités, de son air à la fois si sérieux et si enfantin. Je marchais auprès d'elle. Tous les invités éparpillés ou jouant au loin s'étaient dressés et rassemblés pour l'accueillir ; il y eut un bref instant de silence pendant lequel chacun la regarda s'approcher.

Meaulnes s'était mêlé au groupe des jeunes hommes et rien ne pouvait le distinguer de ses compagnons, sinon sa haute taille : encore y avait-il là des jeunes gens presque aussi grands que lui. Il ne fit rien qui pût le désigner à l'attention, pas un geste ni un pas en avant. Je le voyais, vêtu de gris, immobile, regardant fixement, comme tous les autres, la si belle jeune fille qui venait. À la fin, pourtant, d'un mouvement inconscient et gêné, il avait passé sa main sur sa tête nue, comme pour cacher, au milieu de ses compagnons aux cheveux bien peignés, sa rude tête rasée de paysan.

Puis le groupe entoura Mlle de Galais. On lui présenta les jeunes filles et les jeunes gens qu'elle ne connaissait pas… Le tour allait venir de mon compagnon ; et je me sentais aussi anxieux qu'il pouvait l'être. Je me disposais à faire moi-même cette présentation.

Mais avant que j'eusse pu rien dire, la jeune fille s'avançait vers lui avec une décision et une gravité surprenantes :

« Je reconnais Augustin Meaulnes », dit-elle.

Et elle lui tendit la main.

---

1. **Licol :** pièce de harnais qu'on met autour du cou des chevaux.
2. **Fontes :** poches de cuir attachées de part et d'autre de l'arçon d'une selle et destinées à recevoir un pistolet.

VI

La partie de plaisir *(fin)*

DE NOUVEAUX venus s'approchèrent presque aussitôt pour saluer Yvonne de Galais, et les deux jeunes gens se trouvèrent séparés. Un malheureux hasard voulut qu'ils ne fussent point réunis pour le déjeuner à la même petite table. Mais Meaulnes semblait avoir repris confiance et courage. À plusieurs reprises, comme je me trouvais isolé entre Delouche et M. de Galais, je vis de loin mon compagnon qui me faisait, de la main, un signe d'amitié.

C'est vers la fin de la soirée seulement, lorsque les jeux, la baignade, les conversations, les promenades en bateau dans l'étang voisin se furent un peu partout organisés, que Meaulnes, de nouveau, se trouva en présence de la jeune fille. Nous étions à causer avec Delouche, assis sur des chaises de jardin que nous avions apportées lorsque, quittant délibérément un groupe de jeunes gens où elle paraissait s'ennuyer, Mlle de Galais s'approcha de nous. Elle nous demanda, je me rappelle, pourquoi nous ne canotions[1] pas sur le lac des Aubiers, comme les autres.

« Nous avons fait quelques tours cet après-midi, répondis-je. Mais cela est bien monotone et nous avons été vite fatigués.

– Eh bien, pourquoi n'iriez-vous pas sur la rivière ? dit-elle.

– Le courant est trop fort, nous risquerions d'être emportés.

– Il nous faudrait, dit Meaulnes, un canot à pétrole ou un bateau à vapeur comme celui d'autrefois.

– Nous ne l'avons plus, dit-elle presque à voix basse, nous l'avons vendu. »

Et il se fit un silence gêné.

Jasmin en profita pour annoncer qu'il allait rejoindre M. de Galais.

« Je saurai bien, dit-il, où le retrouver. »

Bizarrerie du hasard ! Ces deux êtres si parfaitement dissemblables s'étaient plu et depuis le matin ne se quittaient guère. M. de Galais m'avait pris à part un instant, au début de la soirée, pour me dire que j'avais là un ami plein de tact, de déférence et de

---

1. **Canotions :** du verbe « canoter » qui signifie se promener en canot, en bateau.

qualités. Peut-être même avait-il été jusqu'à lui confier le secret de l'existence de Bélisaire et le lieu de sa cachette.

Je pensai moi aussi à m'éloigner, mais je sentais les deux jeunes gens si gênés, si anxieux l'un en face de l'autre, que je jugeai prudent de ne pas le faire...

Tant de discrétion de la part de Jasmin, tant de précaution de la mienne servirent à peu de chose. Ils parlèrent. Mais invariablement, avec un entêtement dont il ne se rendait certainement pas compte, Meaulnes en revenait à toutes les merveilles de jadis. Et chaque fois la jeune fille au supplice devait lui répéter que tout était disparu : la vieille demeure si étrange et si compliquée, abattue ; le grand étang, asséché, comblé ; et dispersés, les enfants aux charmants costumes...

« Ah ! » faisait simplement Meaulnes avec désespoir et comme si chacune de ces disparitions lui eût donné raison contre la jeune fille ou contre moi...

Nous marchions côte à côte... Vainement j'essayais de faire diversion à la tristesse qui nous gagnait tous les trois. D'une question abrupte, Meaulnes, de nouveau, cédait à son idée fixe. Il demandait des renseignements sur tout ce qu'il avait vu autrefois : les petites filles, le conducteur de la vieille berline, les poneys de la course. « Les poneys sont vendus aussi ? Il n'y a plus de chevaux au Domaine ?... »

Elle répondit qu'il n'y en avait plus. Elle ne parla pas de Bélisaire.

Alors il évoqua les objets de sa chambre : les candélabres, la grande glace, le vieux luth brisé... Il s'enquérait de tout cela, avec une passion insolite, comme s'il eût voulu se persuader que rien ne subsistait de sa belle aventure, que la jeune fille ne lui rapporterait pas une épave capable de prouver qu'ils n'avaient pas rêvé tous les deux, comme le plongeur rapporte du fond de l'eau un caillou et des algues.

Mlle de Galais et moi, nous ne pûmes nous empêcher de sourire tristement : elle se décida à lui expliquer :

« Vous ne reverrez pas le beau château que nous avions arrangé, M. de Galais et moi, pour le pauvre Frantz.

« Nous passions notre vie à faire ce qu'il demandait. C'était un être si étrange, si charmant ! Mais tout a disparu avec lui le soir de ses fiançailles manquées.

« Déjà M. de Galais était ruiné sans que nous le sachions. Frantz avait fait des dettes et ses anciens camarades – apprenant sa disparition – ont aussitôt réclamé auprès de nous. Nous sommes devenus pauvres ; Mme de Galais est morte et nous avons perdu tous nos amis en quelques jours.

« Que Frantz revienne, s'il n'est pas mort. Qu'il retrouve ses amis et sa fiancée ; que la noce interrompue se fasse et peut-être tout redeviendra-t-il comme c'était autrefois. Mais le passé peut-il renaître ?

– Qui sait ! », dit Meaulnes, pensif. Et il ne demanda plus rien.

Sur l'herbe courte et légèrement jaunie déjà, nous marchions tous les trois sans bruit : Augustin avait à sa droite près de lui la jeune fille qu'il avait crue perdue pour toujours. Lorsqu'il posait une de ces dures questions, elle tournait vers lui lentement, pour lui répondre, son charmant visage inquiet ; et une fois, en lui parlant, elle avait posé doucement sa main sur son bras, d'un geste plein de confiance et de faiblesse. Pourquoi le grand Meaulnes était-il là comme un étranger, comme quelqu'un qui n'a pas trouvé ce qu'il cherchait et que rien d'autre ne peut intéresser ? Ce bonheur-là, trois ans plus tôt, il n'eût pu le supporter sans effroi, sans folie, peut-être. D'où venait donc ce vide, cet éloignement, cette impuissance à être heureux, qu'il y avait en lui, à cette heure ?

Nous approchions du petit bois où le matin M. de Galais avait attaché Bélisaire ; le soleil vers son déclin allongeait nos ombres sur l'herbe ; à l'autre bout de la pelouse, nous entendions, assourdis par l'éloignement, comme un bourdonnement heureux, les voix des joueurs et des fillettes, et nous restions silencieux dans ce calme admirable, lorsque nous entendîmes chanter de l'autre côté du bois, dans la direction des Aubiers, la ferme du bord de l'eau. C'était la voix jeune et lointaine de quelqu'un qui mène ses bêtes à l'abreuvoir, un air rythmé comme un air de danse, mais que l'homme étirait et alanguissait comme une vieille ballade triste :

Mes souliers sont rouges...
Adieu, mes amours...
Mes souliers sont rouges...
Adieu, sans retour !...

Meaulnes avait levé la tête et écoutait. Ce n'était rien qu'un de ces airs que chantaient les paysans attardés, au Domaine sans nom, le dernier soir de la fête, quand déjà tout s'était écroulé… Rien qu'un souvenir – le plus misérable – de ces beaux jours qui ne reviendraient plus.

« Mais vous l'entendez ? dit Meaulnes à mi-voix. Oh ! je vais aller voir qui c'est. » Et, tout de suite, il s'engagea dans le petit bois. Presque aussitôt la voix se tut ; on entendit encore une seconde l'homme siffler ses bêtes en s'éloignant ; puis plus rien…

Je regardai la jeune fille. Pensive et accablée, elle avait les yeux fixés sur le taillis où Meaulnes venait de disparaître. Que de fois, plus tard, elle devait regarder ainsi, pensivement, le passage par où s'en irait à jamais le grand Meaulnes !

Elle se retourna vers moi :

« Il n'est pas heureux », dit-elle douloureusement.

Elle ajouta :

« Et peut-être que je ne puis rien faire pour lui ?… »

J'hésitais à répondre, craignant que Meaulnes, qui devait d'un saut avoir gagné la ferme et qui maintenant revenait par le bois, ne surprît notre conversation. Mais j'allais l'encourager cependant ; lui dire de ne pas craindre de brusquer le grand gars ; qu'un secret sans doute le désespérait et que jamais de lui-même il ne se confierait à elle ni à personne – lorsque soudain, de l'autre côté du bois, partit un cri ; puis nous entendîmes un piétinement comme d'un cheval qui pétarade[1] et le bruit d'une dispute à voix entrecoupées… Je compris tout de suite qu'il était arrivé un accident au vieux Bélisaire et je courus vers l'endroit d'où venait tout le tapage. Mlle de Galais me suivit de loin. Du fond de la pelouse on avait dû remarquer notre mouvement, car j'entendis, au moment où j'entrai dans le taillis, les cris des gens qui accouraient.

Le vieux Bélisaire, attaché trop bas, s'était pris une patte de devant dans sa longe[2] ; il n'avait pas bougé jusqu'au moment où M. de Galais et Delouche, au cours de leur promenade, s'étaient approchés de lui ; effrayé, excité par l'avoine insolite qu'on lui avait donnée, il s'était débattu furieusement ; les deux hommes avaient essayé de le délivrer, mais si maladroitement qu'ils avaient réussi à l'empêtrer davantage, tout en risquant d'essuyer de dange-

1. **Pétarade :** qui émet une suite de pets en ruant.
2. **Longe :** courroie plus ou moins longue qui sert à attacher un cheval.

reux coups de sabots. C'est à ce moment que par hasard Meaulnes, revenant des Aubiers, était tombé sur le groupe. Furieux de tant de gaucherie, il avait bousculé les deux hommes au risque de les envoyer rouler dans le buisson. Avec précaution mais en un tour de main il avait délivré Bélisaire. Trop tard, car le mal était déjà fait ; le cheval devait avoir un nerf foulé, quelque chose de brisé peut-être, car il se tenait piteusement la tête basse, sa selle à demi dessanglée[1] sur le dos, une patte repliée sous son ventre et toute tremblante. Meaulnes, penché, le tâtait et l'examinait sans rien dire.

Lorsqu'il releva la tête, presque tout le monde était là, rassemblé, mais il ne vit personne. Il était fâché rouge.

« Je me demande, cria-t-il, qui a bien pu l'attacher de la sorte ! Et lui laisser sa selle sur le dos toute la journée ? Et qui a eu l'audace de seller ce vieux cheval, bon tout au plus pour une carriole. »

Delouche voulut dire quelque chose – tout prendre sur lui.

« Tais-toi donc ! C'est ta faute encore. Je t'ai vu tirer bêtement sur sa longe pour le dégager. »

Et se baissant de nouveau, il se remit à frotter le jarret[2] du cheval avec le plat de la main.

M. de Galais, qui n'avait rien dit encore, eut le tort de vouloir sortir de sa réserve. Il bégaya :

« Les officiers de marine ont l'habitude… Mon cheval…

– Ah ! il est à vous ? » dit Meaulnes un peu calmé, très rouge, en tournant la tête de côté vers le vieillard.

Je crus qu'il allait changer de ton, faire des excuses. Il souffla un instant. Et je vis alors qu'il prenait un plaisir amer et désespéré à aggraver la situation, à tout briser à jamais, en disant avec insolence :

« Eh bien je ne vous fais pas mon compliment. »

Quelqu'un suggéra :

« Peut-être que de l'eau fraîche… En le baignant dans le gué[3]…

– Il faut, dit Meaulnes sans répondre, emmener tout de suite ce vieux cheval, pendant qu'il peut encore marcher – et il n'y a pas de temps à perdre ! –, le mettre à l'écurie et ne jamais plus l'en sortir. »

---

1. **Dessanglée :** dont les sangles, de larges bandes plates qui maintiennent la selle, se sont défaites.
2. **Jarret :** partie supérieure du sabot du cheval.
3. **Gué :** endroit d'une rivière où il y a très peu de fond.

Plusieurs jeunes gens s'offrirent aussitôt. Mais Mlle de Galais les remercia vivement. Le visage en feu, prête à fondre en larmes, elle dit au revoir à tout le monde, et même à Meaulnes décontenancé, qui n'osa pas la regarder. Elle prit la bête par les rênes, comme on 180 donne à quelqu'un la main, plutôt pour s'approcher d'elle davantage que pour la conduire... Le vent de cette fin d'été était si tiède sur le chemin des Sablonnières qu'on se serait cru au mois de mai, et les feuilles des haies tremblaient à la brise du sud... Nous la vîmes partir ainsi, son bras à demi sorti du manteau, tenant dans 185 sa main étroite la grosse rêne de cuir. Son père marchait péniblement à côté d'elle...

Triste fin de soirée ! Peu à peu, chacun ramassa ses paquets, ses couverts ; on plia les chaises, on démonta les tables ; une à une, les voitures chargées de bagages et de gens partirent, avec des cha- 190 peaux levés et des mouchoirs agités. Les derniers nous restâmes sur le terrain avec mon oncle Florentin, qui ruminait comme nous, sans rien dire, ses regrets et sa grosse déception.

Nous aussi, nous partîmes, emportés vivement, dans notre voiture bien suspendue, par notre beau cheval alezan. La roue grinça 195 au tournant dans le sable et bientôt, Meaulnes et moi, qui étions assis sur le siège de derrière, nous vîmes disparaître sur la petite route l'entrée du chemin de traverse que le vieux Bélisaire et ses maîtres avaient pris.

Mais alors mon compagnon – l'être que je sache au monde le 200 plus incapable de pleurer – tourna soudain vers moi son visage bouleversé par une irrésistible montée de larmes.

« Arrêtez, voulez-vous ? dit-il en mettant la main sur l'épaule de Florentin. Ne vous occupez pas de moi. Je reviendrai tout seul, à pied. »

205 Et d'un bond, la main au garde-boue de la voiture, il sauta à terre. À notre stupéfaction, rebroussant chemin, il se prit à courir, et courut jusqu'au petit chemin que nous venions de passer, le chemin des Sablonnières. Il dut arriver au Domaine par cette allée de sapins qu'il avait suivie jadis, où il avait entendu, vagabond 210 caché dans les basses branches, la conversation mystérieuse des beaux enfants inconnus...

Et c'est ce soir-là, avec des sanglots, qu'il demanda en mariage Mlle de Galais.

Clefs d'analyse

Troisième partie : chapitres I à VI

Action et personnages

1. Comment expliquez-vous la métamorphose de François au début de la troisième partie ? À quels signes voyez-vous qu'il a quitté le monde des enfants pour rejoindre celui des adultes ?
2. À quelles remarques ou réflexions voit-on que s'opère en lui un changement des valeurs ?
3. Que pensez-vous de l'amitié qui se noue entre François et Jasmin Delouche ?
4. Montrez comment les deux premiers chapitres forment une antithèse avec l'aventure de Meaulnes.
5. Quel rôle jouent, successivement, Delouche, Florentin et la tante Moinel auprès de François ? L'attitude de François est-elle la même devant les trois personnages ? La tante Moinel est-elle sur le même plan que les deux autres ? Quel type d'humanité figure chacun des trois ? Quelle clé détient chaque personnage ?
6. La conduite de Meaulnes correspond-elle aux attentes de François ?
7. Qu'implique la première phrase prononcée par Yvonne ? Qui prend l'initiative du rapprochement ? L'attitude d'Yvonne vous semble-t-elle conventionnelle ?

Langue

8. Les titres de chapitre vous semblent-ils convenir aux contenus ? Pouvez-vous en proposer d'autres ?
9. Relevez dans le chapitre VI les mots qui installent une impression de malaise.

Genre ou thèmes

10. Montrez que l'évolution de la personnalité de François lui fait prendre un autre rôle dans l'histoire et que, de simple témoin, il devient acteur. En quoi a-t-il une influence sur le cours des événements ?

11. Comment les variations de point de vue (dans les trois premiers chapitres) permettent-elles de proposer une nouvelle image du domaine ? Que reste-t-il du mystère que les deux premières parties du roman avaient construit ?
12. François est-il en mesure d'expliquer la conduite de Meaulnes ?
13. Comment l'auteur s'y prend-il pour réunir les deux intrigues, celle de Frantz et Valentine et celle de Meaulnes et Yvonne ?

Écriture

14. Décrivez Jasmin Delouche successivement selon le point de vue de François, puis selon le point de vue de Meaulnes.

Pour aller plus loin

15. Que signifie l'épisode du vieux cheval Bélisaire ?
16. Montrez en quoi la partie de plaisir est la répétition de la fête d'autrefois. Quels sont les éléments que l'on retrouve ? Quels sont les éléments qui font défaut ? Peut-on ressusciter le passé ?
17. Que révèlent les questions que Meaulnes pose à Yvonne ? Pourquoi la jeune fille est-elle au supplice ?

✻ *À retenir*

La demande en mariage marque le plus souvent la fin du roman d'aventure heureux. Ceux qui s'aiment se trouvent réunis et l'histoire s'arrête là. Mais le texte insiste tant sur le thème du chemin et du passé perdu que le lecteur doute que le bonheur puisse se trouver dans ce monde dégradé.

VII

Le jour des noces

C'EST UN JEUDI, au commencement de février, un beau jeudi soir glacé, où le grand vent souffle. Il est trois heures et demie, quatre heures... Sur les haies, auprès des bourgs, les lessives sont étendues depuis midi et sèchent à la bourrasque. Dans chaque maison, le feu de la salle à manger fait luire tout un reposoir de joujoux vernis. Fatigué de jouer, l'enfant s'est assis auprès de sa mère et il lui fait raconter la journée de son mariage...

Pour celui qui ne veut pas être heureux, il n'a qu'à monter dans son grenier et il entendra, jusqu'au soir, siffler et gémir les naufrages ; il n'a qu'à s'en aller dehors, sur la route, et le vent lui rabattra son foulard sur la bouche comme un chaud baiser soudain qui le fera pleurer. Mais pour celui qui aime le bonheur, il y a, au bord d'un chemin boueux, la maison des Sablonnières, où mon ami Meaulnes est rentré avec Yvonne de Galais, qui est sa femme depuis midi.

Les fiançailles ont duré cinq mois. Elles ont été paisibles, aussi paisibles que la première entrevue avait été mouvementée. Meaulnes est venu très souvent aux Sablonnières, à bicyclette ou en voiture. Plus de deux fois par semaine, cousant ou lisant près de la grande fenêtre qui donne sur la lande et les sapins, Mlle de Galais a vu tout d'un coup sa haute silhouette rapide passer derrière le rideau, car il vient toujours par l'allée détournée qu'il a prise autrefois. Mais c'est la seule allusion – tacite[1] – qu'il fasse au passé. Le bonheur semble avoir endormi son étrange tourment.

De petits événements ont fait date pendant ces cinq calmes mois. On m'a nommé instituteur au hameau de Saint-Benoist-des-Champs. Saint-Benoist n'est pas un village. Ce sont des fermes disséminées à travers la campagne, et la maison d'école est complètement isolée sur une côte au bord de la route. Je mène une vie bien solitaire ; mais, en passant par les champs, il ne faut que trois quarts d'heure de marche pour gagner les Sablonnières.

---

1. **Tacite :** qui n'est pas explicitement exprimé ; sous-entendu.

Delouche est maintenant chez son oncle, qui est entrepreneur de maçonnerie au Vieux-Nançay. Ce sera bientôt lui le patron. Il vient souvent me voir. Meaulnes, sur la prière de Mlle de Galais, est maintenant très aimable avec lui.

Et ceci explique comment nous sommes là tous deux à rôder, vers quatre heures de l'après-midi, alors que les gens de la noce sont déjà tous repartis.

Le mariage s'est fait à midi, avec le plus de silence possible, dans l'ancienne chapelle des Sablonnières qu'on n'a pas abattue et que les sapins cachent à moitié sur le versant de la côte prochaine. Après un déjeuner rapide, la mère de Meaulnes, M. Seurel et Millie, Florentin et les autres sont remontés en voiture. Il n'est resté que Jasmin et moi...

Nous errons à la lisière des bois qui sont derrière la maison des Sablonnières, au bord du grand terrain en friche[1], emplacement ancien du Domaine aujourd'hui abattu. Sans vouloir l'avouer et sans savoir pourquoi, nous sommes remplis d'inquiétude. En vain nous essayons de distraire nos pensées et de tromper notre angoisse en nous montrant, au cours de notre promenade errante, les bauges[2] des lièvres et les petits sillons de sable où les lapins ont gratté fraîchement... un collet[3] tendu... la trace d'un braconnier... Mais sans cesse nous revenons à ce bord du taillis, d'où l'on découvre la maison silencieuse et fermée...

Au bas de la grande croisée qui donne sur les sapins, il y a un balcon de bois, envahi par les herbes folles que couche le vent. Une lueur comme d'un feu allumé se reflète sur les carreaux de la fenêtre. De temps à autre, une ombre passe. Tout autour, dans les champs environnants, dans le potager, dans la seule ferme qui reste des anciennes dépendances, silence et solitude. Les métayers sont partis au bourg pour fêter le bonheur de leurs maîtres.

De temps à autre, le vent chargé d'une buée qui est presque de la pluie nous mouille la figure et nous apporte la parole perdue d'un piano. Là-bas, dans la maison fermée, quelqu'un joue. Je m'arrête un instant pour écouter en silence. C'est d'abord comme

1. **En friche :** qui n'est pas cultivé.
2. **Bauges :** gîtes, abris, terriers.
3. **Collet :** voir note 2 p. 24.

une voix tremblante qui, de très loin, ose à peine chanter sa joie... C'est comme le rire d'une petite fille qui, dans sa chambre, a été chercher tous ses jouets et les répand devant son ami. Je pense aussi à la joie craintive encore d'une femme qui a été mettre une belle robe et qui vient la montrer et ne sait pas si elle plaira... Cet air que je ne connais pas, c'est aussi une prière, une supplication au bonheur de ne pas être trop cruel, un salut et comme un agenouillement devant le bonheur...

Je pense : « Ils sont heureux enfin. Meaulnes est là-bas près d'elle... »

Et savoir cela, en être sûr, suffit au contentement parfait du brave enfant que je suis.

À ce moment, tout absorbé, le visage mouillé par le vent de la plaine comme par l'embrun de la mer, je sens qu'on me touche l'épaule :

« Écoute ! » dit Jasmin tout bas.

Je le regarde. Il me fait signe de ne pas bouger ; et, lui-même, la tête inclinée, le sourcil froncé, il écoute...

VIII

L'appel de Frantz

« HOU-OU ! »

Cette fois, j'ai entendu. C'est un signal, un appel sur deux notes, haute et basse, que j'ai déjà entendu jadis... Ah ! je me souviens : c'est le cri du grand comédien lorsqu'il hélait son jeune compagnon à la grille de l'école. C'est l'appel à quoi Frantz nous avait fait jurer de nous rendre, n'importe où et n'importe quand. Mais que demande-t-il ici, aujourd'hui, celui-là ?

« Cela vient de la grande sapinière à gauche, dis-je à mi-voix. C'est un braconnier sans doute. »

Jasmin secoue la tête :

« Tu sais bien que non », dit-il.

Puis, plus bas :

« Ils sont dans le pays, tous les deux, depuis ce matin. J'ai surpris Ganache à onze heures en train de guetter dans un champ auprès de la chapelle. Il a détalé en m'apercevant. Ils sont venus de loin peut-être à bicyclette, car il était couvert de boue jusqu'au milieu du dos...

– Mais que cherchent-ils ?

– Je n'en sais rien. Mais à coup sûr il faut que nous les chassions. Il ne faut pas les laisser rôder aux alentours. Ou bien toutes les folies vont recommencer... »

Je suis de cet avis, sans l'avouer.

« Le mieux, dis-je, serait de les joindre, de voir ce qu'ils veulent et de leur faire entendre raison... »

Lentement, silencieusement, nous nous glissons donc en nous baissant à travers le taillis jusqu'à la grande sapinière, d'où part, à intervalles réguliers, ce cri prolongé qui n'est pas en soi plus triste qu'autre chose, mais qui nous semble à tous les deux de sinistre augure.

Il est difficile, dans cette partie du bois de sapins, où le regard s'enfonce entre les troncs régulièrement plantés, de surprendre quelqu'un et de s'avancer sans être vu. Nous n'essayons même pas. Je me poste à l'angle du bois. Jasmin va se placer à l'angle opposé, de façon à commander comme moi, de l'extérieur, deux des côtés du rectangle et à ne pas laisser fuir l'un des bohémiens sans le héler. Ces dispositions prises, je commence à jouer mon rôle d'éclaireur pacifique et j'appelle :

« Frantz !...

« ... Frantz ! Ne craignez rien. C'est moi, Seurel ; je voudrais vous parler... »

Un instant de silence ; je vais me décider à crier encore, lorsque, au cœur même de la sapinière, où mon regard n'atteint pas tout à fait, une voix commande :

« Restez où vous êtes : il va venir vous trouver. »

Peu à peu, entre les grands sapins que l'éloignement fait paraître serrés, je distingue la silhouette du jeune homme qui s'approche. Il paraît couvert de boue et mal vêtu ; des épingles de bicyclette serrent le bas de son pantalon, une vieille casquette à ancre est plaquée sur ses cheveux trop longs ; je vois maintenant sa figure amaigrie... Il semble avoir pleuré.

S'approchant de moi, résolument :

« Que voulez-vous ? demande-t-il d'un air très insolent.

– Et vous-même, Frantz, que faites-vous ici ? Pourquoi venez-vous troubler ceux qui sont heureux ? Qu'avez-vous à demander ? Dites-le. »

Ainsi interrogé directement, il rougit un peu, balbutie, répond seulement :

« Je suis malheureux, moi, je suis malheureux. »

Puis, la tête dans le bras, appuyé à un tronc d'arbre, il se prend à sangloter amèrement. Nous avons fait quelques pas dans la sapinière. L'endroit est parfaitement silencieux. Pas même la voix du vent que les grands sapins de la lisière arrêtent. Entre les troncs réguliers se répète et s'éteint le bruit des sanglots étouffés du jeune homme. J'attends que cette crise s'apaise et je dis, en lui mettant la main sur l'épaule :

« Frantz, vous viendrez avec moi. Je vous mènerai auprès d'eux. Ils vous accueilleront comme un enfant perdu qu'on a retrouvé et tout sera fini. »

Mais il ne voulait rien entendre. D'une voix assourdie par les larmes, malheureux, entêté, colère, il reprenait :

« Ainsi Meaulnes ne s'occupe plus de moi ? Pourquoi ne répond-il pas quand je l'appelle ? Pourquoi ne tient-il pas sa promesse ?

– Voyons, Frantz, répondis-je, le temps des fantasmagories[1] et des enfantillages est passé. Ne troublez pas avec des folies le bonheur de ceux que vous aimez ; de votre sœur et d'Augustin Meaulnes.

75 – Mais lui seul peut me sauver, vous le savez bien. Lui seul est capable de retrouver la trace que je cherche. Voilà bientôt trois ans que Ganache et moi nous battons toute la France sans résultat. Je n'avais plus confiance qu'en votre ami. Et voici qu'il ne répond plus. Il a retrouvé son amour, lui. Pourquoi, maintenant, ne pense-80 t-il pas à moi ? Il faut qu'il se mette en route. Yvonne le laissera bien partir… Elle ne m'a jamais rien refusé. »

Il me montrait un visage où, dans la poussière et la boue, les larmes avaient tracé des sillons sales, un visage de vieux gamin épuisé et battu. Ses yeux étaient cernés de taches de rousseur ; 85 son menton, mal rasé ; ses cheveux trop longs traînaient sur son col sale. Les mains dans les poches, il grelottait. Ce n'était plus ce royal enfant en guenilles des années passées. De cœur, sans doute, il était plus enfant que jamais : impérieux[2], fantasque[3] et tout de suite désespéré. Mais cet enfantillage était pénible à supporter chez 90 ce garçon déjà légèrement vieilli… Naguère, il y avait en lui tant d'orgueilleuse jeunesse que toute folie au monde lui paraissait permise. À présent, on était d'abord tenté de le plaindre pour n'avoir pas réussi sa vie ; puis de lui reprocher ce rôle absurde de jeune héros romantique où je le voyais s'entêter… Et enfin je pensais 95 malgré moi que notre beau Frantz aux belles amours avait dû se mettre à voler pour vivre, tout comme son compagnon Ganache… Tant d'orgueil avait abouti à cela !

« Si je vous promets, dis-je enfin, après avoir réfléchi, que dans quelques jours Meaulnes se mettra en campagne pour vous, rien 100 que pour vous ?…

– Il réussira, n'est-ce pas ? Vous en êtes sûr ? me demanda-t-il en claquant des dents.

– Je le pense. Tout devient possible avec lui !

– Et comment le saurai-je ? Qui me le dira ?

---

1. **Fantasmagories :** spectacles enchanteurs et irréels.
2. **Impérieux :** autoritaire.
3. **Fantasque :** voir note 4 p. 76.

– Vous reviendrez ici dans un an exactement, à cette même heure : vous trouverez la jeune fille que vous aimez. »

Et, en disant ceci, je pensais non pas troubler les nouveaux époux, mais m'enquérir auprès de la tante Moinel et faire diligence moi-même pour trouver la jeune fille.

Le bohémien me regardait dans les yeux avec une volonté de confiance vraiment admirable. Quinze ans, il avait encore et tout de même quinze ans ! – l'âge que nous avions à Sainte-Agathe, le soir du balayage des classes, quand nous fîmes tous les trois ce terrible serment enfantin.

Le désespoir le reprit lorsqu'il fut obligé de dire :

« Eh bien, nous allons partir. »

Il regarda, certainement avec un grand serrement de cœur, tous ces bois d'alentour qu'il allait de nouveau quitter.

« Nous serons dans trois jours, dit-il, sur les routes d'Allemagne. Nous avons laissé nos voitures au loin. Et depuis trente heures, nous marchions sans arrêt. Nous pensions arriver à temps pour emmener Meaulnes avant le mariage et chercher avec lui ma fiancée, comme il a cherché le Domaine des Sablonnières. »

Puis, repris par sa terrible puérilité :

« Appelez votre Delouche, dit-il en s'en allant, parce que si je le rencontrais ce serait affreux. »

Peu à peu, entre les sapins, je vis disparaître sa silhouette grise. J'appelai Jasmin et nous allâmes reprendre notre faction[1]. Mais presque aussitôt, nous aperçûmes, là-bas, Augustin qui fermait les volets de la maison et nous fûmes frappés par l'étrangeté de son allure.

---

1. **Faction :** terme militaire qui désigne la surveillance, le guet.

IX

Les gens heureux

PLUS TARD, j'ai su par le menu détail tout ce qui s'était passé là-bas...

Dans le salon des Sablonnières, dès le début de l'après-midi, Meaulnes et sa femme, que j'appelle encore Mlle de Galais, sont restés complètement seuls. Tous les invités partis, le vieux M. de Galais a ouvert la porte, laissant une seconde le grand vent pénétrer dans la maison et gémir ; puis il s'est dirigé vers le Vieux-Nançay et ne reviendra qu'à l'heure du dîner, pour fermer tout à clef et donner des ordres à la métairie. Aucun bruit du dehors n'arrive plus maintenant jusqu'aux jeunes gens. Il y a tout juste une branche de rosier sans feuilles qui cogne la vitre, du côté de la lande. Comme deux passagers dans un bateau à la dérive, ils sont, dans le grand vent d'hiver, deux amants enfermés avec le bonheur.

« Le feu menace de s'éteindre », dit Mlle de Galais, et elle voulut prendre une bûche dans le coffre.

Mais Meaulnes se précipita et plaça lui-même le bois dans le feu.

Puis il prit la main tendue de la jeune fille et ils restèrent là, debout, l'un devant l'autre, étouffés comme par une grande nouvelle qui ne pouvait pas se dire.

Le vent roulait avec le bruit d'une rivière débordée. De temps à autre une goutte d'eau, diagonalement, comme sur la portière d'un train, rayait la vitre.

Alors la jeune fille s'échappa. Elle ouvrit la porte du couloir et disparut avec un sourire mystérieux. Un instant, dans la demi-obscurité, Augustin resta seul... Le tic-tac d'une petite pendule faisait penser à la salle à manger de Sainte-Agathe... Il songea sans doute : « C'est donc ici la maison tant cherchée, le couloir jadis plein de chuchotements et de passages étranges... »

C'est à ce moment qu'il dut entendre – Mlle de Galais me dit plus tard l'avoir entendu aussi – le premier cri de Frantz, tout près de la maison.

La jeune femme, alors, eut beau lui montrer les choses merveilleuses dont elle était chargée : ses jouets de petite fille, toutes ses photographies d'enfant : elle, en cantinière[1], elle et Frantz sur les genoux de leur mère, qui était si jolie… puis tout ce qui restait de ses sages petites robes de jadis : « jusqu'à celle-ci que je portais, voyez, vers le temps où vous alliez bientôt me connaître, où vous arriviez, je crois, au cours de Sainte-Agathe… », Meaulnes ne voyait plus rien et n'entendait plus rien.

Un instant pourtant il parut ressaisi par la pensée de son extraordinaire, inimaginable bonheur :

« Vous êtes là – dit-il sourdement, comme si le dire seulement donnait le vertige – vous passez auprès de la table et votre main s'y pose un instant… »

Et encore :

« Ma mère, lorsqu'elle était jeune femme, penchait ainsi légèrement son buste sur sa taille pour me parler… Et quand elle se mettait au piano… »

Alors Mlle de Galais proposa de jouer avant que la nuit ne vînt. Mais il faisait sombre dans ce coin du salon et l'on fut obligé d'allumer une bougie. L'abat-jour rose, sur le visage de la jeune fille, augmentait ce rouge dont elle était marquée aux pommettes et qui était le signe d'une grande anxiété.

Là-bas, à la lisière du bois, je commençai d'entendre cette chanson tremblante que nous apportait le vent, coupée bientôt par le second cri des deux fous, qui s'étaient rapprochés de nous dans les sapins.

Longtemps Meaulnes écouta la jeune fille en regardant silencieusement par une fenêtre. Plusieurs fois il se tourna vers le doux visage plein de faiblesse et d'angoisse. Puis il s'approcha d'Yvonne et, très légèrement, il mit sa main sur son épaule. Elle sentit doucement peser auprès de son cou cette caresse à laquelle il aurait fallu savoir répondre.

« Le jour tombe, dit-il enfin. Je vais fermer les volets. Mais ne cessez pas de jouer… »

Que se passa-t-il alors dans ce cœur obscur et sauvage ? Je me le suis souvent demandé et je ne l'ai su que lorsqu'il fut trop tard. Remords ignorés ? Regrets inexplicables ? Peur de voir s'évanouir bientôt entre ses mains ce bonheur inouï qu'il tenait si serré ? Et

---

1. **Cantinière :** autrefois, gérante d'une cantine militaire qui suivait les armées.

70 alors tentation terrible de jeter irrémédiablement à terre, tout de suite, cette merveille qu'il avait conquise ?

Il sortit lentement, silencieusement, après avoir regardé sa jeune femme une fois encore. Nous le vîmes, de la lisière du bois, fermer d'abord avec hésitation un volet, puis regarder vaguement vers 75 nous, en fermer un autre, et soudain s'enfuir à toutes jambes dans notre direction. Il arriva près de nous avant que nous eussions pu songer à nous dissimuler davantage. Il nous aperçut, comme il allait franchir une petite haie récemment plantée et qui formait la limite d'un pré. Il fit un écart. Je me rappelle son allure hagarde, 80 son air de bête traquée… Il fit mine de revenir sur ses pas pour franchir la haie du côté du petit ruisseau.

Je l'appelai :

« Meaulnes !… Augustin !… »

Mais il ne tournait pas même la tête. Alors, persuadé que cela 85 seulement pourrait le retenir :

« Frantz est là, criai-je. Arrête ! »

Il s'arrêta enfin. Haletant et sans me laisser le temps de préparer ce que je pourrais dire :

« Il est là ! dit-il. Que réclame-t-il ?

90 – Il est malheureux, répondis-je. Il venait te demander de l'aide, pour retrouver ce qu'il a perdu.

– Ah ! fit-il, baissant la tête. Je m'en doutais bien. J'avais beau essayer d'endormir cette pensée-là… Mais où est-il ? Raconte vite. »

95 Je dis que Frantz venait de partir et que certainement on ne le rejoindrait plus maintenant. Ce fut pour Meaulnes une grande déception. Il hésita, fit deux ou trois pas, s'arrêta. Il paraissait au comble de l'indécision et du chagrin. Je lui racontai ce que j'avais promis en son nom au jeune homme. Je dis que je lui avais donné 100 rendez-vous dans un an à la même place.

Augustin, si calme en général, était maintenant dans un état de nervosité et d'impatience extraordinaires :

« Ah ! pourquoi avoir fait cela ! dit-il. Mais oui, sans doute, je puis le sauver. Mais il faut que ce soit tout de suite. Il faut que je 105 le voie, que je lui parle, qu'il me pardonne et que je répare tout… Autrement je ne peux plus me présenter là-bas… »

Et il se tourna vers la maison des Sablonnières.

« Ainsi, dis-je, pour une promesse enfantine que tu lui as faite, tu es en train de détruire ton bonheur.

– Ah ! si ce n'était que cette promesse », fit-il.

Et ainsi je connus qu'autre chose liait les deux jeunes hommes, mais sans pouvoir deviner quoi.

« En tout cas, dis-je, il n'est plus temps de courir. Ils sont maintenant en route pour l'Allemagne. »

Il allait répondre, lorsqu'une figure échevelée, hagarde, se dressa entre nous. C'était Mlle de Galais. Elle avait dû courir, car elle avait le visage baigné de sueur. Elle avait dû tomber et se blesser, car elle avait le front écorché au-dessus de l'œil droit et du sang figé dans les cheveux.

Il m'est arrivé, dans les quartiers pauvres de Paris, de voir soudain, descendu dans la rue, séparé par des agents intervenus dans la bataille, un ménage qu'on croyait heureux, uni, honnête. Le scandale a éclaté tout d'un coup, n'importe quand, à l'instant de se mettre à table, le dimanche avant de sortir, au moment de souhaiter la fête du petit garçon… et maintenant tout est oublié, saccagé. L'homme et la femme, au milieu du tumulte, ne sont plus que deux démons pitoyables et les enfants en larmes se jettent contre eux, les embrassent étroitement, les supplient de se taire et de ne plus se battre.

Mlle de Galais, quand elle arriva près de Meaulnes, me fit penser à un de ces enfants-là, à un de ces pauvres enfants affolés. Je crois que tous ses amis, tout un village, tout un monde l'eût regardée, qu'elle fût accourue tout de même, qu'elle fût tombée de la même façon, échevelée, pleurante, salie.

Mais quand elle eut compris que Meaulnes était bien là, que cette fois du moins, il ne l'abandonnerait pas, alors elle passa son bras sous le sien, puis elle ne put s'empêcher de rire au milieu de ses larmes comme un petit enfant. Ils ne dirent rien ni l'un ni l'autre. Mais, comme elle avait tiré son mouchoir, Meaulnes le lui prit doucement des mains : avec précaution et application, il essuya le sang qui tachait la chevelure de la jeune fille.

« Il faut rentrer maintenant », dit-il.

Et je les laissai retourner tous les deux, dans le beau grand vent du soir d'hiver qui leur fouettait le visage, – lui, l'aidant de la main aux passages difficiles ; elle, souriant et se hâtant – vers leur demeure pour un instant abandonnée.

X

La « maison de Frantz »

MAL RASSURÉ, en proie à une sourde inquiétude, que l'heureux dénouement du tumulte de la veille n'avait pas suffi à dissiper, il me fallut rester enfermé dans l'école pendant toute la journée du lendemain. Sitôt après l'heure d'« étude » qui suit la classe du soir, je pris le chemin des Sablonnières. La nuit tombait quand j'arrivai dans l'allée de sapins qui menait à la maison. Tous les volets étaient déjà clos. Je craignis d'être importun, en me présentant à cette heure tardive, le lendemain d'un mariage. Je restai fort tard à rôder sur la lisière du jardin et dans les terres avoisinantes, espérant toujours voir sortir quelqu'un de la maison fermée... Mais mon espoir fut déçu. Dans la métairie[1] voisine elle-même, rien ne bougeait. Et je dus rentrer chez moi, hanté par les imaginations les plus sombres.

Le lendemain, samedi, mêmes incertitudes. Le soir, je pris en hâte ma pèlerine, mon bâton, un morceau de pain, pour manger en route, et j'arrivai, quand la nuit tombait déjà, pour trouver tout fermé aux Sablonnières, comme la veille... Un peu de lumière au premier étage ; mais aucun bruit ; pas un mouvement... Pourtant, de la cour de la métairie je vis cette fois la porte de la ferme ouverte, le feu allumé dans la grande cuisine et j'entendis le bruit habituel des voix et des pas à l'heure de la soupe. Ceci me rassura sans me renseigner. Je ne pouvais rien dire ni rien demander à ces gens. Et je retournai guetter encore, attendre en vain, pensant toujours voir la porte s'ouvrir et surgir enfin la haute silhouette d'Augustin.

C'est le dimanche seulement, dans l'après-midi, que je résolus de sonner à la porte des Sablonnières. Tandis que je grimpais les coteaux dénudés, j'entendais sonner au loin les vêpres[2] du dimanche d'hiver. Je me sentais solitaire et désolé. Je ne sais quel pressentiment triste m'envahissait. Et je ne fus qu'à demi surpris lorsque, à

---

1. **Métairie :** ferme occupée par des métayers, des agriculteurs.
2. **Vêpres :** voir note 1 p. 22.

mon coup de sonnette, je vis M. de Galais tout seul paraître et me parler à voix basse : Yvonne de Galais était alitée, avec une fièvre violente ; Meaulnes avait dû partir dès vendredi matin pour un long voyage ; on ne savait quand il reviendrait...

35 Et comme le vieillard, très embarrassé, très triste, ne m'offrait pas d'entrer, je pris aussitôt congé de lui. La porte refermée, je restai un instant sur le perron, le cœur serré, dans un désarroi absolu, à regarder sans savoir pourquoi une branche de glycine desséchée que le vent balançait tristement dans un rayon de soleil.

40 Ainsi ce remords secret que Meaulnes portait depuis son séjour à Paris avait fini par être le plus fort. Il avait fallu que mon grand compagnon échappât à la fin à son bonheur tenace...

Chaque jeudi et chaque dimanche, je vins demander des nouvelles d'Yvonne de Galais, jusqu'au soir où, convalescente enfin, 45 elle me fit prier d'entrer. Je la trouvai, assise auprès du feu, dans le salon dont la grande fenêtre basse donnait sur la terre et les bois. Elle n'était point pâle comme je l'avais imaginé, mais tout enfiévrée, au contraire, avec de vives taches rouges sous les yeux, et dans un état d'agitation extrême. Bien qu'elle parût très faible 50 encore, elle s'était habillée comme pour sortir. Elle parlait peu, mais elle disait chaque phrase avec une animation extraordinaire, comme si elle eût voulu se persuader à elle-même que le bonheur n'était pas évanoui encore... Je n'ai pas gardé le souvenir de ce que nous avons dit. Je me rappelle seulement que j'en vins à demander 55 avec hésitation quand Meaulnes serait de retour

« Je ne sais pas quand il reviendra », répondit-elle vivement.

Il y avait une supplication dans ses yeux, et je me gardai d'en demander davantage.

Souvent, je revins la voir. Souvent je causai avec elle auprès 60 du feu, dans ce salon bas où la nuit venait plus vite que partout ailleurs. Jamais elle ne parlait d'elle-même ni de sa peine cachée. Mais elle ne se lassait pas de me faire conter par le détail notre existence d'écoliers de Sainte-Agathe.

Elle écoutait gravement, tendrement, avec un intérêt quasi 65 maternel, le récit de nos misères de grands enfants. Elle ne paraissait jamais surprise, pas même de nos enfantillages les plus audacieux, les plus dangereux. Cette tendresse attentive qu'elle tenait de M. de Galais, les aventures déplorables de son frère ne l'avaient

point lassée. Le seul regret que lui inspirât le passé, c'était, je
70 pense, de n'avoir point encore été pour son frère une confidente assez intime, puisque, au moment de sa grande débâcle, il n'avait rien osé lui dire non plus qu'à personne et s'était jugé perdu sans recours. Et c'était là, quand j'y songe, une lourde tâche qu'avait assumée la jeune femme – tâche périlleuse, de seconder un esprit
75 follement chimérique[1] comme son frère ; tâche écrasante, quand il s'agissait de lier partie avec ce cœur aventureux qu'était mon ami le grand Meaulnes.

De cette foi qu'elle gardait dans les rêves enfantins de son frère, de ce soin qu'elle apportait à lui conserver au moins des bribes de
80 ce rêve dans lequel il avait vécu jusqu'à vingt ans, elle me donna un jour la preuve la plus touchante et je dirai presque la plus mystérieuse.

Ce fut par une soirée d'avril désolée comme une fin d'automne. Depuis près d'un mois nous vivions dans un doux printemps
85 prématuré, et la jeune femme avait repris en compagnie de M. de Galais les longues promenades qu'elle aimait. Mais ce jour-là, le vieillard se trouvant fatigué et moi-même libre, elle me demanda de l'accompagner malgré le temps menaçant. À plus d'une demi-lieue des Sablonnières, en longeant l'étang, l'orage, la pluie, la grêle
90 nous surprirent. Sous le hangar où nous nous étions abrités contre l'averse interminable, le vent nous glaçait, debout l'un près de l'autre, pensifs, devant le paysage noirci. Je la revois, dans sa douce robe sévère, toute pâlie, toute tourmentée.

« Il faut rentrer, disait-elle. Nous sommes partis depuis si long-
95 temps. Qu'a-t-il pu se passer ? »

Mais, à mon étonnement, lorsqu'il nous fut possible enfin de quitter notre abri, la jeune femme, au lieu de revenir vers les Sablonnières, continua son chemin et me demanda de la suivre. Nous arrivâmes, après avoir longtemps marché, devant une maison
100 que je ne connaissais pas, isolée au bord d'un chemin défoncé qui devait aller vers Préveranges. C'était une petite maison bourgeoise, couverte en ardoise, et que rien ne distinguait du type usuel dans ce pays, sinon son éloignement et son isolement.

1. **Chimérique** : imaginaire, irréalisable, invraisemblable. Ici, qui s'abandonne aux chimères ; romanesque.

À voir Yvonne de Galais, on eût dit que cette maison nous appartenait et que nous l'avions abandonnée durant un long voyage. Elle ouvrit, en se penchant, une petite grille, et se hâta d'inspecter avec inquiétude le lieu solitaire. Une grande cour herbeuse, où des enfants avaient dû venir jouer pendant les longues et lentes soirées de la fin de l'hiver, était ravinée par l'orage. Un cerceau trempait dans une flaque d'eau. Dans les jardinets où les enfants avaient semé des fleurs et des pois, la grande pluie n'avait laissé que des traînées de gravier blanc. Et enfin nous découvrîmes, blottie contre le seuil d'une des portes mouillées, toute une couvée de poussins transpercée par l'averse. Presque tous étaient morts sous les ailes raidies et les plumes fripées de la mère.

À ce spectacle pitoyable, la jeune femme eut un cri étouffé. Elle se pencha et, sans souci de l'eau ni de la boue, triant les poussins vivants d'entre les morts, elle les mit dans un pan de son manteau. Puis nous entrâmes dans la maison dont elle avait la clef. Quatre portes ouvraient sur un étroit couloir où le vent s'engouffra en sifflant. Yvonne de Galais ouvrit la première à notre droite et me fit pénétrer dans une chambre sombre, où je distinguai, après un moment d'hésitation, une grande glace et un petit lit recouvert, à la mode campagnarde, d'un édredon de soie rouge. Quant à elle, après avoir cherché un instant dans le reste de l'appartement, elle revint, portant la couvée malade dans une corbeille garnie de duvet, qu'elle glissa précieusement sous l'édredon. Et, tandis qu'un rayon de soleil languissant, le premier et le dernier de la journée, faisait plus pâles nos visages et plus obscure la tombée de la nuit, nous étions là, debout, glacés et tourmentés, dans la maison étrange !

D'instant en instant, elle allait regarder dans le nid fiévreux, enlever un nouveau poussin mort pour l'empêcher de faire mourir les autres. Et chaque fois il nous semblait que quelque chose comme un grand vent par les carreaux cassés du grenier, comme un chagrin mystérieux d'enfants inconnus, se lamentait silencieusement.

« C'était ici, me dit enfin ma compagne, la maison de Frantz quand il était petit. Il avait voulu une maison pour lui tout seul, loin de tout le monde, dans laquelle il pût aller jouer, s'amuser et vivre quand cela lui plairait. Mon père avait trouvé cette fantaisie si extraordinaire, si drôle, qu'il n'avait pas refusé. Et quand cela lui plaisait, un jeudi, un dimanche, n'importe quand, Frantz partait habiter dans sa maison comme un homme. Les enfants des fermes d'alentour venaient jouer avec lui, l'aider à faire son ménage, travailler dans le jardin. C'était un jeu merveilleux ! Et le soir venu, il n'avait pas peur de coucher tout seul. Quant à nous, nous l'admirions tellement que nous ne pensions pas même à être inquiets.

« Maintenant et depuis longtemps, poursuivit-elle avec un soupir, la maison est vide. M. de Galais, frappé par l'âge et le chagrin, n'a jamais rien fait pour retrouver ni rappeler mon frère. Et que pourrait-il tenter ?

« Moi je passe ici bien souvent. Les petits paysans des environs viennent jouer dans la cour comme autrefois. Et je me plais à imaginer que ce sont les anciens amis de Frantz ; que lui-même est encore un enfant et qu'il va revenir bientôt avec la fiancée qu'il s'était choisie.

« Ces enfants-là me connaissent bien. Je joue avec eux. Cette couvée de petits poulets était à nous... »

Tout ce grand chagrin dont elle n'avait jamais rien dit, ce grand regret d'avoir perdu son frère si fou, si charmant et si admiré, il avait fallu cette averse et cette débâcle enfantine pour qu'elle me les confiât. Et je l'écoutais sans rien répondre, le cœur tout gonflé de sanglots...

Les portes et la grille refermées, les poussins remis dans la cabane en planches qu'il y avait derrière la maison, elle reprit tristement mon bras et je la reconduisis...

Des semaines, des mois passèrent. Époque passée ! Bonheur perdu ! De celle qui avait été la fée, la princesse et l'amour mystérieux de toute notre adolescence, c'est à moi qu'il était échu de prendre le bras et de dire ce qu'il fallait pour adoucir son chagrin, tandis que mon compagnon avait fui. De cette époque, de ces conversations, le soir, après la classe que je faisais sur la côte de Saint-Benoist-des-Champs, de ces promenades où la seule chose dont il eût fallu parler était la seule sur laquelle nous étions décidés à nous taire, que pourrais-je dire à présent ? Je n'ai pas gardé d'autre souvenir que celui, à demi effacé déjà, d'un beau visage amaigri, de deux yeux dont les paupières s'abaissent lentement tandis qu'ils me regardent, comme pour déjà ne plus voir qu'un monde intérieur.

Et je suis demeuré son compagnon fidèle – compagnon d'une attente dont nous ne parlions pas – durant tout un printemps et tout un été comme il n'y en aura jamais plus. Plusieurs fois, nous retournâmes, l'après-midi, à la maison de Frantz. Elle ouvrait les portes pour donner de l'air, pour que rien ne fût moisi quand le jeune ménage reviendrait. Elle s'occupait de la volaille à demi sauvage qui gîtait dans la basse-cour. Et le jeudi ou le dimanche, nous encouragions les jeux des petits campagnards d'alentour, dont les cris et les rires, dans le site solitaire, faisaient paraître plus déserte et plus vide encore la petite maison abandonnée.

XI

Conversation sous la pluie

Le mois d'août, époque des vacances, m'éloigna des Sablonnières et de la jeune femme. Je dus aller passer à Sainte-Agathe mes deux mois de congé. Je revis la grande cour sèche, le préau, la classe vide... Tout parlait du grand Meaulnes. Tout était rempli des souvenirs de notre adolescence déjà finie. Pendant ces longues journées jaunies, je m'enfermais comme jadis, avant la venue de Meaulnes, dans le cabinet des archives, dans les classes désertes. Je lisais, j'écrivais, je me souvenais... Mon père était à la pêche au loin. Millie dans le salon cousait ou jouait du piano comme jadis... Et dans le silence absolu de la classe, où les couronnes de papier vert déchirées, les enveloppes des livres de prix, les tableaux épongés, tout disait que l'année était finie, les récompenses distribuées, tout attendait l'automne, la rentrée d'octobre et le nouvel effort – je pensais de même que notre jeunesse était finie et le bonheur manqué ; moi aussi j'attendais la rentrée aux Sablonnières et le retour d'Augustin qui peut-être ne reviendrait jamais...

Il y avait cependant une nouvelle heureuse que j'annonçai à Millie, lorsqu'elle se décida à m'interroger sur la nouvelle mariée. Je redoutais ses questions, sa façon à la fois très innocente et très maligne de vous plonger soudain dans l'embarras, en mettant le doigt sur votre pensée la plus secrète. Je coupai court à tout, en annonçant que la jeune femme de mon ami Meaulnes serait mère au mois d'octobre.

À part moi, je me rappelai le jour où Yvonne de Galais m'avait fait comprendre cette grande nouvelle. Il y avait eu un silence ; de ma part, un léger embarras de jeune homme. Et j'avais dit tout de suite, inconsidérément, pour le dissiper – songeant trop tard à tout le drame que je remuais ainsi :

« Vous devez être bien heureuse ? »

Mais elle, sans arrière-pensée, sans regret, ni remords, ni rancune, elle avait répondu avec un beau sourire de bonheur :

« Oui, bien heureuse. »

Durant cette dernière semaine des vacances, qui est en général la plus belle et la plus romantique, semaine de grandes pluies, semaine où l'on commence à allumer les feux, et que je passais d'ordinaire à chasser dans les sapins noirs et mouillés du Vieux-Nançay, je fis mes préparatifs pour rentrer directement à Saint-Benoist-des-Champs. Firmin, ma tante Julie et mes cousines du Vieux-Nançay m'eussent posé trop de questions auxquelles je ne voulais pas répondre. Je renonçai pour cette fois à mener durant huit jours la vie enivrante de chasseur campagnard et je regagnai ma maison d'école quatre jours avant la rentrée des classes.

J'arrivai avant la nuit dans la cour déjà tapissée de feuilles jaunies. Le voiturier parti, je déballai tristement dans la salle à manger sonore et « renfermée » le paquet de provisions que m'avait fait maman... Après un léger repas du bout des dents, impatient, anxieux, je mis ma pèlerine et partis pour une fiévreuse promenade qui me mena tout droit aux abords des Sablonnières.

Je ne voulus pas m'y introduire en intrus dès le premier soir de mon arrivée. Cependant, plus hardi qu'en février, après avoir tourné tout autour du Domaine où brillait seule la fenêtre de la jeune femme, je franchis, derrière la maison, la clôture du jardin et m'assis sur un banc, contre la haie, dans l'ombre commençante, heureux simplement d'être là, tout près de ce qui me passionnait et m'inquiétait le plus au monde.

La nuit venait. Une pluie fine commençait à tomber. La tête basse, je regardais, sans y songer, mes souliers se mouiller peu à peu et luire d'eau. L'ombre m'entourait lentement et la fraîcheur me gagnait sans troubler ma rêverie. Tendrement, tristement, je rêvais aux chemins boueux de Sainte-Agathe, par ce même soir de septembre ; j'imaginais la place pleine de brume, le garçon boucher qui siffle en allant à la pompe, le café illuminé, la joyeuse voiturée avec sa carapace de parapluies ouverts qui arrivait avant la fin des vacances, chez l'oncle Florentin... Et je me disais tristement : « Qu'importe tout ce bonheur, puisque Meaulnes, mon compagnon, ne peut pas y être, ni sa jeune femme... »

C'est alors que, levant la tête, je la vis à deux pas de moi. Ses souliers, dans le sable, faisaient un bruit léger que j'avais confondu avec celui des gouttes d'eau de la haie. Elle avait sur la tête et les épaules un grand fichu de laine noire, et la pluie fine poudrait sur son front ses cheveux. Sans doute, de sa chambre, m'avait-elle aperçu par la fenêtre qui donnait sur le jardin. Et elle venait vers moi. Ainsi ma mère, autrefois, s'inquiétait et me cherchait pour me dire : « Il faut rentrer », mais ayant pris goût à cette promenade sous la pluie et dans la nuit, elle disait seulement avec douceur : « Tu vas prendre froid ! » et restait en ma compagnie à causer longuement…

75 Yvonne de Galais me tendit une main brûlante, et, renonçant à me faire entrer aux Sablonnières, elle s'assit sur le banc moussu et vert-de-grisé, du côté le moins mouillé, tandis que debout, appuyé du genou à ce même banc, je me penchais vers elle pour l'entendre.

Elle me gronda d'abord amicalement pour avoir ainsi écourté 80 mes vacances :

« Il fallait bien, répondis-je, que je vinsse au plus tôt pour vous tenir compagnie.

– Il est vrai, dit-elle presque tout bas avec un soupir, je suis seule encore. Augustin n'est pas revenu… »

85 Prenant ce soupir pour un regret, un reproche étouffé, je commençais à dire lentement :

« Tant de folies dans une si noble tête. Peut-être le goût des aventures plus fort que tout… »

Mais la jeune femme m'interrompit. Et ce fut en ce lieu, ce soir-là, 90 que pour la première et la dernière fois, elle me parla de Meaulnes.

« Ne parlez pas ainsi, dit-elle doucement, François Seurel, mon ami. Il n'y a que nous – il n'y a que moi de coupable. Songez à ce que nous avons fait…

« Nous lui avons dit : "Voici le bonheur, voici ce que tu as cher-95 ché pendant toute ta jeunesse, voici la jeune fille qui était à la fin de tous tes rêves !"

« Comment celui que nous poussions ainsi par les épaules n'aurait-il pas été saisi d'hésitation, puis de crainte, puis d'épouvante, et n'aurait-il pas cédé à la tentation de s'enfuir !

100 – Yvonne, dis-je tout bas, vous saviez bien que vous étiez ce bonheur-là, cette jeune fille-là.

– Ah ! soupira-t-elle. Comment ai-je pu un instant avoir cette pensée orgueilleuse. C'est cette pensée-là qui est cause de tout.

« Je vous disais : "Peut-être que je ne puis rien faire pour lui." Et au 105 fond de moi, je pensais : "Puisqu'il m'a tant cherchée et puisque je l'aime, il faudra bien que je fasse son bonheur." Mais quand je l'ai vu près de moi, avec toute sa fièvre, son inquiétude, son remords mystérieux, j'ai compris que je n'étais qu'une pauvre femme comme les autres…

"Je ne suis pas digne de vous", répétait-il quand ce fut le petit 110 jour et la fin de la nuit de nos noces.

« Et j'essayais de le consoler, de le rassurer. Rien ne calmait son angoisse. Alors j'ai dit : "S'il faut que vous partiez, si je suis venue vers vous au moment où rien ne pouvait vous rendre heureux, s'il faut que vous m'abandonniez un temps pour ensuite revenir apaisé près de moi, c'est moi qui vous demande de partir..." »

Dans l'ombre je vis qu'elle avait levé les yeux sur moi. C'était comme une confession qu'elle m'avait faite, et elle attendait, anxieusement, que je l'approuve ou la condamne. Mais que pouvais-je dire ? Certes, au fond de moi, je revoyais le grand Meaulnes de jadis, gauche et sauvage, qui se faisait toujours punir plutôt que de s'excuser ou de demander une permission qu'on lui eût certainement accordée. Sans doute aurait-il fallu qu'Yvonne de Galais lui fît violence et, lui prenant la tête entre ses mains, lui dît : « Qu'importe ce que vous avez fait ; je vous aime ; tous les hommes ne sont-ils pas des pécheurs ? » Sans doute avait-elle eu grand tort, par générosité, par esprit de sacrifice, de le rejeter ainsi sur la route des aventures... Mais comment aurais-je pu désapprouver tant de bonté, tant d'amour !...

Il y eut un long moment de silence, pendant lequel, troublés jusques au fond du cœur, nous entendions la pluie froide dégoutter dans les haies et sous les branches des arbres.

« Il est donc parti au matin, poursuivit-elle. Plus rien ne nous séparait désormais. Et il m'a embrassée, simplement, comme un mari qui laisse sa jeune femme, avant un long voyage... »

Elle se levait. Je pris dans la mienne sa main fiévreuse, puis son bras, et nous remontâmes l'allée dans l'obscurité profonde.

« Pourtant il ne vous a jamais écrit ? demandai-je.

– Jamais », répondit-elle.

Et alors, la pensée nous venant à tous deux de la vie aventureuse qu'il menait à cette heure sur les routes de France ou d'Allemagne, nous commençâmes à parler de lui comme nous ne l'avions jamais fait. Détails oubliés, impressions anciennes nous revenaient en mémoire, tandis que lentement nous regagnions la maison, faisant à chaque pas de longues stations pour mieux échanger nos souvenirs... Longtemps – jusqu'aux barrières du jardin – dans l'ombre, j'entendis la précieuse voix basse de la jeune femme ; et moi, repris par mon vieil enthousiasme, je lui parlais sans me lasser, avec une amitié profonde, de celui qui nous avait abandonnés...

XII

Le fardeau

LA CLASSE devait commencer le lundi. Le samedi soir, vers cinq heures, une femme du Domaine entra dans la cour de l'école où j'étais occupé à scier du bois pour l'hiver. Elle venait m'annoncer qu'une petite fille était née aux Sablonnières. L'accouchement avait été difficile. À neuf heures du soir il avait fallu demander la sage-femme de Préveranges. À minuit, on avait attelé de nouveau pour aller chercher le médecin de Vierzon. Il avait dû appliquer les fers[1]. La petite fille avait la tête blessée et criait beaucoup mais elle paraissait bien en vie. Yvonne de Galais était maintenant très affaissée, mais elle avait souffert et résisté avec une vaillance extraordinaire.

Je laissai là mon travail, courus revêtir un autre paletot, et content, en somme, de ces nouvelles, je suivis la bonne femme jusqu'aux Sablonnières. Avec précaution, de crainte que l'une des deux blessées ne fût endormie, je montai par l'étroit escalier de bois qui menait au premier étage. Et là, M. de Galais, le visage fatigué mais heureux, me fit entrer dans la chambre où l'on avait provisoirement installé le berceau entouré de rideaux.

Je n'étais jamais entré dans une maison où fût né le jour même un petit enfant. Que cela me paraissait bizarre et mystérieux et bon ! Il faisait un soir si beau – un véritable soir d'été – que M. de Galais n'avait pas craint d'ouvrir la fenêtre qui donnait sur la cour. Accoudé près de moi sur l'appui de la croisée, il me racontait, avec épuisement et bonheur, le drame de la nuit ; et moi qui l'écoutais, je sentais obscurément que quelqu'un d'étranger était maintenant avec nous dans la chambre...

Sous les rideaux, cela se mit à crier, un petit cri aigre et prolongé... Alors M. de Galais me dit à demi-voix :

« C'est cette blessure à la tête qui la fait crier. »

---

1. **Fers :** nom toujours pluriel ; désigne le forceps, un instrument en forme de pince destiné à être appliqué sur la tête du fœtus dans certains accouchements difficiles.

Machinalement – on sentait qu'il faisait cela depuis le matin et que déjà il en avait pris l'habitude – il se mit à bercer le petit paquet de rideaux.

« Elle a ri déjà, dit-il, et elle prend le doigt. Mais vous ne l'avez pas vue ? »

Il ouvrit les rideaux et je vis une rouge petite figure bouffie, un petit crâne allongé et déformé par les fers :

« Ce n'est rien, dit M. de Galais, le médecin a dit que tout cela s'arrangerait de soi-même... Donnez-lui votre doigt, elle va le serrer. »

Je découvrais là comme un monde ignoré. Je me sentais le cœur gonflé d'une joie étrange que je ne connaissais pas auparavant...

M. de Galais entr'ouvrit avec précaution la porte de la chambre de la jeune femme. Elle ne dormait pas.

« Vous pouvez entrer », dit-il.

Elle était étendue, le visage enfiévré, au milieu de ses cheveux blonds épars. Elle me tendit la main en souriant d'un air las. Je lui fis compliment de sa fille. D'une voix un peu rauque, et avec une rudesse inaccoutumée – la rudesse de quelqu'un qui revient du combat :

« Oui, mais on me l'a abîmée », dit-elle en souriant.

Il fallut bientôt partir pour ne pas la fatiguer.

Le lendemain dimanche, dans l'après-midi, je me rendis avec une hâte presque joyeuse aux Sablonnières. À la porte, un écriteau fixé avec des épingles arrêta le geste que je faisais déjà :

Prière de ne pas sonner

Je ne devinai pas de quoi il s'agissait. Je frappai assez fort. J'entendis dans l'intérieur des pas étouffés qui accouraient. Quelqu'un que je ne connaissais pas – et qui était le médecin de Vierzon – m'ouvrit :

« Eh bien, qu'y a-t-il ? fis-je vivement.

– Chut ! chut ! – me répondit-il tout bas, l'air fâché. La petite fille a failli mourir cette nuit. Et la mère est très mal. »

Complètement déconcerté, je le suivis sur la pointe des pieds jusqu'au premier étage. La petite fille endormie dans son berceau était toute pâle, toute blanche, comme un petit enfant mort. Le médecin pensait la sauver. Quant à la mère, il n'affirmait rien... Il me donna de longues explications comme au seul ami de la famille. Il parla de congestion[1] pulmonaire, d'embolie[2]. Il hésitait, il n'était pas sûr… M. de Galais entra, affreusement vieilli en deux jours, hagard et tremblant.

Il m'emmena dans la chambre sans trop savoir ce qu'il faisait :

« Il faut, me dit-il, tout bas, qu'elle ne soit pas effrayée ; il faut, a ordonné le médecin, lui persuader que cela va bien. »

Tout le sang à la figure, Yvonne de Galais était étendue, la tête renversée comme la veille. Les joues et le front rouge sombre, les yeux par instants révulsés[3], comme quelqu'un qui étouffe, elle se défendait contre la mort avec un courage et une douceur indicibles.

Elle ne pouvait parler, mais elle me tendit sa main en feu, avec tant d'amitié que je faillis éclater en sanglots.

« Eh bien, eh bien, dit M. de Galais très fort, avec un enjouement[4] affreux, qui semblait de folie, vous voyez que pour une malade elle n'a pas trop mauvaise mine ! »

Et je ne savais que répondre, mais je gardais dans la mienne la main horriblement chaude de la jeune femme mourante…

Elle voulut faire un effort pour me dire quelque chose, me demander je ne sais quoi ; elle tourna les yeux vers moi, puis vers la fenêtre, comme pour me faire signe d'aller dehors chercher quelqu'un… Mais alors une affreuse crise d'étouffement la saisit ; ses beaux yeux bleus qui, un instant, m'avaient appelé si tragiquement, se révulsèrent ; ses joues et son front noircirent, et elle se débattit doucement, cherchant à contenir jusqu'à la fin son épouvante et son désespoir. On se précipita – le médecin et les femmes – avec un ballon d'oxygène, des serviettes, des flacons ; tandis que le vieillard penché sur elle criait – criait comme si déjà elle eût été loin de lui, de sa voix rude et tremblante :

« N'aie pas peur, Yvonne. Ce ne sera rien. Tu n'as pas besoin d'avoir peur ! »

Puis la crise s'apaisa. Elle put souffler un peu, mais elle continua à suffoquer à demi, les yeux blancs, la tête renversée, luttant tou-

1. **Congestion :** accumulation anormale de sang dans un organe.
2. **Embolie :** une embolie est la présence d'un caillot de sang dans les poumons.
3. **Révulsés :** retournés dans leurs orbites et laissant paraître le blanc des yeux.
4. **Enjouement :** bonne humeur, gaieté aimable et souriante.

jours, mais incapable, fût-ce un instant, pour me regarder et me parler, de sortir du gouffre où elle était déjà plongée.

... Et comme je n'étais utile à rien, je dus me décider à partir. Sans doute, j'aurais pu rester un instant encore ; et à cette pen-
105 sée je me sens étreint par un affreux regret. Mais quoi ? J'espérais encore. Je me persuadais que tout n'était pas si proche.

En arrivant à la lisière des sapins, derrière la maison, songeant au regard de la jeune femme tourné vers la fenêtre, j'examinai avec l'attention d'une sentinelle ou d'un chasseur d'hommes la profon-
110 deur de ce bois par où Augustin était venu jadis et par où il avait fui l'hiver précédent. Hélas ! Rien ne bougea. Pas une ombre suspecte ; pas une branche qui remue. Mais, à la longue, là-bas, vers l'allée qui venait de Préveranges, j'entendis le son très fin d'une clochette ; bientôt parut au détour du sentier un enfant avec une
115 calotte rouge et une blouse d'écolier que suivait un prêtre... Et je partis, dévorant mes larmes.

Le lendemain était le jour de la rentrée des classes. À sept heures, il y avait déjà deux ou trois gamins dans la cour. J'hésitai longuement à descendre, à me montrer. Et lorsque je parus enfin,
120 tournant la clef de la classe moisie, qui était fermée depuis deux mois, ce que je redoutais le plus au monde arriva : je vis le plus grand des écoliers se détacher du groupe qui jouait sous le préau et s'approcher de moi. Il venait me dire que « la jeune dame des Sablonnières était morte hier à la tombée de la nuit ».

125 Tout se mêle pour moi, tout se confond dans cette douleur. Il me semble maintenant que jamais plus je n'aurai le courage de recommencer la classe. Rien que traverser la cour aride de l'école c'est une fatigue qui va me briser les genoux. Tout est pénible, tout est amer puisqu'elle est morte. Le monde est vide, les vacances sont
130 finies. Finies, les longues courses perdues en voiture ; finie, la fête mystérieuse... Tout redevient la peine que c'était.

J'ai dit aux enfants qu'il n'y aurait pas de classe ce matin. Ils s'en vont, par petits groupes, porter cette nouvelle aux autres à travers la campagne. Quant à moi, je prends mon chapeau noir,
135 une jaquette bordée que j'ai, et je m'en vais misérablement vers les Sablonnières...

... Me voici devant la maison que nous avions tant cherchée il y a trois ans ! C'est dans cette maison qu'Yvonne de Galais, la femme

d'Augustin Meaulnes, est morte hier soir. Un étranger la prendrait
140 pour une chapelle, tant il s'est fait de silence depuis hier dans ce lieu désolé.

Voilà donc ce que nous réservait ce beau matin de rentrée, ce perfide soleil d'automne qui glisse sous les branches. Comment lutterais-je contre cette affreuse révolte, cette suffocante montée
145 de larmes ! Nous avions retrouvé la belle jeune fille. Nous l'avions conquise. Elle était la femme de mon compagnon et moi je l'aimais de cette amitié profonde et secrète qui ne se dit jamais. Je la regardais et j'étais content, comme un petit enfant. J'aurais un jour peut-être épousé une autre jeune fille, et c'est à elle la première que
150 j'aurais confié la grande nouvelle secrète...

Près de la sonnette, au coin de la porte, on a laissé l'écriteau d'hier. On a déjà apporté le cercueil dans le vestibule, en bas. Dans la chambre du premier, c'est la nourrice de l'enfant qui m'accueille, qui me raconte la fin et qui entr'ouvre doucement la porte... La
155 voici. Plus de fièvre ni de combats. Plus de rougeur, ni d'attente... Rien que le silence, et, entouré d'ouate, un dur visage insensible et blanc, un front mort d'où sortent les cheveux drus et durs.

M. de Galais, accroupi dans un coin, nous tournant le dos, est en chaussettes, sans souliers, et il fouille avec une terrible obstination
160 dans des tiroirs en désordre, arrachés d'une armoire. Il en sort de temps à autre, avec une crise de sanglots qui lui secoue les épaules comme une crise de rire, une photographie ancienne, déjà jaunie, de sa fille.

L'enterrement est pour midi. Le médecin craint la décomposi-
165 tion rapide, qui suit parfois les embolies. C'est pourquoi le visage, comme tout le corps d'ailleurs, est entouré d'ouate imbibée de phénol[1].

L'habillage terminé – on lui a mis son admirable robe de velours bleu sombre, semée par endroits de petites étoiles d'argent, mais
170 il a fallu aplatir et friper les belles manches à gigot[2] maintenant démodées – au moment de faire monter le cercueil, on s'est aperçu qu'il ne pourrait pas tourner dans le couloir trop étroit. Il faudrait

1. **Phénol :** désinfectant.

2. **Manche à gigot :** manche de corsage très ample et bouffante dans sa partie supérieure.

avec une corde le hisser du dehors par la fenêtre et de la même façon le faire descendre ensuite... Mais M. de Galais, toujours 75 penché sur de vieilles choses parmi lesquelles il cherche on ne sait quels souvenirs perdus, intervient alors avec une véhémence terrible.

« Plutôt, dit-il d'une voix coupée par les larmes et la colère, plutôt que de laisser faire une chose aussi affreuse, c'est moi qui la 180 prendrai et la descendrai dans mes bras... »

Et il ferait ainsi, au risque de tomber en faiblesse, à mi-chemin, et de s'écrouler avec elle !

Mais alors je m'avance, je prends le seul parti possible : avec l'aide du médecin et d'une femme, passant un bras sous le dos de 185 la morte étendue, l'autre sous ses jambes, je la charge contre ma poitrine. Assise sur mon bras gauche, les épaules appuyées contre mon bras droit, sa tête retombante retournée sous mon menton, elle pèse terriblement sur mon cœur. Je descends lentement, marche par marche, le long escalier raide, tandis qu'en bas on 190 apprête tout.

J'ai bientôt les deux bras cassés par la fatigue. À chaque marche avec ce poids sur la poitrine, je suis un peu plus essoufflé. Agrippé au corps inerte et pesant, je baisse la tête sur la tête de celle que j'emporte, je respire fortement et ses cheveux blonds aspirés 195 m'entrent dans la bouche – des cheveux morts qui ont un goût de terre. Ce goût de terre et de mort, ce poids sur le cœur, c'est tout ce qui reste pour moi de la grande aventure, et de vous, Yvonne de Galais, jeune femme tant cherchée – tant aimée...

Clefs d'analyse

Troisième partie : chapitres VII à XII

Action et personnages

1. Qu'est-ce qui fait l'unité de cet ensemble de chapitres ?
2. Qu'appelle-t-on un rebondissement romanesque ? En quoi le chapitre VIII en est-il un ?
3. Que vient réclamer Frantz ? D'où arrive-t-il ?
4. Au chapitre VIII, les jugements sévères du narrateur sur le passé sont-ils ceux de Meaulnes ?
5. Pourquoi François veut-il écarter Frantz ?
6. Au chapitre IX, pourquoi le texte revient-il avec insistance sur le vent ?
7. Yvonne comprend-elle la raison du départ de Meaulnes ? Aux yeux de qui veut-elle l'excuser ?
8. À qui ressemblera la petite fille blessée à la tête ? Quelle est la véritable cause de la mort d'Yvonne ?
9. Quels sont les sentiments profonds de François pour Yvonne ? Ses sentiments sont-ils réciproques ? Quels sont les sentiments de François à la mort d'Yvonne ?
10. Au chapitre XII, quel conte de fées évoque la robe de princesse ? Pourquoi le baiser de François n'a-t-il pas d'effet ?

Langue

11. Relevez les termes qui indiquent la déchéance du bohémien.
12. Réécrivez le début du chapitre VII en employant les temps du récit (imparfait, plus-que-parfait et passé simple).
13. Transposez les dialogues du chapitre XI au discours indirect.
14. Définissez la tonalité du chapitre XII à partir des comportements de M. de Galais qui y sont décrits.

Genre ou thèmes

15. Le narrateur qui dit « je » peut-il tout savoir ? Comment a-t-il accès à l'histoire de Meaulnes et d'Yvonne ? Sa curiosité

vous semble-t-elle légitime ? Limite-t-il son récit réellement à ce qu'il a vu ?

Écriture

16. En trahissant Frantz, François trahit-il Meaulnes ? Vous développerez deux arguments allant dans le sens d'une réponse négative et deux arguments allant dans le sens d'une réponse positive.
17. François écrit à Meaulnes pour lui apprendre, avec toutes les précautions nécessaires, la mort de son épouse.

Pour aller plus loin

18. Dans le symbolisme des saisons, que représente la date et l'heure de la mort d'Yvonne ? Dans le symbolisme des lieux, que représentent les forêts et les routes d'Allemagne ? Que représente la situation de la maison d'Yvonne ?
19. Pourquoi la maison de Frantz est-elle si longuement décrite ? Que nous apprend cette maison sur Frantz ? sur Yvonne ?
20. Dans le symbolisme des figures, que représente l'opposition entre François et Delouche d'une part, Frantz et Ganache d'autre part ?

✻ À retenir

Meaulnes n'est pas fait pour un bonheur domestique. Il ne peut rester enfermé dans une maison, même avec la plus charmante femme du monde, pendant que dehors tout l'appelle, Frantz d'abord, puis le vent.

XIII

Le cahier de devoirs mensuels

DANS LA MAISON pleine de tristes souvenirs, où des femmes, tout le jour, berçaient et consolaient un tout petit enfant malade, le vieux M. de Galais ne tarda pas à s'aliter. Aux premiers grands froids de l'hiver il s'éteignit paisiblement et je ne pus me tenir de verser des larmes au chevet de ce vieil homme charmant, dont la pensée indulgente et la fantaisie alliée à celle de son fils avaient été la cause de toute notre aventure. Il mourut, fort heureusement, dans une incompréhension complète de tout ce qui s'était passé et, d'ailleurs, dans un silence presque absolu. Comme il n'avait plus depuis longtemps ni parents ni amis dans cette région de la France, il m'institua par testament son légataire[1] universel jusqu'au retour de Meaulnes, à qui je devais rendre compte de tout, s'il revenait jamais… Et c'est aux Sablonnières désormais que j'habitais. Je n'allais plus à Saint-Benoist que pour y faire la classe, partant le matin de bonne heure, déjeunant à midi d'un repas préparé au Domaine, que je faisais chauffer sur le poêle, et rentrant le soir aussitôt après l'étude. Ainsi je pus garder près de moi l'enfant que les servantes de la ferme soignaient. Surtout j'augmentais mes chances de rencontrer Augustin, s'il rentrait un jour aux Sablonnières.

Je ne désespérais pas, d'ailleurs, de découvrir à la longue dans les meubles, dans les tiroirs de la maison, quelque papier, quelque indice qui me permît de connaître l'emploi de son temps, durant le long silence des années précédentes – et peut-être ainsi de saisir les raisons de sa fuite ou tout au moins de retrouver sa trace… J'avais déjà vainement inspecté je ne sais combien de placards et d'armoires, ouvert, dans les cabinets de débarras, une quantité d'anciens cartons de toutes formes, qui se trouvaient tantôt remplis de liasses de vieilles lettres et de photographies jaunies de la famille de Galais, tantôt bondés de fleurs artificielles, de plumes, d'aigrettes et d'oiseaux démodés. Il s'échappait de ces boîtes je ne sais quelle odeur fanée, quel parfum éteint, qui, soudain,

1. **Légataire :** celui à qui l'on fait un legs par testament.

réveillaient en moi pour tout un jour les souvenirs, les regrets, et arrêtaient mes recherches...

Un jour de congé, enfin, j'avisai au grenier une vieille petite malle longue et basse, couverte de poils de porc à demi rongés, et que je reconnus pour être la malle d'écolier d'Augustin. Je me reprochai de n'avoir point commencé par là mes recherches. J'en fis sauter facilement la serrure rouillée. La malle était pleine jusqu'au bord des cahiers et des livres de Sainte-Agathe. Arithmétiques, littératures, cahiers de problèmes, que sais-je ?... Avec attendrissement plutôt que par curiosité, je me mis à fouiller dans tout cela, relisant les dictées que je savais encore par cœur, tant de fois nous les avions recopiées ! « L'Aqueduc » de Rousseau, « Une aventure en Calabre » de P.-L. Courier, « Lettre de George Sand à son fils »...

Il y avait aussi un « Cahier de Devoirs Mensuels ». J'en fus surpris, car ces cahiers restaient au Cours et les élèves ne les emportaient jamais au-dehors. C'était un cahier vert tout jauni sur les bords. Le nom de l'élève, *Augustin Meaulnes*, était écrit sur la couverture en ronde[1] magnifique. Je l'ouvris. À la date des devoirs, avril 189..., je reconnus que Meaulnes l'avait commencé peu de jours avant de quitter Sainte-Agathe. Les premières pages étaient tenues avec le soin religieux qui était de règle lorsqu'on travaillait sur ce cahier de compositions. Mais il n'y avait pas plus de trois pages écrites, le reste était blanc et voilà pourquoi Meaulnes l'avait emporté.

Tout en réfléchissant, agenouillé par terre, à ces coutumes, à ces règles puériles qui avaient tenu tant de place dans notre adolescence, je faisais tourner sous mon pouce le bord des pages du cahier inachevé. Et c'est ainsi que je découvris de l'écriture sur d'autres feuillets. Après quatre pages laissées en blanc on avait recommencé à écrire.

C'était encore l'écriture de Meaulnes, mais rapide, mal formée, à peine lisible ; de petits paragraphes de largeurs inégales, séparés par des lignes blanches. Parfois ce n'était qu'une phrase inachevée. Quelquefois une date. Dès la première ligne, je jugeai qu'il pouvait y avoir là des renseignements sur la vie passée de Meaulnes à Paris, des indices sur la piste que je cherchais, et je descendis

1. **Ronde :** écriture dont les jambes des lettres sont courbes et à boucles arrondies.

dans la salle à manger pour parcourir à loisir, à la lumière du jour, l'étrange document. Il faisait un jour d'hiver clair et agité. Tantôt
70 le soleil vif dessinait les croix des carreaux sur les rideaux blancs de la fenêtre, tantôt un vent brusque jetait aux vitres une averse glacée. Et c'est devant cette fenêtre, auprès du feu, que je lus ces lignes qui m'expliquèrent tant de choses et dont voici la copie très exacte…

XIV

Le secret

JE SUIS PASSÉ une fois encore sous sa fenêtre. La vitre est toujours poussiéreuse et blanchie par le double rideau qui est derrière. Yvonne de Galais l'ouvrirait-elle que je n'aurais rien à lui dire puisqu'elle est mariée... Que faire maintenant ? Comment vivre ?...

Samedi 13 février. – J'ai rencontré, sur le quai, cette jeune fille qui m'avait renseigné au mois de juin, qui attendait comme moi devant la maison fermée... Je lui ai parlé. Tandis qu'elle marchait, je regardais de côté les légers défauts de son visage : une petite ride au coin des lèvres, un peu d'affaissement aux joues, et de la poudre accumulée aux ailes du nez. Elle s'est retournée tout d'un coup et me regardant bien en face, peut-être parce qu'elle est plus belle de face que de profil, elle m'a dit d'une voix brève :

« Vous m'amusez beaucoup. Vous me rappelez un jeune homme qui me faisait la cour, autrefois, à Bourges. Il était même mon fiancé... »

Cependant, à la nuit pleine, sur le trottoir désert et mouillé qui reflète la lueur d'un bec de gaz[1], elle s'est approchée de moi tout d'un coup, pour me demander de l'emmener ce soir au théâtre avec sa sœur. Je remarque pour la première fois qu'elle est habillée de deuil, avec un chapeau de dame trop vieux pour sa jeune figure, un haut parapluie fin, pareil à une canne. Et comme je suis tout près d'elle, quand je fais un geste mes ongles griffent le crêpe[2] de son corsage... Je fais des difficultés pour accorder ce qu'elle demande. Fâchée, elle veut partir tout de suite. Et c'est moi, maintenant, qui la retiens et la prie. Alors un ouvrier qui passe dans l'obscurité plaisante à mi-voix :

« N'y va pas, ma petite, il te ferait mal ! »

Et nous sommes restés, tous les deux, interdits.

---

1. **Bec de gaz :** lampadaire pour l'éclairage public au gaz.
2. **Crêpe :** tissu de soie ou de laine fine à l'aspect ondulé.

Au théâtre. – Les deux jeunes filles, mon amie qui s'appelle Valentine Blondeau et sa sœur, sont arrivées avec de pauvres écharpes.

Valentine est placée devant moi. À chaque instant elle se retourne, inquiète, comme se demandant ce que je lui veux. Et moi, je me sens, près d'elle, presque heureux ; je lui réponds chaque fois par un sourire.

Tout autour de nous, il y avait des femmes trop décolletées. Et nous plaisantions. Elle souriait d'abord, puis elle a dit : « Il ne faut pas que je rie. Moi aussi je suis trop décolletée. » Et elle s'est enveloppée dans son écharpe. En effet, sous le carré de dentelle noire, on voyait que, dans sa hâte à changer de toilette, elle avait refoulé le haut de sa simple chemise montante.

Il y a en elle je ne sais quoi de pauvre et de puéril ; il y a dans son regard je ne sais quel air souffrant et hasardeux qui m'attire. Près d'elle, le seul être au monde qui ait pu me renseigner sur les gens du Domaine, je ne cesse de penser à mon étrange aventure de jadis… J'ai voulu l'interroger de nouveau sur le petit hôtel du boulevard. Mais, à son tour, elle m'a posé des questions si gênantes que je n'ai su rien répondre. Je sens que désormais nous serons, tous les deux, muets sur ce sujet. Et pourtant je sais aussi que je la reverrai. À quoi bon ? Et pourquoi ?… Suis-je condamné maintenant à suivre à la trace tout être qui portera en soi le plus vague, le plus lointain relent[1] de mon aventure manquée ?…

À minuit, seul, dans la rue déserte, je me demande ce que me veut cette nouvelle et bizarre histoire ? Je marche le long des maisons pareilles à des boîtes en carton alignées, dans lesquelles tout un peuple dort. Et je me souviens tout à coup d'une décision que j'avais prise l'autre mois : j'avais résolu d'aller là-bas en pleine nuit, vers une heure du matin, de contourner l'hôtel, d'ouvrir la porte du jardin, d'entrer comme un voleur et de chercher un indice quelconque qui me permît de retrouver le Domaine perdu, pour la revoir, seulement la revoir… Mais je suis fatigué. J'ai faim. Moi aussi je me suis hâté de changer de costume, avant le théâtre, et je n'ai pas dîné… Agité, inquiet, pourtant, je reste longtemps assis sur le bord de mon lit, avant de me coucher, en proie à un vague remords. Pourquoi ?

1. **Relent :** mauvaise odeur qui persiste.

Je note encore ceci : elles n'ont pas voulu ni que je les reconduise, ni me dire où elles demeuraient. Mais je les ai suivies aussi longtemps que j'ai pu. Je sais qu'elles habitent une petite rue qui tourne aux environs de Notre-Dame. Mais à quel numéro ?... J'ai deviné qu'elles étaient couturières ou modistes[1].

En se cachant de sa sœur, Valentine m'a donné rendez-vous pour jeudi, à quatre heures, devant le même théâtre où nous sommes allés. « Si je n'étais pas là jeudi, a-t-elle dit, revenez vendredi à la même heure, puis samedi, et ainsi de suite, tous les jours. »

Jeudi 18 février. – Je suis parti pour l'attendre dans le grand vent qui charrie de la pluie. On se disait à chaque instant : il va finir par pleuvoir...

Je marche dans la demi-obscurité des rues, un poids sur le cœur. Il tombe une goutte d'eau. Je crains qu'il ne pleuve : une averse peut l'empêcher de venir. Mais le vent se reprend à souffler et la pluie ne tombe pas cette fois encore. Là-haut, dans le gris après-midi du ciel – tantôt gris et tantôt éclatant – un grand nuage a dû céder au vent. Et je suis ici terré dans une attente misérable.

Devant le théâtre. – Au bout d'un quart d'heure je suis certain qu'elle ne viendra pas. Du quai où je suis, je surveille au loin, sur le pont par lequel elle aurait dû venir, le défilé des gens qui passent. J'accompagne du regard toutes les jeunes femmes en deuil que je vois venir et je me sens presque de la reconnaissance pour celles qui, le plus longtemps, le plus près de moi, lui ont ressemblé et m'ont fait espérer...

Une heure d'attente. – Je suis las. À la tombée de la nuit, un gardien de la paix traîne au poste voisin un voyou qui lui jette d'une voix étouffée toutes les injures, toutes les ordures qu'il sait. L'agent est furieux, pâle, muet... Dès le couloir il commence à cogner, puis il referme sur eux la porte pour battre le misérable tout à l'aise... Il me vient cette pensée affreuse que j'ai renoncé au paradis et que je suis en train de piétiner aux portes de l'enfer.

De guerre lasse, je quitte l'endroit et je gagne cette rue étroite et basse, entre la Seine et Notre-Dame, où je connais à peu près

1. **Modistes :** personnes qui confectionnent ou vendent des chapeaux de femme.

la place de leur maison. Tout seul, je vais et viens. De temps à autre une bonne ou une ménagère sort sous la petite pluie pour faire avant la nuit ses emplettes... Il n'y a rien, ici, pour moi, et je m'en vais... Je repasse, dans la pluie claire qui retarde la nuit, sur la place où nous devions nous attendre. Il y a plus de monde que tout à l'heure – une foule noire...

Suppositions – Désespoir – Fatigue. Je me raccroche à cette pensée : demain. Demain, à la même heure, en ce même endroit, je reviendrai l'attendre. Et j'ai grand'hâte que demain soit arrivé. Avec ennui j'imagine la soirée d'aujourd'hui, puis la matinée du lendemain, que je vais passer dans le désœuvrement... Mais déjà cette journée n'est-elle pas presque finie ? Rentré chez moi, près du feu, j'entends crier les journaux du soir. Sans doute, de sa maison perdue quelque part dans la ville, auprès de Notre-Dame, elle les entend aussi.

Elle... je veux dire : Valentine.

Cette soirée que j'avais voulu escamoter[1] me pèse étrangement. Tandis que l'heure avance, que ce jour-là va bientôt finir et que déjà je le voudrais fini, il y a des hommes qui lui ont confié tout leur espoir, tout leur amour et leurs dernières forces. Il y a des hommes mourants, d'autres qui attendent une échéance, et qui voudraient que ce ne soit jamais demain. Il y en a d'autres pour qui demain pointera comme un remords. D'autres qui sont fatigués, et cette nuit ne sera jamais assez longue pour leur donner tout le repos qu'il faudrait. Et moi, moi qui ai perdu ma journée, de quel droit est-ce que j'ose appeler demain ?

Vendredi soir. – J'avais pensé écrire à la suite : « Je ne l'ai pas revue. » Et tout aurait été fini.

Mais en arrivant ce soir, à quatre heures, au coin du théâtre : la voici. Fine et grave, vêtue de noir, mais avec de la poudre au visage et une collerette qui lui donne l'air d'un pierrot coupable. Un air à la fois douloureux et malicieux.

C'est pour me dire qu'elle veut me quitter tout de suite, qu'elle ne viendra plus.

....

---

1. **Escamoter :** cacher, taire, passer sous silence.

Et pourtant, à la tombée de la nuit, nous voici encore tous les deux, marchant lentement l'un près de l'autre, sur le gravier des Tuileries. Elle me raconte son histoire mais d'une façon si enveloppée que je comprends mal. Elle dit : « mon amant » en parlant de ce fiancé qu'elle n'a pas épousé. Elle le fait exprès, je pense, pour me choquer et pour que je ne m'attache point à elle.

Il y a des phrases d'elle que je transcris de mauvaise grâce :

« N'ayez aucune confiance en moi, dit-elle, je n'ai jamais fait que des folies.

« J'ai couru des chemins, toute seule.

« J'ai désespéré mon fiancé. Je l'ai abandonné parce qu'il m'admirait trop ; il ne me voyait qu'en imagination et non telle que j'étais. Or, je suis pleine de défauts. Nous aurions été très malheureux. »

À chaque instant, je la surprends en train de se faire plus mauvaise qu'elle n'est. Je pense qu'elle veut se prouver à elle-même qu'elle a eu raison jadis de faire la sottise dont elle parle, qu'elle n'a rien à regretter et n'était pas digne du bonheur qui s'offrait à elle.

Une autre fois :

« Ce qui me plaît en vous, m'a-t-elle dit en me regardant longuement, ce qui me plaît en vous, je ne puis savoir pourquoi, ce sont mes souvenirs... »

Une autre fois :

« Je l'aime encore, disait-elle, plus que vous ne pensez. »

Et puis soudain, brusquement, brutalement, tristement :

« Enfin, qu'est-ce que vous voulez ? Est-ce que vous m'aimez, vous aussi ? Vous aussi, vous allez demander ma main ?... »

J'ai balbutié. Je ne sais pas ce que j'ai répondu. Peut-être ai-je dit : « Oui. »

Cette espèce de journal s'interrompait là. Commençaient alors des brouillons de lettres illisibles, informes, raturés. Précaires[1] fiançailles !... La jeune fille, sur la prière de Meaulnes, avait abandonné son métier. Lui s'était occupé des préparatifs du mariage. Mais sans cesse repris par le désir de chercher encore, de partir encore sur la trace de son amour perdu, il avait dû, sans doute, plusieurs fois disparaître ; et, dans ces lettres, avec un embarras tragique, il cherchait à se justifier devant Valentine.

1. **Précaires :** incertaines, fragiles.

XV

Le secret *(suite)*

PUIS le journal reprenait.

Il avait noté des souvenirs sur un séjour qu'ils avaient fait tous les deux à la campagne, je ne sais où. Mais, chose étrange, à partir de cet instant, peut-être par un sentiment de pudeur secrète, le journal était rédigé de façon si hachée, si informe, griffonné si hâtivement aussi, que j'ai dû reprendre moi-même et reconstituer toute cette partie de son histoire.

14 juin. – Lorsqu'il s'éveilla de grand matin dans la chambre de l'auberge, le soleil avait allumé les dessins rouges du rideau noir. Des ouvriers agricoles, dans la salle du bas, parlaient fort en prenant le café du matin : ils s'indignaient, en phrases rudes et paisibles, contre un de leurs patrons. Depuis longtemps sans doute Meaulnes entendait, dans son sommeil, ce calme bruit. Car il n'y prit point garde d'abord. Ce rideau semé de grappes rougies par le soleil, ces voix matinales montant dans la chambre silencieuse, tout cela se confondait dans l'impression unique d'un réveil à la campagne, au début de délicieuses grandes vacances.

Il se leva, frappa doucement à la porte voisine, sans obtenir de réponse, et l'entr'ouvrit sans bruit. Il aperçut alors Valentine et comprit d'où lui venait tant de paisible bonheur. Elle dormait, absolument immobile et silencieuse, sans qu'on l'entendît respirer, comme un oiseau doit dormir. Longtemps il regarda ce visage d'enfant aux yeux fermés, ce visage si quiet[1] qu'on eût souhaité ne l'éveiller et ne le troubler jamais.

Elle ne fit pas d'autre mouvement pour montrer qu'elle ne dormait plus que d'ouvrir les yeux et de regarder.

Dès qu'elle fut habillée, Meaulnes revint près de la jeune fille.

« Nous sommes en retard », dit-elle.

Et ce fut aussitôt comme une ménagère dans sa demeure.

1. **Quiet** : tranquille, calme.

30 Elle mit de l'ordre dans les chambres, brossa les habits que Meaulnes avait portés la veille et quand elle en vint au pantalon se désola. Le bas des jambes était couvert d'une boue épaisse. Elle hésita, puis, soigneusement, avec précaution, avant de le brosser, elle commença par râper la première épaisseur de terre avec un 35 couteau.

« C'est ainsi, dit Meaulnes, que faisaient les gamins de Sainte-Agathe quand ils s'étaient flanqués dans la boue.

– Moi, c'est ma mère qui m'a enseigné cela », dit Valentine.

... Et telle était bien la compagne que devait souhaiter, avant son 40 aventure mystérieuse, le chasseur et le paysan qu'était le grand Meaulnes.

15 juin. – À ce dîner, à la ferme, où grâce à leurs amis qui les avaient présentés comme mari et femme, ils furent conviés, à leur grand ennui, elle se montra timide comme une nouvelle mariée.

45 On avait allumé les bougies de deux candélabres, à chaque bout de la table couverte de toile blanche, comme à une paisible noce de campagne. Les visages, dès qu'ils se penchaient, sous cette faible clarté, baignaient dans l'ombre.

Il y avait à la droite de Patrice (le fils du fermier) Valentine puis 50 Meaulnes, qui demeura taciturne jusqu'au bout, bien qu'on s'adressât presque toujours à lui. Depuis qu'il avait résolu, dans ce village perdu, afin d'éviter les commentaires, de faire passer Valentine pour sa femme, un même regret, un même remords le désolaient. Et tandis que Patrice, à la façon d'un gentilhomme campagnard, 55 dirigeait le dîner :

« C'est moi, pensait Meaulnes, qui devrais, ce soir, dans une salle basse comme celle-ci, une belle salle que je connais bien, présider le repas de mes noces. »

Près de lui, Valentine refusait timidement tout ce qu'on lui offrait. 60 On eût dit une jeune paysanne. À chaque tentative nouvelle, elle regardait son ami et semblait vouloir se réfugier contre lui. Depuis longtemps, Patrice insistait vainement pour qu'elle vidât son verre, lorsqu'enfin Meaulnes se pencha vers elle et lui dit doucement :

« Il faut boire, ma petite Valentine. »

65 Alors, docilement, elle but. Et Patrice félicita en souriant le jeune homme d'avoir une femme aussi obéissante.

Mais tous les deux, Valentine et Meaulnes, restaient silencieux et pensifs. Ils étaient fatigués, d'abord ; leurs pieds trempés par la boue de la promenade étaient glacés sur les carreaux lavés de la cuisine. Et puis, de temps à autre, le jeune homme était obligé de dire : « Ma femme, Valentine, ma femme… »

Et chaque fois, en prononçant sourdement ce mot, devant ces paysans inconnus, dans cette salle obscure, il avait l'impression de commettre une faute.

17 juin. – L'après-midi de ce dernier jour commença mal.

Patrice et sa femme les accompagnèrent à la promenade. Peu à peu, sur la pente inégale couverte de bruyère, les deux couples se trouvèrent séparés. Meaulnes et Valentine s'assirent entre les genévriers, dans un petit taillis.

Le vent portait des gouttes de pluie et le temps était bas. La soirée avait un goût amer, semblait-il, le goût d'un tel ennui que l'amour même ne le pouvait distraire.

Longtemps ils restèrent là, dans leur cachette, abrités sous les branches, parlant peu. Puis le temps se leva. Il fit beau. Ils crurent que, maintenant, tout irait bien.

Et ils commencèrent à parler d'amour, Valentine parlait, parlait…

« Voici, disait-elle, ce que me promettait mon fiancé, comme un enfant qu'il était : tout de suite nous aurions eu une maison, comme une chaumière perdue dans la campagne. Elle était toute prête, disait-il. Nous y serions arrivés comme au retour d'un grand voyage, le soir de notre mariage, vers cette heure-ci qui est proche de la nuit. Et par les chemins, dans la cour, cachés dans les bosquets, des enfants inconnus nous auraient fait fête, criant : "Vive la mariée !"… Quelles folies ! n'est-ce pas ? »

Meaulnes, interdit, soucieux, l'écoutait. Il retrouvait, dans tout cela, comme l'écho d'une voix déjà entendue. Et il y avait aussi, dans le ton de la jeune fille, lorsqu'elle contait cette histoire, un vague regret.

Mais elle eut peur de l'avoir blessé. Elle se retourna vers lui, avec élan, avec douceur.

« À vous, dit-elle, je veux donner tout ce que j'ai : quelque chose qui ait été pour moi plus précieux que tout…, et vous le brûlerez ! »

Alors, en le regardant fixement, d'un air anxieux, elle sortit de sa poche un petit paquet de lettres qu'elle lui tendit, les lettres de son fiancé.

Ah ! tout de suite, il reconnut la fine écriture. Comment n'y avait-il jamais pensé plus tôt ! C'était l'écriture de Frantz le bohémien, qu'il avait vue jadis sur le billet désespéré laissé dans la chambre du Domaine...

Ils marchaient maintenant sur une petite route étroite entre les pâquerettes et les foins éclairés obliquement par le soleil de cinq heures. Si grande était sa stupeur que Meaulnes ne comprenait pas encore quelle déroute pour lui tout cela signifiait. Il lisait parce qu'elle lui avait demandé de lire. Des phrases enfantines, sentimentales, pathétiques... Celle-ci, dans la dernière lettre :

... Ah ! vous avez perdu le petit cœur, impardonnable petite Valentine. Que va-t-il nous arriver ? Enfin je ne suis pas superstitieux...

Meaulnes lisait, à demi aveuglé de regret et de colère, le visage immobile, mais tout pâle, avec des frémissements sous les yeux. Valentine, inquiète de le voir ainsi, regarda où il en était, et ce qui le fâchait ainsi.

« C'est, expliqua-t-elle très vite, un bijou qu'il m'avait donné en me faisant jurer de le garder toujours. C'étaient là de ses idées folles. »

Mais elle ne fit qu'exaspérer Meaulnes.

« Folles ! dit-il en mettant les lettres dans sa poche. Pourquoi répéter ce mot ? Pourquoi n'avoir jamais voulu croire en lui ? Je l'ai connu, c'était le garçon le plus merveilleux du monde !

– Vous l'avez connu, dit-elle au comble de l'émoi, vous avez connu Frantz de Galais ?

– C'était mon ami le meilleur, c'était mon frère d'aventures, et voilà que je lui ai pris sa fiancée !

« Ah ! poursuivit-il avec fureur, quel mal vous nous avez fait, vous qui n'avez voulu croire à rien. Vous êtes cause de tout. C'est vous qui avez tout perdu ! tout perdu ! »

Elle voulut lui parler, lui prendre la main, mais il la repoussa brutalement.

« Allez-vous-en. Laissez-moi.

– Eh bien, s'il en est ainsi, dit-elle, le visage en feu, bégayant et pleurant à demi, je partirai en effet. Je rentrerai à Bourges, chez nous, avec ma sœur. Et si vous ne revenez pas me chercher, vous savez, n'est-ce pas ? que mon père est trop pauvre pour me garder ; eh bien ! je repartirai pour Paris, je battrai les chemins comme je l'ai déjà fait une fois, je deviendrai certainement une fille perdue[1], moi qui n'ai plus de métier… »

Et elle s'en alla chercher ses paquets pour prendre le train, tandis que Meaulnes, sans même la regarder partir, continuait à marcher au hasard.

Le journal s'interrompait de nouveau.

Suivaient encore des brouillons de lettres, lettres d'un homme indécis, égaré. Rentré à La Ferté-d'Angillon, Meaulnes écrivait à Valentine en apparence pour lui affirmer sa résolution de ne jamais la revoir et lui en donner des raisons précises, mais en réalité, peut-être, pour qu'elle lui répondît. Dans une de ces lettres, il lui demandait ce que, dans son désarroi, il n'avait pas même songé d'abord à lui demander : savait-elle où se trouvait le Domaine tant cherché ? Dans une autre, il la suppliait de se réconcilier avec Frantz de Galais. Lui-même se chargeait de le retrouver… Toutes les lettres dont je voyais les brouillons n'avaient pas dû être envoyées. Mais il avait dû écrire deux ou trois fois, sans jamais obtenir de réponse. Ç'avait été pour lui une période de combats affreux et misérables, dans un isolement absolu. L'espoir de revoir jamais Yvonne de Galais s'étant complètement évanoui, il avait dû peu à peu sentir sa grande résolution faiblir. Et d'après les pages qui vont suivre – les dernières de son journal – j'imagine qu'il dut, un beau matin du début des vacances, louer une bicyclette pour aller à Bourges, visiter la cathédrale.

Il était parti à la première heure, par la belle route droite entre les bois, inventant en chemin mille prétextes à se présenter dignement, sans demander une réconciliation, devant celle qu'il avait chassée.

Les quatre dernières pages, que j'ai pu reconstituer, racontaient ce voyage et cette dernière faute…

1. **Fille perdue :** femme de mauvaise vie, prostituée.

XVI

Le secret *(fin)*

25 AOÛT. – De l'autre côté de Bourges, à l'extrémité des nouveaux faubourgs, il découvrit, après avoir longtemps cherché, la maison de Valentine Blondeau. Une femme – la mère de Valentine – sur le pas de la porte, semblait l'attendre. C'était une bonne figure de ménagère, lourde, fripée, mais belle encore. Elle le regardait venir avec curiosité, et lorsqu'il lui demanda : « si Mlles Blondeau étaient ici », elle lui expliqua doucement, avec bienveillance, qu'elles étaient rentrées à Paris depuis le 15 août.

« Elles m'ont défendu de dire où elles allaient, ajouta-t-elle, mais en écrivant à leur ancienne adresse on fera suivre leurs lettres. »

En revenant sur ses pas, sa bicyclette à la main, à travers le jardinet, il pensait :

« Elle est partie… Tout est fini comme je l'ai voulu… C'est moi qui l'ai forcée à cela. "Je deviendrai certainement une fille perdue", disait-elle. Et c'est moi qui l'ai jetée là ! C'est moi qui ai perdu la fiancée de Frantz ! »

Et tout bas il se répétait avec folie : « Tant mieux ! Tant mieux ! » avec la certitude que c'était bien « tant pis » au contraire et que, sous les yeux de cette femme, avant d'arriver à la grille, il allait buter des deux pieds et tomber sur les genoux.

Il ne pensa pas à déjeuner et s'arrêta dans un café où il écrivit longuement à Valentine, rien que pour crier, pour se délivrer du cri désespéré qui l'étouffait. Sa lettre répétait indéfiniment : « Vous avez pu ! Vous avez pu !… Vous avez pu vous résigner à cela ! Vous avez pu vous perdre ainsi ! »

Près de lui des officiers buvaient. L'un d'eux racontait bruyamment une histoire de femme qu'on entendait par bribes : « … Je lui ai dit… Vous devez bien me connaître… Je fais la partie avec votre mari tous les soirs ! » Les autres riaient et, détournant la tête, crachaient derrière les banquettes. Hâve[1] et poussiéreux, Meaulnes

---

1. **Hâve :** amaigri et pâli par la faim, la fatigue, la souffrance.

les regardait comme un mendiant. Il les imagina tenant Valentine sur leurs genoux.

Longtemps, à bicyclette, il erra autour de la cathédrale, se disant obscurément : « En somme, c'est pour la cathédrale que j'étais venu. » Au bout de toutes les rues, sur la place déserte, on la voyait monter énorme et indifférente. Ces rues étaient étroites et souillées comme les ruelles qui entourent les églises de village. Il y avait çà et là l'enseigne d'une maison louche[1], une lanterne rouge… Meaulnes sentait sa douleur perdue, dans ce quartier malpropre, vicieux, réfugié, comme aux anciens âges, sous les arcs-boutants de la cathédrale. Il lui venait une crainte de paysan, une répulsion pour cette église de la ville, où tous les vices sont sculptés dans des cachettes, qui est bâtie entre les mauvais lieux et qui n'a pas de remède pour les plus pures douleurs d'amour.

Deux filles vinrent à passer, se tenant par la taille et le regardant effrontément. Par dégoût ou par jeu, pour se venger de son amour ou pour l'abîmer, Meaulnes les suivit lentement à bicyclette et l'une d'elles, une misérable fille dont les rares cheveux blonds étaient tirés en arrière par un faux chignon, lui donna rendez-vous pour six heures au jardin de l'Archevêché, le jardin où Frantz, dans une de ses lettres, donnait rendez-vous à la pauvre Valentine.

Il ne dit pas non, sachant qu'à cette heure il aurait depuis longtemps quitté la ville. Et de sa fenêtre basse, dans la rue en pente, elle resta longtemps à lui faire des signes vagues.

Il avait hâte de reprendre son chemin.

Avant de partir, il ne put résister au morne désir de passer une dernière fois devant la maison de Valentine. Il regarda de tous ses yeux et put faire provision de tristesse. C'était une des dernières maisons du faubourg et la rue devenait une route à partir de cet endroit… En face, une sorte de terrain vague formait comme une petite place. Il n'y avait personne aux fenêtres, ni dans la cour, nulle part. Seule, le long d'un mur, traînant deux gamins en guenilles, une sale fille poudrée passa.

---

1. **Maison louche** : établissement où l'on pratique la prostitution, signalé par une lanterne rouge.

C'est là que l'enfance de Valentine s'était écoulée, là qu'elle avait commencé à regarder le monde de ses yeux confiants et sages. Elle avait travaillé, cousu, derrière ces fenêtres. Et Frantz était passé pour la voir, lui sourire, dans cette rue de faubourg. Mais maintenant il n'y avait plus rien, rien… La triste soirée durait et Meaulnes savait seulement que quelque part, perdue, durant ce même après-midi, Valentine regardait passer dans son souvenir cette place morne où jamais elle ne viendrait plus.

Le long voyage qu'il lui restait à faire pour rentrer devait être son dernier recours contre sa peine, sa dernière distraction forcée avant de s'y enfoncer tout entier.

Il partit. Aux environs de la route, dans la vallée, de délicieuses maisons fermières, entre les arbres, au bord de l'eau, montraient leurs pignons[1] pointus garnis de treillis verts. Sans doute, là-bas, sur les pelouses, des jeunes filles attentives parlaient de l'amour. On imaginait, là-bas, des âmes, de belles âmes…

Mais, pour Meaulnes, à ce moment, il n'existait plus qu'un seul amour, cet amour mal satisfait qu'on venait de souffleter[2] si cruellement, et la jeune fille entre toutes qu'il eût dû protéger, sauvegarder, était justement celle-là qu'il venait d'envoyer à sa perte.

Quelques lignes hâtives du journal m'apprenaient encore qu'il avait formé le projet de retrouver Valentine coûte que coûte avant qu'il fût trop tard. Une date, dans un coin de page, me faisait croire que c'était là ce long voyage pour lequel Mme Meaulnes faisait des préparatifs, lorsque j'étais venu à La Ferté-d'Angillon pour tout déranger. Dans la mairie abandonnée, Meaulnes notait ses souvenirs et ses projets par un beau matin de la fin du mois d'août – lorsque j'avais poussé la porte et lui avais apporté la grande nouvelle qu'il n'attendait plus. Il avait été repris, immobilisé, par son ancienne aventure, sans oser rien faire ni rien avouer. Alors avaient commencé le remords, le regret et la peine, tantôt étouffés, tantôt triomphants, jusqu'au jour des noces où le cri du bohémien dans les sapins lui avait théâtralement rappelé son premier serment de jeune homme.

---

1. **Pignons :** le pignon est la partie haute et triangulaire d'un mur entre les deux versants d'un toit.
2. **Souffleter :** donner un soufflet, une gifle.

Sur ce même cahier de devoirs mensuels, il avait encore griffonné quelques mots en hâte, à l'aube, avant de quitter, avec sa permission – mais pour toujours –, Yvonne de Galais, son épouse depuis la veille :

« Je pars. Il faudra bien que je retrouve la piste des deux bohémiens qui sont venus hier dans la sapinière et qui sont partis vers l'est à bicyclette. Je ne reviendrai près d'Yvonne que si je puis ramener avec moi et installer dans la "maison de Frantz" Frantz et Valentine mariés.

« Ce manuscrit, que j'avais commencé comme un journal secret et qui est devenu ma confession, sera, si je ne reviens pas, la propriété de mon ami François Seurel. »

Il avait dû glisser le cahier en hâte sous les autres, refermer à clef son ancienne petite malle d'étudiant, et disparaître.

Épilogue

LE TEMPS PASSA. Je perdais l'espoir de revoir jamais mon compagnon, et de mornes jours s'écoulaient dans l'école paysanne, de tristes jours dans la maison déserte. Frantz ne vint pas au rendez-vous que je lui avais fixé, et d'ailleurs ma tante Moinel ne savait plus depuis longtemps où habitait Valentine.

La seule joie des Sablonnières, ce fut bientôt la petite fille qu'on avait pu sauver. À la fin de septembre, elle s'annonçait même comme une solide et jolie petite fille. Elle allait avoir un an. Cramponnée aux barreaux des chaises, elle les poussait toute seule, s'essayant à marcher sans prendre garde aux chutes, et faisait un tintamarre qui réveillait longuement les échos sourds de la demeure abandonnée. Lorsque je la tenais dans mes bras, elle ne souffrait jamais que je lui donne un baiser. Elle avait une façon sauvage et charmante en même temps de frétiller et de me repousser la figure avec sa petite main ouverte, en riant aux éclats. De toute sa gaieté, de toute sa violence enfantine, on eût dit qu'elle allait chasser le chagrin qui pesait sur la maison depuis sa naissance. Je me disais parfois : « Sans doute, malgré cette sauvagerie, sera-t-elle un peu mon enfant. » Mais une fois encore la Providence en décida autrement.

Un dimanche matin de la fin de septembre, je m'étais levé de fort bonne heure, avant même la paysanne qui avait la garde de la petite fille. Je devais aller pêcher au Cher avec deux hommes de Saint-Benoist et Jasmin Delouche. Souvent ainsi les villageois d'alentour s'entendaient avec moi pour de grandes parties de braconnage : pêches à la main, la nuit, pêches aux éperviers[1] prohibés[2]... Tout le temps de l'été, nous partions les jours de congé, dès l'aube, et nous ne rentrions qu'à midi. C'était le gagne-pain de presque tous ces hommes. Quant à moi, c'était mon seul passe-temps, les seules aventures qui me rappelassent les équipées de jadis. Et j'avais fini par prendre goût à ces randonnées, à ces longues pêches le long de la rivière ou dans les roseaux de l'étang.

---

1. **Éperviers :** filets de pêche ronds, garnis de plomb et qu'on lance à la main.
2. **Prohibés :** interdits par une mesure légale.

Ce matin-là, j'étais donc debout, à cinq heures et demie, devant la maison, sous un petit hangar adossé au mur qui séparait le jar-
35 din anglais des Sablonnières du jardin potager de la ferme. J'étais occupé à démêler mes filets que j'avais jetés en tas, le jeudi d'avant.

Il ne faisait pas jour tout à fait ; c'était le crépuscule d'un beau matin de septembre ; et le hangar où je démêlais à la hâte mes engins se trouvait à demi plongé dans la nuit.

40 J'étais là silencieux et affairé lorsque soudain j'entendis la grille s'ouvrir, un pas crier sur le gravier.

« Oh ! oh ! me dis-je, voici mes gens plus tôt que je n'aurais cru. Et moi qui ne suis pas prêt !... »

Mais l'homme qui entrait dans la cour m'était inconnu. C'était,
45 autant que je pus distinguer, un grand gaillard barbu habillé comme un chasseur ou un braconnier. Au lieu de venir me trouver là où les autres savaient que j'étais toujours, à l'heure de nos rendez-vous, il gagna directement la porte d'entrée.

« Bon ! pensai-je ; c'est quelqu'un de leurs amis qu'ils auront
50 convié sans me le dire et ils l'auront envoyé en éclaireur. »

L'homme fit jouer doucement, sans bruit, le loquet de la porte. Mais je l'avais refermée, aussitôt sorti. Il fit de même à l'entrée de la cuisine. Puis, hésitant un instant, il tourna vers moi, éclairée par le demi-jour, sa figure inquiète. Et c'est alors seulement que je
55 reconnus le grand Meaulnes.

Un long moment je restai là, effrayé, désespéré, repris soudain par toute la douleur qu'avait réveillée son retour. Il avait disparu derrière la maison, en avait fait le tour, et il revenait, hésitant.

Alors je m'avançai vers lui et, sans rien dire, je l'embrassai en
60 sanglotant. Tout de suite, il comprit.

« Ah ! dit-il d'une voix brève, elle est morte, n'est-ce pas ? »

Et il resta là, debout, sourd, immobile et terrible. Je le pris par le bras et doucement je l'entraînai vers la maison. Il faisait jour maintenant. Tout de suite, pour que le plus dur fût accompli, je lui
65 fis monter l'escalier qui menait vers la chambre de la morte. Sitôt entré, il tomba à deux genoux devant le lit et, longtemps, resta la tête enfouie dans ses deux bras.

Il se releva enfin, les yeux égarés, titubant, ne sachant où il était. Et, toujours le guidant par le bras, j'ouvris la porte qui faisait
70 communiquer cette chambre avec celle de la petite fille. Elle s'était

éveillée toute seule – pendant que sa nourrice était en bas – et, délibérément, s'était assise dans son berceau. On voyait tout juste sa tête étonnée, tournée vers nous.

« Voici ta fille », dis-je.

Il eut un sursaut et me regarda.

Puis il la saisit et l'enleva dans ses bras. Il ne put pas bien la voir d'abord, parce qu'il pleurait. Alors, pour détourner un peu ce grand attendrissement et ce flot de larmes, tout en la tenant très serrée contre lui, assise sur son bras droit, il tourna vers moi sa tête baissée et me dit :

« Je les ai ramenés, les deux autres… Tu iras les voir dans leur maison. »

Et en effet, au début de la matinée, lorsque je m'en allai, tout pensif et presque heureux vers la maison de Frantz qu'Yvonne de Galais m'avait jadis montrée déserte, j'aperçus de loin une manière de jeune ménagère en collerette, qui balayait le pas de sa porte, objet de curiosité et d'enthousiasme pour plusieurs petits vachers endimanchés qui s'en allaient à la messe…

Cependant la petite fille commençait à s'ennuyer d'être serrée ainsi, et comme Augustin, la tête penchée de côté pour cacher et arrêter ses larmes, continuait à ne pas la regarder, elle lui flanqua une grande tape de sa petite main sur sa bouche barbue et mouillée.

Cette fois le père leva bien haut sa fille, la fit sauter au bout de ses bras et la regarda avec une espèce de rire. Satisfaite, elle battit des mains…

Je m'étais légèrement reculé pour mieux les voir. Un peu déçu et pourtant émerveillé, je comprenais que la petite fille avait enfin trouvé là le compagnon qu'elle attendait obscurément… La seule joie que m'eût laissée le grand Meaulnes, je sentais bien qu'il était revenu pour me la prendre. Et déjà je l'imaginais, la nuit, enveloppant sa fille dans un manteau, et partant avec elle pour de nouvelles aventures.

Clefs d'analyse

Troisième partie et Épilogue : chapitre XIII à la fin

Action et personnages

1. Où se trouve le cahier de devoirs mensuels ? Que penser de cet étrange support d'écriture ?
2. Que pensez-vous de la discrétion de François ?
3. Pourquoi Valentine donne-t-elle à Meaulnes les lettres de son amant ? Est-il vraisemblable que celui-ci reconnaisse l'écriture alors qu'il n'a pas reconnu Frantz sous les traits du bohémien à l'école ?
4. Quelle est la véritable faute de Meaulnes : oublier Yvonne ou trahir Frantz ?
5. Comment appelle-t-on le chevalier qui trahit son frère d'aventure ?
6. Dans ce roman, où tous les mariages sont des mésalliances, que penser du jugement de François sur la compagne qui convient à Meaulnes (chapitre XV : « Et telle était bien la compagne que devait souhaiter [...] le chasseur et le paysan qu'était le grand Meaulnes. ») ?
7. Valentine est-elle exactement et seulement une figure antithétique d'Yvonne ? Quelle autre dimension lui donne son air de Pierrot ?
8. La grande ville est-elle présentée comme un espace social, ou comme un espace symbolique et moral ?
9. Pourquoi François est-il désespéré de voir rentrer Meaulnes ? Peut-il remplacer le véritable père auprès de sa fille ? Quels sont les signes de reconnaissance que l'enfant donne à son vrai père ?
10. Quelles représentations mythiques évoque la dernière image de Meaulnes, « enveloppant sa fille dans un manteau, et partant avec elle pour de nouvelles aventures » ?

Langue

11. Quels mots, dans le récit de Meaulnes, peuvent vous faire penser à une descente aux enfers ?

Genre ou thèmes

12. Qu'est-ce que « tenir son journal » ? Pourquoi le fait-on ?
13. Le journal de Meaulnes a-t-il un style propre et fait-il entendre une autre voix ?
14. Pourquoi le narrateur lui reprend-il si vite la parole ? Est-il le mieux placé pour raconter cette histoire ?
15. Quels sont les indices précis qui permettent au lecteur de reconstruire la chronologie de l'histoire ? Pourquoi un retour en arrière est-il nécessaire ?

Écriture

16. Réécrivez le chapitre XVI à la première personne comme Meaulnes l'a écrit.
17. Imaginez une suite au roman, que vous intitulerez *La Fille du grand Meaulnes*. Ecrivez-en les premières pages.

Pour aller plus loin

18. Qu'appelle-t-on un épilogue ? Quelle différence faites-vous entre le dénouement et l'épilogue ? Quel événement constitue le dénouement dans *Le Grand Meaulnes* ? Quelle ultime péripétie est rapportée dans l'épilogue ?
19. Comparez la fin de plusieurs romans que vous connaissez. Est-ce que toutes les histoires se terminent par la mort d'un personnage ? Qu'appelle-t-on une fin heureuse ?

✻ *À retenir*

Les dernières lignes nous présentent Valentine en ménagère qui balaye la petite maison de Frantz. Cette image du bonheur est très éloignée de celle que présentait le début du roman.
L'épilogue n'opère pas la fermeture du texte, l'histoire de Meaulnes n'est pas finie avec les derniers mots du livre et le roman semble promettre une suite.

L'auteur

Alain-Fournier est mort :

- ☐ a. dans un accident d'avion
- ☐ b. d'une épidémie de peste
- ☐ c. à la guerre
- ☐ d. de vieillesse

Le contexte

1. L'école à la fin du XIXe siècle est obligatoire :

- ☐ a. jusqu'à 6 ans
- ☐ b. jusqu'à 16 ans
- ☐ c. jusqu'à 14 ans
- ☐ d. jusqu'à 13 ans

2. Quel moyen de transport n'est jamais utilisé dans le roman ?

- ☐ a. la bicyclette
- ☐ b. la voiture à cheval
- ☐ c. le train
- ☐ d. la voiture automobile

Le genre

1. Dans quel genre faites-vous entrer *Le Grand Meaulnes* ?

- ☐ a. le traité
- ☐ b. la nouvelle
- ☐ c. la fable
- ☐ d. le roman

2. L'histoire est racontée :

☐ a. par un auteur omniscient extérieur à l'histoire
☐ b. par le héros Meaulnes
☐ c. par un narrateur témoin

3. Le point de vue dominant est :

☐ a. le point de vue d'un narrateur omniscient
☐ b. le point de vue de Meaulnes
☐ c. le point de vue de François Seurel

4. Le Grand Meaulnes a été adapté :

☐ a. pour la télévision
☐ b. pour le théâtre
☐ c. pour le cinéma
☐ d. pour la comédie musicale

Les personnages

1. Quel est le nom du personnage qui raconte l'histoire ?

☐ a. Valentine
☐ b. Yvonne de Galais
☐ c. François Seurel
☐ d. Frantz de Galais
☐ e. Augustin Meaulnes

2. Quel est le nom du personnage qui doit se marier dans le domaine mystérieux ?

☐ a. Valentine
☐ b. Yvonne de Galais
☐ c. François Seurel
☐ d. Frantz de Galais
☐ e. Augustin Meaulnes

3. **Comment s'appelle la jeune fille que Meaulnes rencontre auprès de l'étang ?**
   - ☐ a. Valentine
   - ☐ b. Yvonne de Galais

4. **Comment s'appelle la fiancée de Frantz ?**
   - ☐ a. Valentine
   - ☐ b. Yvonne de Galais

Avez-vous bien lu ?

5. **Qui a dit ?**
   - ☐ a. « Nous sommes deux enfants ; nous avons fait une folie. »
   - ☐ b. « Je suis rentré tout seul. Ma fiancée ne viendra pas. »
   - ☐ c. « Voici ta fille. »
   - ☐ d. « C'est promis, bien sûr. N'es-tu pas mon compagnon et mon frère ? »

   I. M. Seurel
   II. Augustin Meaulnes
   III. Valentine
   IV. Frantz de Galais
   V. François Seurel
   VI. Yvonne de Galais

6. **Rendez à chaque personnage son métier :**
   - ☐ a. Mme Seurel
   - ☐ b. Valentine
   - ☐ c. Augustin Meaulnes
   - ☐ d. Ganache
   - ☐ e. L'oncle Florentin

   I. commerçant
   II. institutrice
   III. étudiant
   IV. couturière
   V. saltimbanque

7. **Donnez trois adjectifs pouvant qualifier :**

a. Augustin Meaulnes : ....

b. Frantz de Galais : ....

c. François Seurel : ....

L'histoire

Classez les actions suivantes par ordre chronologique :

1. L'oncle Florentin organise une partie de campagne.
2. Yvonne de Galais meurt en couches.
3. Meaulnes tire un feu d'artifice.
4. François Seurel devient instituteur.
5. Meaulnes demande la main d'Yvonne de Galais.
6. Meaulnes se perd dans les bois avec la carriole de Fromentin.
7. Meaulnes prend sa fille dans ses bras.
8. Frantz de Galais apparaît à l'école de M. Seurel.

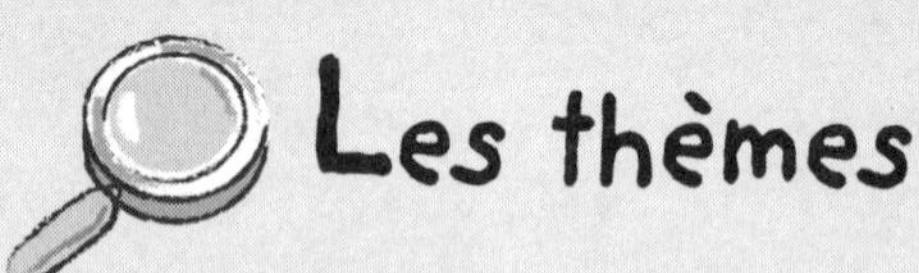

Les thèmes

1. Classez par ordre d'importance ces thèmes relatifs à l'adolescence :

a la nostalgie de l'enfance
b. le culte des sentiments
c. l'inaptitude au bonheur et l'insatisfaction
d. le désir d'aventure
e. le désir de liberté
f. la soif de l'absolu et la recherche de l'idéal

2. Quelle définition du mot « amitié » vous paraît la plus satisfaisante par rapport à votre propre expérience ?

a « L'amitié est beaucoup plus tragique que l'amour. Elle dure plus longtemps. » (Oscar Wilde)
b. « L'amitié vit de silence, l'amour en meurt. » (Jacques Deval)
c. « Sainte amitié ! tu n'es rien qu'un vain titre, si l'on ne remplit pas tes austères devoirs. » (Beaumarchais)
d. « L'amitié est un mariage des âmes. » (Montaigne)
e. « Un des plus grands bonheurs de cette vie, c'est l'amitié ; et l'un des bonheurs de l'amitié, c'est d'avoir à qui confier un secret. » (Alessandro Manzoni)
f. « On ne peut aimer que si l'on est ivre de vie. » (Tahar Ben Jelloun)
g. « Il n'y a pas d'ami, il n'y a que des moments d'amitié. » (Jules Renard)

3. Parmi les citations précédentes, laquelle vous paraît la plus appropriée à l'amitié telle qu'elle est représentée dans le roman ?

4. L'amour.

a. Où Meaulnes aperçoit-il Yvonne de Galais pour la première fois ?
b. Quel âge a-t-il à ce moment-là ?
c. Que lui promet la jeune fille ?
d. Est-ce qu'elle tient sa promesse ?
e. À qui Meaulnes adresse-t-il sa demande en mariage ?
f. Dans quelles circonstances Yvonne meurt-elle ?

Langue et expression

1. Complétez le tableau suivant sur le modèle de la première ligne (certaines cases peuvent rester vides) :

Substantif	Verbe	Adjectif	Adverbe
amour	aimer	amoureux	amoureusement
amitié			
		grand	
	romancer		
			courageusement
confidence			
		scolaire	
			studieusement
mystère			

2. Complétez le tableau suivant par des mots de même nature que le terme proposé :

	Synonyme	Antonyme	Adverbe
sommeil			
enfant			
silencieux			
embarras			
hautaine			
se révolter			

Avez-vous bien lu ?

En savoir plus sur : **www.petitsclassiqueslarousse.com**

POUR APPROFONDIR

Thèmes et prolongements

Un roman à la première personne

Même si le roman repose sur une inspiration autobiographique, il s'agit d'une création à part entière et Meaulnes est un personnage littéraire construit, non une figure de l'auteur.

L'inspiration autobiographique

Les figures féminines du roman s'inspirent des femmes rencontrées. Yvonne de Galais emprunte des traits et jusqu'à des répliques entières à Yvonne de Quièvrecourt ; le personnage de Valentine doit beaucoup à la liaison de l'auteur avec une modiste de Bourges. Mais Robert Mallet fait remarquer que le fait vécu n'explique pas le roman : « Yvonne de Galais, ou plutôt son modèle, n'a pas provoqué *Le Grand Meaulnes*. C'est *Le Grand Meaulnes* qui a suscité la jeune fille. [...] Combien on diminue Alain-Fournier en pensant que de sa nostalgie amoureuse date son désir d'écrire. » (*B.A.J.R.A.F.* n°33, 1984.)

Une création à part entière

Le Grand Meaulnes n'est pas un récit écrit d'un seul jet, c'est, d'une part, l'œuvre d'un auteur nourri de littérature, et, d'autre part, le produit d'une élaboration savante et très concertée. Fournier hésite longtemps entre l'expression poétique et le roman. Lisant beaucoup, fréquentant des critiques préoccupés de style et d'esthétique, il ne fait pas partie de ces auteurs qui écrivent sans réflexion préalable. Il faut se garder de réduire le livre à la vie de l'auteur et de croire expliquer Meaulnes par la vie de Fournier.
Meaulnes s'exprime peu. Même au cœur de ses confidences, même dans son journal intime, il redevient toujours celui dont on parle, dont on se souvient, dont on résume et rédige les secrets : « peut-être par un sentiment de pudeur secrète, le journal était rédigé de façon si hachée, si informe, griffonné si hâtivement aussi, que j'ai dû reprendre moi-même et reconstituer toute cette partie de son histoire » (chapitre XV-3e partie) ; de sorte que la confidence directe

est systématiquement évitée, on ne lit ni les épanchements d'Alain-Fournier, ni ceux d'Augustin Meaulnes. Alain-Fournier semble avoir pris grand soin qu'on ne le confonde pas avec le grand Meaulnes.

Un roman à la première personne

Il s'agit donc d'une œuvre de fiction qui calque la forme d'une autobiographie. L'autobiographie véritable n'invente aucun personnage et l'auteur raconte sa propre histoire : dans *Les Confessions*, Jean-Jacques Rousseau est à la fois celui dont on raconte la vie, celui qui raconte, et l'auteur qui signe le livre ; il prétend dire la vérité, sans rien ajouter ni travestir. Dans le roman, au contraire, la vérité n'est pas en cause, les événements, nés de l'imagination de l'auteur, sont mesurés à l'aune du vraisemblable, et le narrateur est un personnage inventé comme les autres et dont le « je » est une fiction littéraire : Robinson Crusoé s'exprime à la première personne, nul ne pense qu'il a vraiment existé, ni ne le confond avec l'auteur, Daniel Defoe. Il en va de même dans *Le Grand Meaulnes* : François Seurel, le narrateur, est un être de papier, construit par l'auteur Alain-Fournier et distinct de lui. Le choix d'un narrateur, qui ne se confond ni avec l'auteur, ni avec le héros, instaure d'emblée une distance entre Alain-Fournier et son texte.

Ce narrateur ne se confond pas non plus avec l'adolescent de quinze ans, l'ami de Meaulnes, qu'il est dans l'histoire. François Seurel, dont la vie manque totalement de romanesque (fils d'instituteur, adolescent simple et sage, instituteur lui-même), raconte une histoire dans laquelle il a été acteur. Entre l'aventure et le récit rétrospectif, les premières lignes marquent nettement les bornes : « Nous avons quitté le pays depuis bientôt quinze ans et nous n'y reviendrons certainement jamais. » L'abandon de la maison souligne le fait que François parle, depuis l'âge adulte, d'un temps révolu, et raconte une aventure dont il connaît le dénouement malheureux et dont le héros a disparu. Le roman ne nous donne pas le point de vue d'un enfant, ce n'est pas un adolescent qui raconte sa jeunesse, et le recul dû à l'âge vient tempérer l'adhésion aux événements narrés.

✤ Le genre romanesque renouvelé

Alain-Fournier ne veut pas écrire un roman traditionnel. *Le Grand Meaulnes* est à la croisée des chemins de plusieurs genres.

Le conte de fées

Par certains de ses éléments, *Le Grand Meaulnes* relève de ce genre : le château, la princesse (« celle qui avait été la fée, la princesse et l'amour mystérieux de toute notre adolescence », chapitre X-3e partie), les serviteurs étranges… L'importance des habits mérite d'être soulignée (le gilet de soie de Meaulnes). Les déguisements permettent la métamorphose des conditions et l'entrée dans un monde merveilleux. Des épisodes de contes de fées connus se lisent en filigrane dans certaines situations. L'errance de Meaulnes dans les bois, la lumière à la fenêtre d'une chaumière, cette femme qui l'accueille la nuit rappellent les aventures du Petit Poucet se présentant à la maison de l'Ogre. L'arrivée de l'écolier au Domaine, à travers des forêts, semble une réécriture du Prince charmant approchant le château de la Belle au bois dormant. Valentine aperçue par le jeune seigneur et immédiatement demandée en mariage reproduit le schéma narratif de Cendrillon. L'indigence d'Yvonne, qui n'a plus que son vieux cheval Bélisaire pour tirer le carrosse, fait penser au même conte, mais la fragile héroïne n'a pas de marraine aux pouvoirs surnaturels pour transformer en fringant coursier la triste rossinante.
Si donc le roman évoque le conte de fées, c'est un conte merveilleux sans les fées.

La littérature pour enfants

Les éléments de ce genre sont reconnaissables (histoire de l'identité cachée de Frantz, du plan secret dessiné par Meaulnes et volé par le bohémien) et soulignés par les titres de chapitres : « Nous tombons dans une embuscade », « Le bohémien à l'école »… Le thème le plus marquant est celui de l'enfant fugueur, celui qui ose partir vers un ailleurs qui échappe à l'autorité des adultes ; or Meaulnes débouche dans un Domaine où les enfants font la loi.

Le roman d'aventure

Le Grand Meaulnes emprunte sa structure d'ensemble au roman d'aventure : la progression de l'histoire n'est pas fondée sur une déduction. Le lecteur est mené de façon imprévue aux portes du Domaine étrange, l'intervention du bohémien dans la deuxième partie provoque une sorte d'imbroglio que même les gendarmes ne parviennent pas à débrouiller. On trouve les dangers et les preuves de courage que ce type de littérature nous laisse attendre, l'équipée de Meaulnes a un air chevaleresque et sa quête a souvent été rapprochée des romans du Moyen Âge. L'auteur accentue lui-même cette dimension en citant Daniel Defoe, de telle sorte qu'il inscrit son texte dans le début d'une aventure connue. C'est un roman où les événements ont une importance essentielle, et où la découverte de l'histoire peut être le principal moteur d'une première approche. Le livre se prête à une lecture d'enfant, avide dévoreur de pages, susceptible de céder à la fascination du contenu, confondant les êtres de papier avec des personnes, et se laissant prendre au piège du livre.

Le roman poétique

Ce genre impose ses lois : le décor ne se laisse pas réduire à un ornement, il est toujours orienté, symbolique, il contient la révélation et il forme un écrin qui enchâsse les personnages ; en effet, les figures sont inséparables du paysage, l'image romantique de Frantz s'ajuste au château en ruine, tout comme Yvonne rime avec Sologne.
Ainsi que dans un texte poétique, le sens n'est pas arrêté, aucune interprétation définitive ne vient clore la narration, qui reste ambiguë. Le narrateur livre et dérobe l'aventure qu'il raconte, la révélation reste obscure et le héros garde son mystère. La plume maladroite du peu clairvoyant François ne met pas fin à ce foisonnement des significations. Enfin, l'écriture emprunte parfois ses moyens à la poésie.

✣ Les personnages masculins

Dans ce roman, le moi de l'auteur éclate en trois personnes. Les trois parties sont dominées chacune successivement par les trois figures masculines. À la fin de l'histoire, François Seurel reste seul : Alain-Fournier inscrit ainsi dans son roman son décalage personnel entre les aspirations supérieures et la faiblesse de tout homme.

Meaulnes, Frantz, François

Dans la première partie, Meaulnes fait irruption dans le monde des Seurel, introduisant le désordre (jouant avec le feu et produisant des allumettes formellement interdites), et règne en maître sur l'école : « Alors tous le suivaient et l'on entendait leurs cris jusqu'à la nuit noire » ; c'est lui qui déclenche l'action, lui qui disparaît sans explication, lui qui détient un secret.

Dans la deuxième partie, Frantz fait irruption dans le monde des Seurel : « Le coup de sifflet nous fit penser tous les quatre à une attaque de rôdeurs et de bohémiens », introduisant le désordre et la fraude, et, dès le lendemain, il devient à son tour l'objet d'admiration des écoliers : « Il était à la place habituelle de Meaulnes, le premier de tous [...] un nouveau maître régnait sur les jeux ». C'est lui qui déclenche l'action, détient des secrets (son identité et l'emplacement du Domaine sans nom) et disparaît sans explication. Comme Meaulnes dans la première partie (le feu d'artifice), Frantz apparaît comme un homme du spectacle et un magicien (le cirque).

Dans la troisième partie, François règne en « maître » à l'école, puisqu'il devient instituteur, détient un secret (la suite de l'histoire de Valentine confiée par la tante Moinel) et déclenche l'action en envahissant la vie privée de Meaulnes. Dans la première partie, Meaulnes découvre le Domaine par un itinéraire mystérieux et presque magique, dans la troisième partie, François retrouve les lieux tant cherchés, mais sans effort et sans suivre le chemin, au hasard d'une conversation triviale.

François et Frantz

Ils portent le même prénom, mais la distance linguistique qui les sépare indique bien que les deux satellites de Meaulnes sont aux antipodes l'un de l'autre, ils sont comme deux tentations opposées du héros. Tout les sépare.

Ce qu'on sait de leur enfance oppose le fils de l'instituteur, abandonné à lui-même dans des pièces froides, à l'enfant gâté du château dont on passe tous les caprices. L'un et l'autre sont marqués dans leur chair, mais le handicap de François – congénital –, le fait boiter sans élégance ; tandis que la blessure de Frantz à la tête est la marque noble d'un chagrin d'amour. Et ce n'est pas un hasard si l'un a un prénom français, l'autre un prénom allemand, qui s'accorde mal à son patronyme. Frantz de Galais réunit les stéréotypes de la figure romantique : toujours très pâle et volontiers vêtu de noir, prêt comme Werther à mourir par un suicide d'amour. À l'autre l'école, à lui la roulotte. Contrairement à François, le sédentaire, il hante les forêts noires et s'enfuit justement vers l'Allemagne, semblable au héros romantique de *Sylvie* de Gérard de Nerval (« le lendemain j'étais sur les routes d'Allemagne »).

Si François Seurel suit la voie de Jasmin Delouche et devient un homme raisonnable, Frantz, au contraire, représente celui qui n'a jamais renoncé au monde de l'enfance. Il est semblable à Peter Pan, qui a horreur de devenir une grande personne, et, comme un héros de conte, il a une petite maison à lui tout seul, où n'entrent que les enfants.

Frantz et François, chacun à sa manière, causent le malheur de Meaulnes, François en faisant son mariage, Frantz en le défaisant. Le frère d'Yvonne se comporte comme un faux ami. Dès la deuxième partie, il prétend compléter la carte de Meaulnes, sans révéler l'emplacement du Domaine, et omet les indications essentielles. Dans la troisième partie, il sacrifie le bonheur des autres au sien : « Nous pensions arriver à temps pour emmener Meaulnes avant le mariage et chercher avec lui ma fiancée. »

✣ Les personnages féminins : Yvonne et Valentine

En face des trois héros, le roman ne met en place que deux personnages féminins, Yvonne de Galais et Valentine.

Les ressemblances

L'amour du jeune châtelain pour Valentine est aussi soudain que l'amour du paysan écolier Meaulnes pour la demoiselle du château. La différence des conditions sociales est inversée. Le comportement des deux femmes également. À l'attente sereine d'Yvonne (« Je vous attendrai »), correspond la fuite de Valentine, dont le manque de foi fait écrouler le monde fragile de l'illusion : « quel mal vous nous avez fait, vous qui n'avez voulu croire à rien. Vous êtes cause de tout. » (Chapitre XV-3e partie). Bonne ménagère, infatigable couturière, elle répare tout dans la maison de tante Moinel, mais elle est incapable de croire aux rêves.

Les deux figures féminines n'appartiennent ni l'une ni l'autre au monde du narrateur, et sont d'abord saisies indirectement (Valentine arrivant toujours après Yvonne) : par les récits de Meaulnes, de Frantz et de la tante Moinel. Toutes deux sont absentes de la deuxième partie, mais jamais oubliées, elles sont l'une et l'autre le but de la quête des garçons. François Seurel ne rencontre Yvonne que dans la troisième partie, et n'aperçoit de loin Valentine que dans la dernière page de l'épilogue.

Les différences

Valentine est prise dans le cycle du mal, Yvonne dans le cycle de la mort. C'est pourquoi l'une survit alors que l'autre agonise. Valentine, trop maquillée, trop décolletée, est une fille de la ville, Bourges, ou Paris, le monde d'où elle vient est facilement assimilé à l'enfer : « Il me vient cette pensée affreuse que j'ai renoncé au paradis et que je suis en train de piétiner aux portes de l'enfer »,

écrit Meaulnes. Yvonne est la fille du château, mais elle règne sur un domaine mort : « Mais depuis lors on avait fait tout abattre » ; elle est la descendante d'une lignée ruinée : « Déjà M. de Galais était ruiné sans que nous le sachions. Frantz avait fait des dettes [...] Nous sommes devenus pauvres. Elle porte sur sa figure les stigmates de sa fin : « ce visage si pur se marbrait légèrement de rouge, comme il arrive chez certains malades gravement atteints sans qu'on le sache », écrit François, rapportant sa première rencontre avec Yvonne.
Elles semblent s'opposer totalement. Si Yvonne apparaît comme une dame médiatrice du salut, Valentine est une fille du peuple, elle se présente comme une cendrillon responsable du malheur des hommes qui s'approchent d'elle : c'est par sa faute que Frantz tente de se suicider, à cause d'elle également que Meaulnes commet la faute inexpiable. Elle est du côté du héros romantique, et, comme Ganache, elle est habillée en Pierrot.

Les symboles

Mais le noir et blanc de son costume indiquent sur le mode symbolique qu'elle est à la fois négative et positive : les deux personnages féminins se rejoignent finalement dans le renoncement. Yvonne est une héroïne qui sacrifie son bonheur de femme, elle laisse repartir Meaulnes, par amour pour lui : « s'il faut que vous m'abandonniez un temps pour ensuite revenir apaisé près de moi, c'est moi qui vous demande de partir... ». Valentine développe les mêmes motivations généreuses, elle renonce à ce mariage un peu fou par amour pour Frantz, parce qu'elle ne se sent pas digne du bonheur qui s'offre à elle : « Je suis plus heureuse de mon sacrifice [...] que si j'étais sa femme ».
Les deux mariages s'opposent symboliquement : celui d'Yvonne est l'antithèse, surtout par le changement de tonalité, de la noce manquée de Franz. Pour Valentine : le cortège bruyant sans la fiancée, mais la joie, une joie enfantine partout présente ; pour Yvonne : une cérémonie discrète et silencieuse aussi triste qu'un enterrement : « Le mariage s'est fait à midi, avec le plus de silence possible, dans l'ancienne chapelle des Sablonnières ».

✣ Meaulnes, un personnage énigmatique

Augustin Meaulnes a dix-sept ans au début de l'histoire. Le « grand écolier paysan » est un adolescent qui refuse de grandir et se nourrit de rêves. Son arrivée est symboliquement marquée par le feu d'artifice qu'il déclenche : il est une force d'aventure.

Le paysan

Silencieux, comme les chasseurs, auxquels il est souvent comparé, d'une rudesse constamment soulignée, Meaulnes est lié à la terre (il porte la terre sur lui, ses souliers sont boueux, des brindilles de paille sont accrochées à ses habits), il est le plus campagnard des trois garçons, et le mot paysan revient plusieurs fois pour le caractériser. Il sait soigner les animaux (le cheval de la voiture de la Belle-Étoile, celui de mademoiselle de Galais). Il a les cheveux rasés, il porte des habits grossiers, paletot gros bleu, pantalon trop court. Malgré le gilet de marquis, on ne le confond pas avec un prince charmant.

Le voyageur

Dès l'arrivée au cours Sainte-Agathe, Meaulnes a déjà faussé compagnie à sa mère, et le portrait qu'elle trace de son fils est celui d'un aventurier, « l'oiseau sauvage de sa couvée ». Son « évasion » est donc préparée dès les premières pages. Meaulnes est tout le temps en train de partir. Quand François le retrouve dans la troisième partie, il prépare un grand voyage. Au lendemain de son mariage, il part sur les routes d'Allemagne et les dernières lignes suggèrent une nouvelle fuite. Quelque chose le pousse toujours vers l'ailleurs inconnu, son voyage ne finira jamais et personne ne saurait le retenir.

Les pouvoirs de Meaulnes

Une série de signes indique que Meaulnes est différent de tous les autres, il a le don de faire éclore le merveilleux, il est le magicien de ce conte de fées. La guérison de François coïncide avec son arrivée et, d'une certaine manière, on peut penser qu'il en est la cause. Frantz attend que Meaulnes retrouve sa fiancée et ne voit de salut que par son intercession.

Meaulnes, le roi des Aulnes

Il n'est pas rare qu'un auteur construise une œuvre originale, à partir d'un mythe dont il est l'héritier. Sous *Le Grand Meaulnes*, Michel Tournier reconnaît la légende du roi des Aulnes.

Le patronyme du héros est tiré du nom d'un village de Sologne, « Meaulne », mais la forme du pluriel que choisit le romancier donne au nom une consonance germanique : il semble une combinaison phonétique de « moi », avec « Aulnes ».

Du début à la fin du roman, Meaulnes est lié aux arbres : c'est en se perdant dans la forêt qu'il atteint le Domaine ; la maison des Sablonnières, où François s'installe, est à la lisière d'un bois de sapins. On le reconnaît, non au son de sa voix, mais au bruit de son pas dans les greniers. La présence de Meaulnes se traduit d'abord par des craquements insolites : « Un pas inconnu, assuré, allait et venait, ébranlant le plafond, traversait les immenses greniers ténébreux ».

Lié à l'obscurité, il apparaît comme une « forme noire » dans l'entrée obscure de la maison, comme « une ombre errante et gigantesque », dans les greniers éclairés par une bougie. Meaulnes plaît aux enfants, il est d'emblée reconnu par sa fille, à la fin du roman : « je comprenais que la petite fille avait enfin trouvé là le compagnon qu'elle attendait obscurément » ; de même, au début de l'histoire, il est immédiatement admiré des enfants de l'école qui le surnomment le « grand » Meaulnes, restent autour de lui après la classe à raconter des histoires jusqu'à ce que Meaulnes se lève et emmène tous les élèves dans la nuit : « Allons, en route ! » criait-il. Alors tous le suivaient et l'on entendait leurs cris jusqu'à la nuit noire, dans le haut du bourg... » La légende fait du roi des Aulnes un voleur d'enfants, mais seule la dernière phrase donne à Meaulnes, explicitement, cette posture : « Et déjà je l'imaginais, la nuit, enveloppant sa fille dans un manteau, et partant avec elle pour de nouvelles aventures ».

Textes et images

✣ L'école à la fin du XIXe siècle

Dans *Le Grand Meaulnes*, l'école est omniprésente : comme François et sa famille, Augustin Meaulnes et sa mère habitent dans une ancienne école où le père fut instituteur. Si François devient effectivement « sous-maître », Yvonne pourrait devenir institutrice, si M. de Galais le voulait. C'est le calendrier scolaire, école, vacances et rentrée des classes, qui rythme le temps dans le roman.

Documents :

❶ Lettre aux instituteurs de Jules Ferry (17 novembre 1883).
❷ Colette, *Claudine à l'école* (1900) - Livre de Poche.
❸ Louis Pergaud, *La Guerre des boutons* (1912).
❹ Paul Guth, *Le Naïf aux quarante enfants* (1955) - Albin Michel.
❺ La Maison-École du Grand Meaulnes à Épineuil le Fleuriel.
❻ La Maison-École du Grand Meaulnes à Épineuil le Fleuriel, en automne.
❼ La classe des grands de la Maison-École du Grand Meaulnes à Épineuil le Fleuriel.
❽ *Le Grand Meaulnes*, film de Jean-Gabriel Albicocco (1967).

❶ Monsieur l'Instituteur,
L'année scolaire qui vient de s'ouvrir sera la seconde année d'application de la loi du 28 mars 1882. Je ne veux pas la laisser commencer sans vous adresser personnellement quelques recommandations qui sans doute ne vous paraîtront pas superflues après la première année d'expérience que vous venez de faire du régime nouveau. Des diverses obligations qu'il vous impose, celle assurément qui vous tient le plus à cœur, celle qui vous apporte le plus lourd surcroît de travail et de souci, c'est la mission qui vous est confiée de donner à vos élèves l'éducation morale et l'instruction civique : vous me sau-

rez gré de répondre à vos préoccupations en essayant de bien fixer le caractère et l'objet de ce nouvel enseignement ; et, pour y mieux réussir, vous me permettrez de me mettre un instant à votre place, afin de vous montrer, par des exemples empruntés au détail même de vos fonctions, comment vous pourrez remplir à cet égard tout votre devoir et rien que votre devoir.

La loi du 28 mars se caractérise par deux dispositions qui se complètent sans se contredire : d'une part, elle met en dehors du programme obligatoire l'enseignement de tout dogme particulier, d'autre part elle y place au premier rang l'enseignement moral et civique. L'instruction religieuse appartient aux familles et à l'église, l'instruction morale à l'école.

Le législateur n'a donc pas entendu faire une œuvre purement négative. Sans doute il a eu pour premier objet de séparer l'école de l'église, d'assurer la liberté de conscience et des maîtres et des élèves, de distinguer enfin deux domaines trop longtemps confondus, celui des croyances qui sont personnelles, libres et variables, et celui des connaissances qui sont communes et indispensables à tous. Mais il y a autre chose dans la loi du 28 mars : elle affirme la volonté de fonder chez nous une éducation nationale et de la fonder sur des notions du devoir et du droit que le législateur n'hésite pas à inscrire au nombre des premières vérités que nul ne peut ignorer.

Pour cette partie capitale de l'éducation, c'est sur vous, Monsieur, que les pouvoirs publics ont compté. En vous dispensant de l'enseignement religieux, on n'a pas songé à vous décharger de l'enseignement moral : c'eût été vous enlever ce qui fait la dignité de votre profession. Au contraire, il a paru tout naturel que l'instituteur, en même temps qu'il apprend aux enfants à lire et à écrire, leur enseigne aussi ces règles élémentaires de la vie morale qui ne sont pas moins universellement acceptées que celles du langage et du calcul.

2 Pauvre vieille école, délabrée, malsaine, mais si amusante ! Ah ! les beaux bâtiments qu'on construit ne te feront pas oublier.

Les chambres du premier étage, celles des institutrices, étaient maussades et incommodes ; le rez-de-chaussée, nos deux classes l'occupaient, la grande et la petite, deux salles incroyables de laideur et de saleté, avec des tables comme je n'en revis jamais, diminuées de moitié par l'usure, et sur lesquelles nous aurions dû, raisonnablement, devenir bossues au bout de six mois. L'odeur de ces classes, après les trois heures d'étude du matin et de l'après-midi, était littéralement à renverser. Je n'ai jamais eu de camarades de mon espèce, car les rares familles bourgeoises de Montigny envoient, par genre, leurs enfants en pension au chef-lieu, de sorte que l'école ne compte guère pour élèves que des filles d'épiciers, de cultivateurs, de gendarmes et d'ouvriers surtout ; tout ça assez mal lavé.

3 Ce lundi matin, en classe, cela tourna mal, plus mal encore que le samedi.
Camus, sommé par le père Simon de répéter en leçon d'instruction civique ce qu'on lui avait seriné l'avant-veille sur « le citoyen », s'attira des invectives dépourvues d'aménité.
Rien ne voulait sortir de ses lèvres, toute sa face exprimait un travail de gésine intellectuelle horriblement douloureux : il lui semblait que son cerveau était muré.
« Citoyen ! citoyen ! pensaient les autres, moins ahuris, qu'est-ce que ça peut bien être que cette saloperie-là ? »
[...]
« Alors, vous ne savez pas ce que c'est qu'un citoyen ?
– !...
– Je vais vous coller à tous une heure de retenue pour ce soir ! »
Des frissons froids coururent le long des échines.
« Enfin, vous ! êtes-vous citoyen ? » fit le maître d'école qui voulait absolument avoir une réponse.

4 Je frappai dans mes mains. Le geste me parut bien classique, mais je n'en trouvai pas d'autre. Pour attirer l'attention, les présidents d'assemblée usent d'une clochette. Ne disposant ni du fouet

du dompteur, ni du claquoir du sacristain, il était naturel qu'un professeur frappât dans ses mains.
À mon tour, j'eus l'air d'applaudir à cet ordre idéal auquel, depuis des siècles, sous les boulettes de papier mâché et les constellations du poil à gratter, des multitudes de pédagogues ont rêvé.
J'émis sans doute ce bruit avec la fermeté nécessaire, car ils sursautèrent. Si, comme autrefois, l'un d'eux avait reproduit cet applaudissement en écho, j'étais perdu.
Enhardi par mon succès, j'osai envisager d'articuler les paroles rituelles : *Allons, en rangs !...* [...]
Allons, en rangs !... éclata dans le couloir, comme une détonation. J'avais donné à ces trois mots la sècheresse du garde à vous, en y ajoutant quelque chose d'engageant.

5

6

7

Pour approfondir

✣ Étude des textes

Savoir lire

1. Document 1 : de quelle tâche morale les instituteurs sont-ils chargés ? Pensez-vous, comme l'écrit Jules Ferry que le rôle de l'école est de « préparer à notre pays une génération de bons citoyens » ?
2. Documents 2 et 3 : montrez qu'un même thème, l'école, peut-être abordé de façon totalement différente, en fonction de l'état d'âme du narrateur : nostalgique chez Alain-Fournier, ironique chez Colette, comique chez Pergaud.
3. Document 4 : quel changement de point de vue apporte ce texte ? Les instituteurs mis en scène dans les différents romans ont-ils la même expérience ? Par quels moyens assurent-ils leur autorité ?

Savoir faire

4. Vous devez convaincre un petit enfant d'aller à l'école. Développez vos arguments.

✣ Étude des images

Savoir analyser

1. Documents 5 et 6 : quels sont les différents espaces repérables sur les photos qui composent l'ensemble de l'école ? Aimeriez-vous fréquenter une école de campagne ? Relisez la description de l'école dans le chapitre I. Relevez les éléments que vous voyez sur la photo et que l'auteur ne mentionne pas.
2. Document 7 : l'école représentée dans le film est-elle conforme à celle que décrit le roman ou à celle que décrit Colette (texte 2) ? Quels éléments appartiennent encore à l'école d'aujourd'hui ? Quels détails évoquent une époque révolue ?
3. Document 8 : relevez toutes les transgressions auxquelles se livrent les élèves. Quelle est l'attitude du maître d'école devant ce désordre ?

Savoir faire

4. Que pensez-vous de l'uniforme à l'école ?
5. En réaction à l'école d'Épineuil et à celle de Sainte-Agathe qu'on vous décrit dans le roman, décrivez l'école idéale.

✣ Les lieux du roman

De nombreux éléments de l'enfance d'Alain-Fournier se retrouvent dans le roman. Comme le Combray de Proust (Illiers), la Sologne d'Alain-Fournier a une existence concrète, au point qu'on peut dire que *Le Grand Meaulnes* a pour sujet central la Sologne. Les lieux où se déroulent les aventures de Meaulnes correspondent précisément à des lieux connus.

Documents :

❶ Circuit Alain-Fournier en Sologne et Berry, reproduit dans le *Bulletin des amis de J. Rivière et d'Alain-Fournier*, n° 44, 1987 ; « Promenades d'Alain-Fournier en Berry ».

❷ Vue d'Épineuil le Fleuriel. Aquarelle de Françoise Rullier-Theuret (2009).

❸ La chambre d'Alain-Fournier dans la mansarde de la Maison-École du *Grand Meaulnes* à Épineuil le Fleuriel.

❹ Illustration de Galanis Demetruis pour *Le Grand Meaulnes* (1927).

❺ Paysage solognot. Aquarelle de Françoise Rullier-Theuret (2009).

❻ Un étang. Aquarelle de Françoise Rullier-Theuret (2009).

1

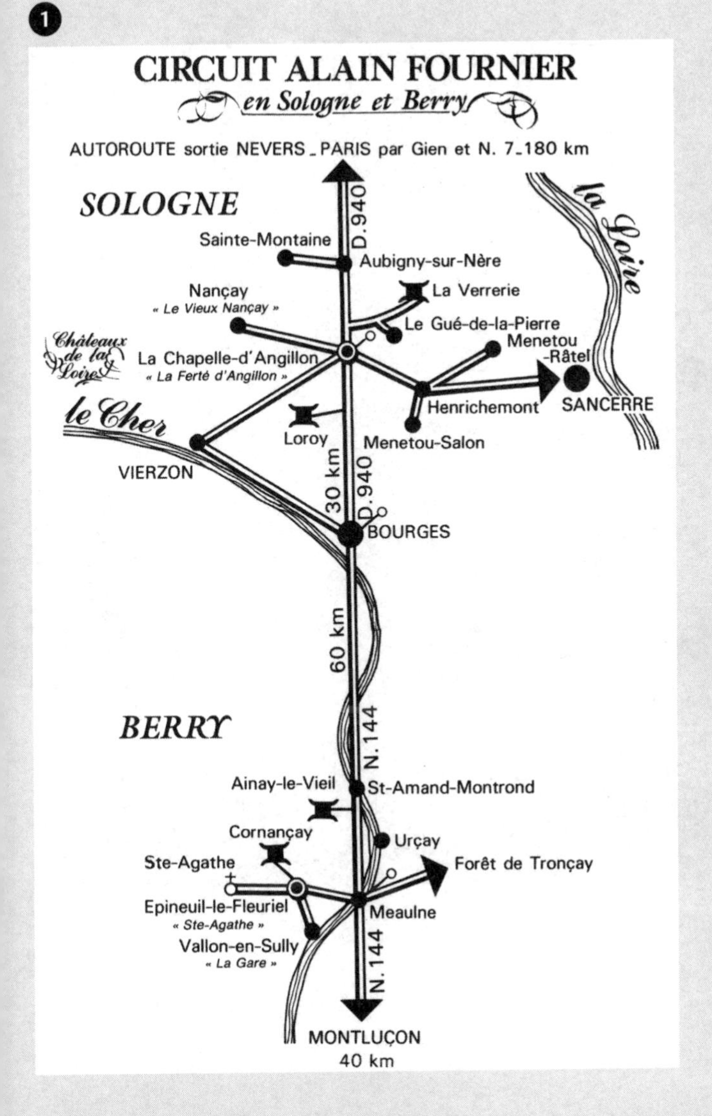
CIRCUIT ALAIN FOURNIER
en Sologne et Berry
AUTOROUTE sortie NEVERS _ PARIS par Gien et N. 7 _ 180 km
SOLOGNE
D.940
la Loire
Sainte-Montaine
Aubigny-sur-Nère
La Verrerie
Nançay
« Le Vieux Nançay »
Le Gué-de-la-Pierre
Châteaux de la Loire
La Chapelle-d'Angillon
« La Ferté d'Angillon »
Menetou -Râtel
SANCERRE
Henrichemont
le Cher
Loroy
Menetou-Salon
VIERZON
30 km
D.940
BOURGES
60 km
BERRY
N.144
Ainay-le-Vieil
St-Amand-Montrond
Cornançay
Urçay
Ste-Agathe
Forêt de Tronçay
Epineuil-le-Fleuriel
« Ste-Agathe »
Meaulne
Vallon-en-Sully
« La Gare »
N.144
MONTLUÇON
40 km

2

3

Pour approfondir

✣ Étude des images

Savoir analyser

1. Document 1 : la carte superpose les lieux du roman aux lieux réels. Quel rapport reconnaissez-vous entre les noms géographiques et les noms du roman ? Quel personnage est originaire de la Ferté-d'Angillon ? Que se passe-t-il au vieux Nançay ?
2. Document 2 : Alain-Fournier a vécu ses premières années à l'école d'Épineuil-le-Fleuriel où il a été élève dans la classe de son père pendant sept ans (l'école de « Sainte-Agathe » dans le roman). Que vous suggère l'importance de la grille qui sépare l'école du village ? Pouvez-vous situer l'emplacement de l'école par rapport au village ?
3. Doc. 3 : cette chambre d'enfant ressemble-t-elle à la vôtre ? Quels sont les éléments qui appartiennent au passé et qu'on ne trouve plus aujourd'hui ? Cette mansarde sans chauffage vous semble-t-elle un lieu de vie possible ?
4. Document 4 : à quelles scènes du roman ces vignettes font-elles allusion ?
5. Documents 5 et 6 : quels sont les éléments composant ce paysage ? Formulez l'impression générale qui s'en dégage

Savoir faire

6. Dans quelle maison préféreriez-vous habiter : dans la maison-école de M. Seurel, dans le château à l'abandon de M. de Galais ou dans la roulotte de Ganache ? Justifiez votre réponse.

Vers le brevet

Sujet 1 : de « Et, entre les hautes haies, la route... » jusqu'à « eût immédiatement rebroussé chemin. », l. 43-71, p. 53-54.

Questions

1. Quel est le point de vue adopté dans le texte ?
2. Relevez les adjectifs et les substantifs qui expriment l'état d'esprit de Meaulnes.
3. Quel est le temps du verbe dominant dans ce passage ? S'agit-il d'une narration ou d'une description ?
4. Relevez les éléments qui expriment le temps (substantifs, adverbes, compléments circonstanciels, propositions subordonnées circonstancielles).
5. Quels sont les éléments qui font naître l'inquiétude ?
6. Quelle serait la réaction la plus raisonnable dans la situation décrite ?
7. Quel sens faut-il donner ici au mot « voiture » ?
8. Quels sont les éléments qui donnent de Meaulnes l'image d'un « gars » qui sait ce qu'il fait ? Selon vous, est-il quelqu'un de raisonnable ?

Réécriture

Relevez au moins cinq cas de relations de cause à conséquence et reformulez-les à l'aide d'une proposition subordonnée sur le modèle : La jument a cessé de trotter parce qu'elle boite.

Réécrivez au discours direct toutes les pensées de Meaulnes sur le modèle de la phrase : « Jamais nous n'arriverons à Vierzon pour le train », dit-il à mi-voix.

Rédaction

Vous est-il arrivé de perdre votre chemin (dans une ville, dans une forêt, sur une plage, dans n'importe quel lieu inconnu) ? Vous raconterez cette expérience réelle ou imaginaire à la première personne, en insistant plus particulièrement sur le moment où vous découvrez que vous êtes perdu, passant du doute à la constatation.

Petite méthode pour la rédaction

• Le récit se situe dans **le temps**, la description s'inscrit dans **l'espace**. L'objet décrit est ainsi posé dans le monde.

• Mais c'est la signalisation spatiale autant que les indications temporelles qui donnent à la narration sa consistance et sa **vraisemblance**. L'histoire gagne à être située dans le monde.

• C'est à partir des noms, réels ou imaginaires, que se fabrique l'impression de vraisemblance : **la description** est un point d'appui nécessaire à la narration par lequel l'ensemble du texte donne l'impression de renvoyer au réel.

• Il faut que le lecteur de votre rédaction ait envie d'aller jusqu'au bout ! Cette captation de l'attention s'obtient par **un juste dosage de l'information et de la sous-information**. Il faut donner juste assez d'éléments pour faire attendre, ou faire comprendre qu'il y a quelque chose à attendre. Le récit est un jeu entre l'auteur et le lecteur où l'auteur donne les informations au compte-gouttes : il ne faut donc pas commencer par dire que vous êtes perdu, mais le faire deviner progressivement.

Sujet 2 : de « Ce magasin, avec ses comptoirs... » jusqu'à « ...curieux de toutes leurs histoires... », l. 33-64, p. 158.

Questions

1. Qui désigne le pronom « on » dans « on mettait longtemps à le reconnaître », et dans « où l'on torréfiait le café » ?
2. Qu'appelle-t-on « terre battue » ? Est-ce généralement ce qu'on trouve dans une maison ? Quelle indication sur le pays nous donne ce détail ?
3. Qu'est-ce que le narrateur appelle du « sent-y-bon » ? Comment ce mot est-il composé ? Est-ce qu'il se trouve dans le dictionnaire ? Pourquoi ?
4. Qui décrit le magasin ? Quel est le point de vue dominant ?
5. À quel moment le récit est-il fait ? Quels sont les éléments dans le texte qui permettent d'établir une différence entre le narrateur qui écrit et l'enfant qui a connu le magasin ?
6. Justifiez l'emploi de l'imparfait dans le premier paragraphe. L'imparfait a-t-il la même valeur dans le troisième paragraphe ?
7. Quels sont les éléments qui déclenchent le rêve ? Par quels mots précis le magasin apparaît-il comme le point de rencontre de l'extérieur et de l'intérieur ? Du lointain et du proche ?
8. Quelle image de la vie offre la famille de Florentin ?
9. Relevez les éléments qui apparaissent au pluriel. Quel sentiment ces pluriels évoquent-ils ? Comment comprenez-vous l'opposition entre le singulier qui s'applique au magasin et le pluriel qui s'applique aux gens et aux marchandises ?
10. Comment comprenez-vous l'expression « ce dédale d'objets de bazar » ?

Réécriture

1. Réécrivez le deuxième paragraphe à la troisième personne.
2. Réécrivez les deux dernières phrases du texte en changeant l'ordre des groupes de mots.

Rédaction

Certains endroits ont le pouvoir de susciter le rêve, la boutique de Florentin, par exemple, par les objets qu'elle contient. Vous décrirez à votre tour un lieu de votre choix comme si vous étiez plus âgé, en reprenant la position du narrateur qui décrit, longtemps après, un lieu qui a enchanté son enfance.

Petite méthode pour la rédaction

- Une description n'a aucune raison de se terminer, on peut toujours ajouter des « et aussi, et encore ». Écrire, c'est savoir renoncer. La description ne peut ni ne doit tout dire, **le choix des détails** doit s'appuyer sur la sélection et non sur l'accumulation.
- Les mots ont des qualités, ils font plus que nommer, ils véhiculent une vision du monde. L'écrivain qui sait jouer sur **les connotations** choisit ses mots en vue d'un effet.
- Une description peut chercher à mettre en valeur son objet, l'écrivain choisira alors **un vocabulaire valorisant**. Une description peut chercher à donner une idée négative de l'objet décrit, l'écrivain s'appuiera alors sur **un vocabulaire aux connotations négatives**. Le choix d'un mot peut évoquer une atmosphère. L'emploi d'un mot vieilli évoquera facilement une époque ancienne (« adonc », « messire »).
- On peut désigner l'objet qu'on décrit par des termes plus ou moins spécifiques, du nom précis de l'espèce (l'albatros) au nom du genre (l'oiseau), jusqu'à un niveau de généralisation

plus élevé (l'animal). L'alternance entre les termes génériques et les termes spécifiques permet de désigner le même objet sans répéter le même mot : « un albatros s'envola, l'animal avait de grandes ailes blanches ».

✣ Autres sujets d'entraînement

Sujet 1 : de « Je n'avais jamais fait » jusqu'à « on allume un feu. », l. 1-33, p. 165-166.

1. Relevez les indications temporelles.
2. Quel est le point de vue adopté dans le texte ? Qui raconte l'histoire ? À quel moment ?
3. Justifiez le présent dans : « Si déjà pour un jeune homme ordinaire la bicyclette est un instrument bien amusant ».
4. Justifiez l'inversion du sujet dans : « que ne devait-elle pas sembler ».
5. Par quels moyens s'exprime l'enthousiasme (choix des mots, modalités, modes du verbe, métaphores) ?
6. À quelle date sont apparues les premières bicyclettes ?
7. Où est-ce qu'on peut voir des grandes roues ? Comment appelle-t-on généralement une « grande roue à palettes que le vent fait tourner » et qui a pour fonction de « monter l'eau » ? Pourquoi ne pas appeler cette chose par son nom ?

Sujet 2 : de « L'homme fit jouer doucement… » jusqu'à « parce qu'il pleurait », l. 51-77, p. 236-237.

1. Qui raconte l'histoire ? Quelle est sa place par rapport aux événements ? Quel personnage est le héros du roman ?
2. Qu'appelle-t-on une « scène » romanesque ? Pouvez-vous ici en retrouver les caractéristiques ?
3. Relevez les connecteurs temporels (« puis », « alors »…) et logiques (« mais », « et »…) et précisez leur valeur.
4. Relevez les participes présents. De quelle manière inscrivent-ils les actions dans le temps ?
5. Donnez la nature grammaticale des mots dans la phrase : « Et il resta là, debout, sourd, immobile et terrible. » Comment fait-on la différence entre un adverbe et un adjectif ?
6. Sur quel effet de surprise se construit le premier paragraphe ? Commentez le passage de « L'homme » à « le grand Meaulnes ».
7. Quel est le ton de cette scène ?
8. Comment la pudeur des sentiments se manifeste-t-elle dans le texte ? Comment appelle-t-on le type d'émotion provoqué par la scène ?

Sujet 3 : de « Un jour de congé enfin… » jusqu'à « on avait recommencé à écrire. », l. 34-61, p. 219.

1. Qui désigne le pronom « on » dans la dernière phrase ?
2. Que nous apprend ce texte sur les travaux d'école de l'époque ? Est-ce que l'école d'aujourd'hui propose encore les mêmes exercices ? Qu'est-ce qui peut remplacer le « Cahier de Devoirs Mensuels » dans l'école d'aujourd'hui ?
3. Qui raconte l'histoire ? Quel est le point de vue dominant ? Est-ce que le narrateur connaît tout de l'histoire qu'il raconte ?
4. Cautionnez-vous l'attitude de François ? Est-ce qu'il a le droit de fouiller dans les affaires de Meaulnes ? Quelle peut être sa justification ? Comment s'appelle un tel comportement ?
5. Réécrivez le premier paragraphe en mettant « malle » au pluriel et en effectuant toutes les transformations orthographiques que demande le pluriel.
6. Qu'appelle-t-on des « rondes » (« Le nom […] était écrit sur la couverture en ronde magnifique ») ? Pourquoi le mot est-il au singulier ? Connaissez-vous le nom d'autres sortes d'écriture ? Relevez dans le texte tous les mots qui désignent l'écriture ou le fait d'écrire et précisez leur nature grammaticale.

Outils de lecture

Autobiographie : récit rétrospectif et qui se donne pour véridique, qu'une personne réelle donne de sa propre vie. L'autobiographie met l'accent sur l'histoire de la personnalité, tandis que les Mémoires ont une dimension historique.

Ellipse : blanc dans la narration qui ne mentionne pas certains événements, l'ellipse a deux effets essentiels, elle permet d'accélérer le rythme et de réserver certaines informations.

Éponyme : « héros éponyme » se dit d'un personnage fictif qui donne son nom à l'œuvre.

Focalisation (point de vue) : manière dont est présentée l'information et dont le narrateur se place par rapport aux personnages qu'il décrit. La focalisation consiste en la façon dont l'auteur répond à la question « qui voit ? qui juge ? » (et non à la question « qui parle ? »).

Incipit : pour les dictionnaires ce sont les premiers mots d'un texte (ainsi nommés d'après la formule des manuscrits latins *incipit liber*, « ici commence le livre »), mais on donne souvent au terme une extension plus large, et il désigne alors l'ensemble des premières phrases et des premiers paragraphes.

Itératif : lié à la question de la *fréquence narrative*, le *récit itératif* raconte en une seule fois un fait qui se répète (« Longtemps je me suis couché de bonne heure »).

***Locus amoenus* :** mot latin qui désigne un topos de la rhétorique ; le paysage idéal, matrice d'innombrables descriptions littéraires.

Modalisation : ensemble des indices linguistiques qui manifestent le type d'adhésion du narrateur à ce dont il parle (certitude, doute...).

Narration, narrateur : *narration* désigne l'acte de raconter qui fait intervenir un *narrateur* ; le mot désigne aussi le produit de cet acte (relation écrite ou orale) et qu'il ne faut pas confondre avec l'auteur.

Pseudonyme : signature qui n'est pas le patronyme d'état civil de l'auteur et masque son identité (Molière, Stendhal...).

Psycho-récit : on parle de « psycho-récit » lorsque

la pensée du personnage est prise en charge par un narrateur omniscient qui la résume, l'analyse et la commente. Le narrateur en surplomb vise alors à éclairer la psychologie du personnage, non à faire entendre son discours intérieur.

Restriction de champ : dans une stricte application de la vision avec, l'auteur ne décrit pas ce que le personnage focal ne voit pas, et réduit l'univers aux perceptions de son héros.

Retour en arrière : fondé sur la rupture de l'ordre chronologique, le *retour en arrière* permet d'évoquer après coup un événement antérieur au point où l'histoire est arrivée. Il permet de substituer un ordre dramatique ou affectif à l'ordre chronologique et d'intégrer dans la narration des faits anciens.

Rétrospective : la *narration rétrospective*, ou ultérieure, est faite aux temps du passé, une fois que l'histoire est achevée. Le narrateur est alors en position de transcendance par rapport à une intrigue finie, ce qui lui permet des anticipations.

Roman à la première personne : le roman à la première personne prend la forme d'une autobiographie, mais il n'en est pas une, le narrateur est une création de l'auteur. Il met en scène des personnages fictifs, et l'histoire qu'il raconte n'est jamais vraie, mais seulement vraisemblable.

Stéréotype : idée ou opinion largement acceptée, le stéréotype appartient aux représentations collectives et aux schémas culturels qui permettent de construire les représentations sociales ; il assure celui qui l'emploie d'un sens partagé.

Topos : au pluriel, *topoï* ; motif qui revient souvent jusqu'à constituer un thème récurrent et un point de passage attendu dans les œuvres littéraires.

Vision avec : on parle de *vision avec* (ou focalisation interne) lorsque l'événement surgit à l'intérieur d'un point de vue.

Bibliographie et filmographie

Autres œuvres d'Alain-Fournier

Alain-Fournier n'a écrit qu'un seul roman, *Le Grand Meaulnes*.

◗ La publication par Jacques Rivière, chez Gallimard en 1924, de *Miracles* fait découvrir les productions antérieures (poèmes et textes courts) au *Grand Meaulnes*, et restitue au roman son véritable contexte d'écriture.

◗ La parution de brouillons de *Colombe Blanchet*, dans *La Nouvelle Revue française* en 1922, est plus controversée. Fallait-il publier des fragments aussi inachevés ?

Autres œuvres sur le thème de la représentation de l'adolescent

Le Petit Chose, Alphonse Daudet (1868)

◗ Le roman de Daudet s'inspire d'une enfance malheureuse, l'école est pour lui le lieu de l'humiliation, en tant qu'élève d'abord, que surveillant ensuite.

La Guerre des boutons, Louis Pergaud (1912)

◗ Le roman raconte de manière épique les combats que se livrent deux troupes de gamins de deux villages rivaux.

Les Faux-Monnayeurs, André Gide (1926)

◗ Les héros de cette vaste fresque sont des adolescents confrontés à la fausse monnaie du monde.

Filmographie

Le roman ne manquait pas d'images pour tenter un metteur en scène, les combats d'enfants dans la cour d'école, le bal masqué, le château à demi ruiné, les scènes de cirque… Cependant, la position des ayants droit fut pendant longtemps de réserver les droits : « mon fils et moi avons décidé définitivement que nous n'autoriserions jamais la mise à l'écran du *Grand Meaulnes* » (1963).

Ce qui explique que deux films seulement ont été tirés du *Grand Meaulnes*.

Bibliographie et filmographie

- Un film français de Jean-Gabriel Albicocco (1967). Avec Brigitte Fossey (Yvonne de Galais), Jean Blaise (Augustin Meaulnes), Alain Libolt (François Seurel), Alain Noury (Frantz de Galais).
C'est un film dont les choix esthétiques et les effets visuels sont très controversés. Isabelle Rivière, la sœur d'Alain-Fournier, exige alors que le film soit tourné dans les lieux réels et que les figurants soient des gens du pays. Elle est présente tous les jours sur le tournage. La fidélité au roman est exemplaire. Les scènes du domaine sans nom sont volontairement floues pour suggérer une impression de rêve.

- Un film français de Jean-Daniel Verhaeghe (2006).
La distribution est prestigieuse : Nicolas Duvauchelle, Jean-Baptiste Maunier (le héros des *Choristes*), Philippe Torreton, Jean-Pierre Marielle. Clémence Poésy interprète Yvonne de Galais.
Le réalisateur évacue la dimension féerique présente dans le roman et choisit une perspective réaliste (il supprime le personnage mystérieux de Ganache qui accompagne Frantz). Il inscrit les personnages dans la réalité avec un souci de reconstitution, comme le montre la cérémonie de remise des certificats d'étude (scène ajoutée). Le réalisateur transforme le personnage de Meaulnes en s'inspirant de la biographie d'Alain-Fournier : comme l'auteur, il est tué au début des combats en 1914.

Internet

Il est intéressant de visiter le site Internet consacré au *Grand Meaulnes* : http://www.legrandmeaulnes.com

Crédits photographiques

Couverture	**Dessin Alain Boyer**
7	reprise page 9 : Ph. X. DR - Coll. Archives Larbor
11	reprise page 18 : Bibliothèque nationale de France, Paris - Coll. Archives Larousse
261	© Maison-École du Grand Meaulnes
262	© Maison-École du Grand Meaulnes
263	© Maison-École du Grand Meaulnes
264	Prod DB © Madeleine-Awa / DR
267	© DR
268	© Françoise Rullier-Theuret
269	© Maison-École du Grand Meaulnes
270	Bibliothèque nationale de France, Paris - Ph. Coll. Archives Larbor © Adagp, Paris 2009
271	© Françoise Rullier-Theuret
272	© Françoise Rullier-Theuret

Direction de la collection : Line KAROUBI
Direction éditoriale : Frédéric HABOURY
Édition : Marie-Hélène CHRISTENSEN
Lecture-correction : service lecture-correction LAROUSSE
Recherche iconographique : Valérie PERRIN, Agnès CALVO
Direction artistique : Uli MEINDL
Couverture et maquette intérieure : Serge CORTESI, Sophie RIVOIRE, Uli MEINDL
Responsable de fabrication : Marlène DELBEKEN

Photocomposition : CGI
Impression : Rotolito Lombarda (Italie)
Dépôt légal : Juillet 2009
N° Projet : 11007662 – Juillet 2009

Sink or Swim

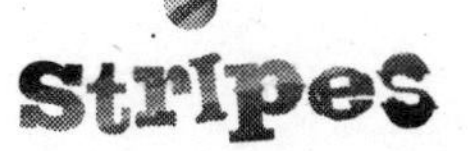

I get a serious case of new school nerves (unlike my BFF!)

"Ellie! If you don't hurry up you'll miss the bus!" Mum called from the hall.

I grabbed my bag and hurried downstairs. It felt like a trillion butterflies had woken up inside me after a whole summer asleep. Normally I couldn't wait to get back to school after the summer holidays. But this year was different – because in three days' time I'd be starting a whole new school, not just a new term. My heart skipped a beat whenever I thought about it. And today me and Jas were having a trial run of the route to make sure we didn't get lost on Monday.

"I've printed out a list of the bus times for you,"

Mum said, waving a piece of paper at me as I yanked on my trainers. "Now, are you sure you know where you're going?"

"Um, I think so," I said, suddenly feeling uncertain.

"I can come with you, if you like," Mum offered, as I took the paper and stuffed it into my bag.

"No, it's OK, me and Jas will be fine!" I opened the front door and stepped out into the early September sunshine. "See you later!"

I half walked, half ran to the end of my road and round the corner to Jas's flat. Jas and I had been best friends since for ever, and did everything together. I was about to knock when the front door flew open. Jas's mum, Gloria, greeted me with Jas's little sister, Lulu, balanced on her hip.

"Now, Ellie," Gloria began, putting on her stern voice before I could even say hello, "you're more reliable than my head-in-the-clouds daughter, so I'm giving this to you. Don't lose it, you hear?"

She shoved a piece of paper at me. On it was a hand-drawn map of the route, detailing every post box and shop on the way.

"Right, thanks, Mrs Cole," I said, as I took the paper and popped it in my bag, next to Mum's timetable.

Jas appeared at the door, clutching a neon-pink bag.

"Hi, Ellie!" she beamed, grabbing my arm. "Right, let's go!" She kissed Lulu goodbye, then stepped past her mum.

"Remember to ask the bus driver where to get off," Gloria called.

"You've said that a hundred times this morning," Jas said, rolling her eyes dramatically and making me laugh. "We know what we're doing... Sort of!" she added to me, under her breath.

As we headed down the path, Gloria hurried after us.

"And make sure you sit downstairs where you can see the driver," she called out.

"Yes, OK, Mum!" Jas giggled, before whispering, "Quick, let's get out of here!"

We rushed out of earshot and made for the bus stop two streets away. Jas glanced sideways at me as I pulled out Mum's timetable and checked my watch.

"Nervous?" she asked. Jas could always tell what I was thinking, without me having to say a word.

"Maybe just a little," I admitted.

"Thought you might be. That's why I bought you this!" she grinned, delving into her bag. She pulled out the latest copy of *Fab Girl!*, my favourite magazine.

"We can have a flick through on the bus. Oh, and there's an article about 'starting new schools with confidence', too – thought it might come in handy..."

"Brilliant – thanks, Jas!" I beamed.

Introducing Jasmine Cole, aka Jas, officially the most thoughtful – and best – friend in the whole world! We met on our first day at nursery and have been inseparable ever since. We know each other inside out, which is why Jas could tell how terrified I was about starting a new school without me having to say a word.

We were almost at the bus stop when we heard frantic pedalling from behind. Suddenly a BMX whizzed past. The brakes squealed and the bike skidded sideways right in front of us, stopping us in our tracks. It was Jas's brother, Josh.

"You forgot your bus pass, loser," he said, flinging it towards Jas. I panicked for a second, convinced I'd forgotten mine, too. I scrabbled through my bag, my heart racing, until my fingers closed round it. From next Monday I'd have to remember it *every day*. The nerves about swapping the comforts of Woodview Primary for the scarily vast Priory Road Secondary were starting to kick in. BIG TIME. And losing my bus pass was ***fear number 1***.

"Oh, and for the record," Josh continued, sitting back in his saddle, one foot resting on the handlebars, "I know we're going to be on the same bus each day, but that doesn't mean you can act like you know me. I'll be with my mates and I can't be seen hanging about with Year Sevens. Clear?"

Jas tutted as she dodged round him, dragging me with her. "Like I'd be seen dead with you anyway!"

I felt my stomach flip. After being top of the school at Woodview, we were about to find ourselves bottom of the social pile at Priory Road, ignored and dismissed by every year above us. That'll be ***fear number 2***.

"And don't forget what Mum said," Josh shouted out. "Make sure you sit near the driver!"

He spun his bike round and sped off, laughing like a hyena.

Jas scowled after him. "When I get to Priory Road, Mum and Josh will *finally* have to stop treating me like a baby. I mean, I'll practically be a teenager."

"Jas, we're only eleven," I said, as the bus appeared round the corner and pulled up beside us. We jumped on, flashing our cards at the driver. Jas defied her mum's advice and raced up the stairs, with me in hot pursuit. "We've got two more years before we're thirteen..."

"Correction!" Jas shouted dramatically. Everyone glanced up at us as we flumped on to one of the front seats. "I'm twelve in December, remember, so that's technically only seventeen months. *Way* sooner than you, my tiny friend."

"I know, and you don't have to tell the whole bus," I sighed.

Great timing, Jas – here comes ***fear number 3***...

My birthday wasn't until early July. I'd been one of the youngest – and smallest – in our year at Woodview. A couple of the older boys in our class, including the overgrown class clown, Zac Finch, had acted like I was a baby compared to them. Jas had stuck up for me whenever anyone had been mean, but I was worried that everyone at Priory would see me like that, too. I'd hoped that I might sprout up over the summer, but I'd stayed stubbornly the same height. Jas, on the other hand, had grown taller; her legs were like stilts compared to mine.

"It's going to be so weird getting the bus to school every day," I said, watching the town fly past through the front window.

"Think of it as an adventure," Jas said excitedly. "Now, let's have a look at *Fab Girl!*"

Sink or Swim

We were so engrossed in checking out our horoscopes, that we almost missed the stop. Suddenly, Priory Road loomed into sight up ahead. I jumped up and quickly pressed the bell, then we hurried down the stairs and hopped off through the open doors. As the bus pulled away, we walked up to the railings and looked through the big iron gates at the tall, red-brick building, with its hundreds of identical windows.

I shivered. "It still looks more like a prison than a school."

The butterflies inside me fluttered wildly. I'd never find my way around there!

Me and Jas had been to an orientation day in our last term at Woodview. The idea was to introduce us to the school and some of the teachers. Oh, and reassure us by answering any questions. But instead it had just made my fears more real! All our fellow newbies were there, bussed in from various schools. We'd been split into small groups and shown round endless corridors, peeping into a hundred rooms filled with pupils who looked up at us disinterestedly.

Then we'd returned to the hall to find out which of the three forms we were in: Goldfinch, Kingfisher or Peregrine. I'd been dreading this bit, and it had been a

nail-biting five minutes before Jas joined me in Kingfisher, along with five others from Woodview – Trin and Molly (whose best friend, Tabitha, was put in Peregrine), Ajay, Travis and, worst luck, Zac Finch. He already seemed to have found himself a partner in crime in a boy called Ed, who had messy brown hair and the sort of face that always looked on the edge of smiling. The two of them sat there flicking bits of paper at the rest of us, and sniggering. The last person called into Kingfisher was a girl called Kirsty, who looked way too old to be a Year Seven. She had long, pale blonde hair, which fell over her shoulders, and huge blue eyes that stared out from under her fringe. She sashayed over, pouting at being separated from her friend Eliza, who had been put in Goldfinch.

Then our form teacher, Miss Dubois, who's also going to be teaching us French, took us to our form room (1F) and handed round maps of the school. It had been quiet enough then, when the other years were busy in their classrooms, but what was it going to be like on Monday morning with the entire school fighting for corridor space and room by the lockers…

And that's ***fear number 4***. Altogether, I do believe that is, officially, a whole HEAP of fears! But the worst thing is, that wasn't even all of them...

"C'mon, Miss Daydream," Jas said, grabbing my arm. "We've made it! So that's one less thing to worry about come Monday morning."

I smiled, but the fears regrouped, making me shiver again. Jas must have noticed.

"We're going to have the best time ever, Ellie," she said. "Trust me!"

"I guess," I said, trying to sound enthusiastic.

"I know, let's go into town and buy our new pens and stuff," Jas suggested. "Then we can head to the diner for milkshakes! What d'you reckon?"

I smiled. "Great idea." The sooner we got away from Priory Road, the better.

My fears finally tumble out ... (apart from the BIGGEST one) and I have an idea!

It was only a ten-minute walk back into town. We made our way to Paper Mania and spent ages trawling the shelves, trying to decide which pens to buy.

"I know, why don't we buy the same stuff?" Jas said excitedly, grabbing identical pens to mine. "That way we can be like twins when we start at Priory Road!"

I looked at Jas, who was miles taller than me, and we both started to laugh. "OK," she grinned, "maybe not *identical* twins..."

We paid for our stationery, then walked through the shopping centre to our favourite hang-out, the

Ace Diner. Jas burst through the door, pinging the bell into a frenzy of ringing. Almost everyone stopped talking and turned to stare. A smile spread across Jas's face – she loved making an entrance wherever we went. Unlike me. I felt myself go pink under all the staring eyes.

"Awesome! Everyone's looking at us," Jas stage-whispered over her shoulder. "It's like we're famous!"

"Or just really noisy?" I suggested, as the babble of conversations started up again.

The diner was all old-style American inside. There were chrome barstools at the counter, booths along one wall and the window, and tables crammed into the centre. A neon jukebox stood in the corner. Jas weaved round the busy tables, making straight for it. She dropped a coin into the slot and chose our favourite song of the summer, "Free". As the beat started to fill the air Jas whooped, then twirled her way back to the counter, her purple dress flaring out under her denim jacket. A disgruntled dad tutted under his breath as he wobbled his tray of burgers and fries past her.

"I've made up some more moves to this," Jas said, starting to dance again as we stood in the queue.

"You'll have to come over so I can show you!" Her green eyes were shining, her face split by a huge, infectious grin.

I smiled. Life with Jas as my BFF could be a little crazy, but it was a lot of fun!

Joey, the bald, shiny-headed American who ran the diner, nodded at us.

"My favourite customers!" he boomed in his heavy Brooklyn accent. We grinned. Joey said that to pretty much everyone. "Two milkshakes coming right up!" he added, as we rummaged in our purses, counting out our money. He didn't even have to ask what we wanted. We ordered the same thing every time – the most taste-tastic thick chocolate shake for me and raspberry for Jas.

"Enjoy, enjoy!" Joey called out, as we carefully carried our shakes in their silver coolers over to our favourite booth in the corner by the window. A family had just left and me and Jas slid on to the squeaky red-vinyl seats either side of the checked table.

A *ding-dong* sound chimed out from Jas's bag.

"Text message!" she squealed. Josh had got a new phone for his birthday a week ago and Jas had been given his old one. I watched enviously as she opened up the message – it felt like I was the last person in the whole world without a mobile.

"It's from Josh," Jas said, trying hard not to smile, "checking to see if we remembered to get off the bus... Ha ha!" She dropped her phone back into her bag, then held up her shake and clinked it against mine. "Here's to surviving our very first solo journey to Priory Road. Now we officially have nothing to fear about Monday!"

Jas took a great slurp of her shake. At the mention of Priory Road, the fluttering fears inside me burst into life again.

"Aren't you even a little bit scared?" I asked.

"No way! I can't wait to get there!" Then she noticed my anxious face. "I mean, it *is* going to be strange to start with, getting to know lots of new rules and everything, and I'm sure I'll manage to get into all kinds of trouble, but I still think it'll be fun. And we'll have each other."

Jas reached over and nudged my arm and I smiled for a second. But my fears soon overtook me again and I looked down at the table.

"Spill, Ellie Lovewood," Jas said. "Tell me all the scary bits and I'll mark them out of ten."

I sighed. "OK, then. First – what if I get permanently lost in the corridors and end up wandering around for ever?"

"Hmm, let me see," said Jas, putting on a quizzical face. "Two out of ten. If you do get lost, I will, too, so at least we'll be lost together, which won't be half as scary. And anyway, Miss Dubois gave us a map, remember? What else?"

I looked at my milkshake for a second. My shoulders slumped.

"I look ridiculous in my uniform – Mum bought it big so I could 'grow into it'. Only I haven't grown at all – it completely swamps me!" I groaned. "And what if everyone laughs at my surname, just like at Woodview when Zac called me Lovetree or Lovebush all the time…? That's bound to happen now he's in the same form as us – it'll just be more of the same."

"Hang on – that's two worries! On the uniform front, one out of ten – there'll be loads of people whose mums have done the same thing. And as for the surname, zero out of ten! There's nothing wrong with your surname," Jas said reassuringly. "In fact, Lovewood makes you sound like a glamorous film star – it's way more interesting than boring old Cole.

Anyway, if Zac or anyone else dares to make fun of it, they'll have me to answer to. That's what BFFs are for, right?"

I nodded, managing a small smile. I knew Jas would be true to her word on that one – she'd fought my corner all through primary school.

"OK, then, anything else?"

"Um, no, that's pretty much it," I said, not quite meeting her eye. There was still one fear, my biggest, but somehow I just couldn't share that one with Jas, because it was all about her. She was my BFF – the bestest friend I could ever wish for – confident, popular and funny ... everything I wasn't. But Priory Road was bound to be packed with other girls just like her. What if Jas found someone amongst all the new girls who was more fun to hang around with than me, Wallflower Ellie...? And *that* was ***fear number 5*** – the most **HUMUNGOUS** of them all: ***what if Jas finds a new BFF?***

"Earth calling Ellie!"

I looked up. Jas was waving her hand around in front of my face and grinning.

"OK, scary stuff about Priory Road has been shared and rated – and it's official," Jas said, "there's nothing that you and me can't handle together. Agreed?"

"Agreed," I said, hoping she was right.

"And now, as we're in town and we've got nothing else to do, why don't we check out our favourite shop!" Jas suggested.

"Fab idea!" I said, pushing images of Jas with a new BFF from my mind. "Let's go!"

I slurped the last of my shake and we raced out of the door, calling goodbye to Joey.

We didn't stop running until we reached the best-ever shop – Runway. Its front windows were huge, with lots of mannequins draped in the coolest, wildest outfits. It was a bit expensive so we hardly ever bought anything, but we loved trying things on. It was busy inside, but we dodged round everyone, grabbing armfuls of tops, dresses, jeans and skirts. The assistant at the changing rooms tutted before slowly counting each item, one by one.

"You can't take in all of these," she said moodily. "The limit's six each."

"That's OK," Jas smiled sweetly. "We'll come back for the rest!"

We hurried into the changing rooms, and found two empty cubicles as far from the entrance as possible. After a couple of minutes puffing and giggling, Jas called out, "Ready?"

"Um-hm," I said, looking down at my ripped black jeans and black sequin-covered T-shirt. Mum would *never* let me buy anything like this! Jas threw back the curtain of her cubicle and stepped out.

"Introducing Jazzy C, supermodel *extraordinaire*, just back from Paris and Milan..." Jas strutted up and down the corridor in a mini skirt and huge collared shirt, wiggling her hips, pouting and wobbling wildly on skyscraper wedges.

I giggled, then turned to gaze at myself. I was short with round hazel eyes and straight honey blonde hair that fell just past my shoulders. Even in my bold outfit I still felt almost invisible standing next to Jas. I wished I had just a drop of her confidence, but I'd always been the shy one. And whereas Jas loved being in the spotlight, I'd done my best to blend into the background. But if I wanted to hang on to Jas as my BFF once we started at Priory Road, perhaps I was going to have to transform into someone a bit more exciting. I didn't exactly know who that someone might be, I just knew it wasn't me.

As Jas sang along to the music, pulling more poses,

something struck me. She was still the same Jas – tall and gangly, with her dark skin, green eyes and soft brown ringlets sticking out from under a flat cap. But she was totally in character. She *was* Jazzy C.

I stared blankly for a second, as an idea began to form in my head ... one which could just maybe solve my biggest fear.

Hardly anyone would know me when I started at Priory Road – so this was my chance to invent a whole new character for myself. No more Wallflower Ellie – I could be a Sassy Somebody... And if I could transform myself into the confident new girl who everyone would want to hang around with, then Jas wouldn't need to look anywhere else for a new and more exciting BFF!

All I had to do was put my plan into action. How hard could it be?

My plans rock and I get a tiny bit excited, too – whoop!

"Well, we made it!" cried Jas, as we arrived back from the shops and headed round the corner to her house. "We are officially ready for Monday morning. I'll ring you later."

"After my swimming practice," I said, pulling a face.

"Ah, Friday evening, of course," said Jas. "Have fun, and remember to ask your mum and dad if you can sleep over at mine tomorrow."

"OK!" I ran the rest of the way home, knowing that Mum would be eager to find out how the day had gone. The front door was open before I was even halfway up the path.

"Well?" she asked anxiously. "Did you find your way?"

"No probs," I said confidently.

"All set for Monday, then?"

I smiled. "I think so." I scooped up Crumble, my big tabby cat, and stroked his soft fur. After checking with Mum about the sleepover, I headed upstairs to my room. I put Crumble down on my bed and fished out the copy of *Fab Girl!* from my bag. I flicked through the pages, looking for the 'starting a new school with confidence' article, then went over to my desk and opened the top drawer. I got out the pink embroidered notebook that Jas had bought me for my last birthday and which I'd been saving for something special. I opened it on the first page, and in my neatest writing I listed *Fab Girl!*'s TOP TIPS on how to make a confident start in the new term.

• Smile loads – apparently that makes you look "friendly"!

• Make nice comments about people

• Lend someone a pen if they forget theirs (what if they chew it, though – yuck?!)

• Help someone with their work if they're struggling (I could ace this one in English, or history, my best subjects, but maths or science stuff? No way!)

• "Have fun, be fun" – apparently this, combined with bags of confidence, will make everyone want to be your friend. This definitely works for Jas!

• Never spill a secret! As if – that's one golden rule me and Jas live by!

There were two more pieces of advice in *Fab Girl!* One was to join an after-school club. The trouble with that one was that I'm already in a swimming club and practice is every Wednesday and Friday evening. I'm not too bothered about it, but Dad is! He was a county-level swimmer when he was my age and he's really keen for me to follow in his footsteps, even though I'm nowhere near as good as he was. Thing is, I know that he'd be disappointed if I told him I wanted to give up, so that's not an option. Then there are the evenings I spend with Jas (most of the rest of them). So I guess I'll have to skip that one for the moment...

The other is "be yourself". Hmmm, tricky one if I'm trying to change into someone new. So, I'm going to forget that for now.

I heard Dad's car pull up in the drive – it'd soon be time for swimming. I closed my notebook and slid it back inside the drawer, trying to imagine my first day...

I'll breeze into registration, grinning at everyone. I'll make a couple of nice comments to people, then get out my fab new pens and offer one to someone who's forgotten theirs. Then I'll say something funny that will have everyone in stitches. And try not to go pink (I always go pink – it's so cringy!). Everyone will look at me and think, *Wow! Not only is that girl friendly and smiley and good at sharing stuff, but she's totally funny, too!* Finally, just when the day can't get any better, I'll help someone out in English. Jas will be amazed and she'll be convinced that I'm the best BFF ever!

"What do you reckon?" I asked Crumble. "OK, so it might not go exactly like that," I told him, "but it's definitely worth a go."

I heard a creak on the stairs outside my bedroom.

"Everything all right?" Dad asked, popping his head round the door. He glanced down at the *Fab Girl!* article and pulled a face. "Nervous about Monday?"

"A bit," I said truthfully, although I was feeling much better than I had that morning.

"I remember feeling pretty scared when I first started secondary school," Dad said, "but just be yourself and you'll be fine."

I nodded. There it was again, the advice to "be

yourself". I thought back to the shop and watching Jas transform in front of me. I guess it was only really on the outside that I'd change into a sassy, confident someone – on the inside, I'd still be me.

"Tea's nearly ready, Shrimp," Dad said, "then it'll be time for swimming practice."

I groaned at Dad's nickname for me, and followed him downstairs.

"Not you again?" Josh joked, as he answered the door the next day. "You might as well move in, you're round here so much."

Jas yanked him out of the way and I stepped past, clutching my sleepover bag.

"Ignore him," she said, grinning.

"I normally do," I grinned back.

"Come on, I've got to show you the latest moves to 'Free'!"

We raced to her bedroom, which was at the back of the flat, overlooking a pretty walled garden. Jas's room had a wooden floor with a multicoloured rug covering most of it. The pale lilac walls were covered with posters from *Fab Girl!* and her clothes were piled up everywhere.

"Excuse the mess," she said, as she turned on the stereo.

"What mess?" I giggled back – it was what we said every time we went into Jas's bedroom. I'd never once seen it tidy.

Lulu wandered in and out, joining in the dancing, until it was time for tea. Mealtimes were always a noisy affair at Jas's. Lulu babbled away in the background, and Josh and Jas never stopped squabbling.

"You sure eat a lot for such a small person!" Josh joked, as I helped myself to seconds of Gloria's delicious jerk chicken.

"You can talk!" Jas retorted. "You must have hollow legs."

Josh and Jas kept up the banter till tea was over. Then Gloria took Lulu to have her bath and we went back to Jas's room to practise our dance routine until Gloria poked her head in and asked if we'd read Lulu a bedtime story.

Three stories later, Lulu had finally gone to sleep, and we settled ourselves on the sofa to watch *Mamma Mia*. It was Jas's favourite film – one that she could sing and dance along to. Those were the two things she loved doing most.

As soon as the first song started, she jumped up and swirled wildly round the room, pulling me with her as we sang at the tops of our voices.

Suddenly, the door opened and I flushed bright pink as Josh appeared. "Ellie, have you brought Crumble with you?" he asked. "Oh, no, my mistake – it's just my talentless sister singing."

Jas launched a cushion at Josh's head. He ducked back out of the door, just avoiding being hit. We heard Gloria telling him to stop winding us up, then we settled back down to watch the film.

"I could watch that film every day!" said Jas, as we got changed into our PJs afterwards.

"I know!" I giggled as I dug out the sleeping bag that Jas kept in her wardrobe, ready for my frequent stays. "But I'm not sure I could. Honestly, Jas, I think it's time to find a new favourite!"

Jas gave me a look of mock horror as she flipped back her duvet and slid out the secret extra single bed that was magically tucked under hers. She clambered over me as I snuggled into my sleeping bag, but we didn't fall asleep for ages, laughing and whispering

well after we'd turned the lights out. We didn't talk about Priory Road, but when we woke up the next morning it was on both of our minds.

"Just one more sleep to go!" Jas said, rubbing her eyes as Lulu bounced into the room.

I took a deep breath, reminding myself of my plan.

"Excited yet?" Jas asked.

"Kind of."

"It's going to be great." Jas smiled reassuringly. "Just wait and see!"

Nerves get the better of me and one new pen comes to a sticky end

My newfound enthusiasm didn't stop me waking up on Monday morning with a gazillion butterflies performing somersaults in my stomach. This was it – the first day of super-confident me! My stomach gurgled as if to say "Who are you kidding?" and I jumped out of bed and dashed to the loo. I had a quick shower, then pulled on my new uniform, which I'd laid out the night before, and raced downstairs for breakfast. Mum and Dad were already in the kitchen.

"Someone looks very grown-up," Dad said, as I sat down at the table.

"Hardly," I replied, looking down at my oversized

skirt and jumper. My stiff new shirt rubbed my neck as I spooned in a mouthful of cereal. I was about to take a second when I suddenly felt the need to rush to the loo again.

"Nerves do that to you," Dad told me when I reappeared. I picked up my spoon, but I didn't feel hungry any more.

"Well, I wish they'd stop," I sighed, as Mum put a box down in front of me on the table.

"We got this for you," she said, all mysterious.

I frowned as I opened it, then my face lit up. "A mobile!" I squeaked, standing up to hug them both. "Thank you!"

"It's only a basic pay-as-you-go one," Dad explained, ruffling my hair, "but I'm sure it'll do for now."

"It's perfect!" I beamed.

"We've stored our numbers in the address book," Mum said, smiling at my reaction.

"And you can set your text alert to all sorts of things," Dad explained. "A doorbell, a dog barking..."

"Oooh! That's the one I want!" I said, quickly setting it up. Once it was done, I took my unfinished cereal over to the sink, and hurried into the hall where I zipped the phone into the front pouch of my new black bag. Me and Jas had seen some sparkly purple ones, but Mum had insisted I got a sensible one. She'd said the sparkly one wouldn't last five minutes with what I'd have to fit in there. But this black one was so uncool. This morning I'd got hardly anything in it, but it was still huge and rigid. Dad walked past as I was considering sitting on it.

"Good luck today, Shrimp," he said, giving me a bear hug. "Knock 'em dead!"

"I probably could with this bag," I muttered.

Dad opened the front door and bumped straight into Jas. "Someone looks happy!" he laughed.

"Why wouldn't I be?!" Jas cried, louder than normal (which is LOUD, so I wondered if maybe underneath everything she was just a bit nervous, too).

"Jas, what are you doing here?" I asked, confused. "I thought we were meeting at yours."

"I had to get out of there – Mum was driving me mad! *And* Josh."

"And when did you get that?" I asked, noticing the sparkly purple bag she had slung over her shoulder.

"Mum got it as a surprise. Cool, isn't it?" She smiled, doing a twirl to show it off.

As I pulled on my blazer I caught sight of myself in

the mirror by the front door. I was all skirt and no legs, and my maroon jumper hung baggily beneath my oversized blazer. I sighed. I might as well have "Year Seven" stamped on my forehead. In contrast, Jas looked pretty cool in her uniform – the skirt was shorter on her stilt-like legs and her blazer, jumper and shirt actually fitted her.

"I look like such a dork compared to you," I groaned, picking up my humungous bag.

"You look fine," Jas said. "Come on, we better get going."

I took a final look in the mirror. Then I remembered my top tips and my plan to be confident. Being a moany BFF was not going to help me keep Jas!

Mum followed us to the door.

"Look after each other," she said, giving me a hug. I hugged her back, then I rushed Jas outside into the chilly early morning air and linked her arm.

"So embarrassing," I giggled, but secretly my heart lurched.

As we turned the corner, there was already a small crowd of Priory Road kids waiting at the bus stop, including Josh, who was talking loudly with a couple of his mates. True to his word, he ignored us. When the bus pulled up, everyone rushed to get on board, and it was so packed we had no choice but to stand near the driver. Josh was over by the stairs, and he looked round at us, smirking.

"We are *so* going to be late!" I squeaked, as the bus edged slowly through the traffic.

Jas smiled. "Don't panic, Ellie, look around you. If we're going to be late, so will half the school!"

There was no chance of missing our stop. The bus pulled up outside school, and everyone piled off on to the pavement, which was awash with maroon blazers. People shouted out to each other across the road, running through us to get to friends up ahead. I heard heavy footsteps and turned to see Zac Finch running past, with Ed at his side. As I glimpsed the gates looming up ahead, I could feel Wallflower Ellie hovering just below the surface. There was only one thing for it. It was time to put my plan into action; I started to smile at everyone.

"You OK?" Jas asked, noticing me grinning like mad out of the corner of her eye.

"Yes!" I replied brightly. "It's going to be great!"

"Too right! I can't believe we're finally here!" Jas cried.

She whooped excitedly and did a little jig on the spot, clonking her bag into a girl walking next to us.

I recognized the girl instantly from our orientation day – it was super-glamorous Kirsty, and she looked even cooler than before. Her skirt was way above the knee, with her socks pulled up to just below the hem. Her tie knot was fat and pulled down from her collar, and the top button of her shirt was undone. She was walking with her friend, Eliza, her almost identical dark-haired twin, and sharing headphones from her pink mobile. She glared at Jas.

"Sorry!" Jas giggled.

Kirsty muttered something to Eliza that we didn't catch. They laughed and carried on walking.

"I didn't do it on purpose." Jas tutted. "Talk about frosty!"

I watched them wander off. Jas may not have been impressed, but I couldn't help admiring Kirsty's effortless cool.

We made our way through the huge double doors into the massive entrance foyer and were immediately caught up in a sea of pupils. I faltered for a second, trying to work out which way to go, as people bumped and jostled me from every direction.

Sink or Swim

"Come on, this way," Jas said. She pulled me along the corridor, past an enormous staircase. "1F's down here somewhere, I think..."

As we walked along uncertainly, a girl with scruffy light brown hair pulled back into a pony tail stopped right in front of us and rummaged through her bag.

"Ugh, I knew I'd forget something!" she grumbled.

"What've you forgotten, Lexie?" the girl beside her asked. She had long, sleek, plaited black hair. I remembered them both from the orientation day and I was pretty sure they were in our class.

"Only my complete pencil case!" Lexie sighed. "Oh, Nisha, I was so sure I'd packed it."

This was my chance!

"I've got a spare pen!" I said, only it came out as more of a shout, earning me a few odd looks. I swung my bag off my shoulder and grabbed my pencil tin. At that moment a huge yeti-sized boy knocked into me, sending the tin flying. It hit the floor and crashed open, spilling pens and pencils everywhere. I bent down to grab them between clumping shoes and was just reaching for my favourite pen when a massive foot crunched down, shattering it. The next second a pair of brown, polished shoes clicked to a halt in front of me.

I looked up to see a fearsome teacher with wild bushy eyebrows and thick white hair staring down at me.

"Clear this mess up before you go anywhere," he barked. "And the rest of you, stop hanging around and get to your classrooms!"

Lexie made an apologetic face and Nisha whispered "sorry" before they disappeared through the doors. With a final glower, the teacher stomped off up the corridor.

"I think that's Mr Wood, the deputy head," Jas said. "Josh says he's a monster. Come on, we better be quick or we'll be late for registration!"

We collected up the bits, shoved them into one of the many pockets of my bag, then raced up the stairs to 1F.

Jas swung the door open and boldly stepped inside with me just behind. All the neat double desks were full, apart from one in the far corner. Everyone's gaze followed us as we sidestepped our way round to reach it. Jas soaked up the attention, smiling at everyone, but I could feel myself blushing pinker by the second. Lexie and Nisha were sitting at the table in front of us. As we sat down, Lexie turned in her chair.

"Thanks for the offer of a pen back there." She

smiled, then nodded to the pen she was twirling in her fingers. "Nisha's lent me one. Hope it didn't get you into trouble?"

"No, not really," I smiled back, thinking that even though I'd missed out on the pen-lending opportunity, it hadn't been entirely wasted.

"What's your name, by the way?" Lexie asked, as Nisha turned round, too. I was about to tell her, when Jas jumped in. "I'm Jasmine, and this is my best friend, Ellie!"

We all exchanged smiles, but inside I couldn't help feeling frustrated. I knew Jas was just looking out for me, and being the perfect BFF as usual, but how was I ever going to put my plan into action if I didn't get the chance to speak for myself!

I get a new nickname and Jas steals my thunder

"*Bonjour, les filles.*" Miss Dubois stood at the front of the class, elegantly dressed in high-waisted pinstripe trousers and a cream shirt. She tucked a stray brown curl behind her ear and smiled sweetly. "You are both late, *non*? Trouble finding the right room?"

"Er, not quite," Jas replied, dumping her bag on the floor. "Ellie's pencil tin *exploded* in the corridor."

Miss Dubois raised her eyebrows questioningly.

"It's a long story," Jas said, "but all you need to know is that one pen didn't make it."

As the class tittered I took stock of my plan. OK, so I hadn't exactly floated into registration like I'd hoped, and the pen-lending opportunity hadn't gone to plan, but I still had more ideas up my sleeve. As Miss Dubois began to clack round the room in her smart heels, handing out year planners, I glanced round the class and grinned at the girls I knew from Woodview – Trin and Molly. They smiled back, looking as nervous as I felt. Next I turned my smile on Ajay and Travis, who seemed a bit surprised, but returned a small smile. It was time to step the plan up a gear and try smiling at some of my new classmates. When I caught someone's eye I grinned in what I thought was a friendly fashion. A couple of girls and one boy looked away pretty quickly.

Suddenly, Jas nudged me with her bony elbow. "Ellie, are you *sure* you're OK?"

I nodded through a fixed grin. "Why?"

"You look like you're in pain. Oh! Do you need the loo?"

"Jas!" I squealed, hoping no one had heard. "I'm just trying to be friendly, that's all!"

Miss Dubois dropped a couple of planners on our desk. "Everything all right, girls?"

"Yes, thanks, Miss Dubois," I said, staring pointedly at Jas.

"*Bon*," Miss Dubois continued, "then it is time for us to do the register."

I gulped, this was the moment I'd been dreading. I felt my palms go sweaty as Miss Dubois started reading out the names.

"Edward Bignal?"

"Here, Miss," Ed called back loudly. As he swung on his chair, gripping the desk, I noticed that his hands and ears were as oversized as his nose, like he hadn't grown into himself. He was almost dwarfed by Zac, who was sitting beside him.

"Zophia Balinisky?" Miss Dubois asked. A girl with a pale face and strawberry blonde hair put up her hand, her cheeks colouring slightly.

"Jasmine Cole?"

Jas shot up her arm and nearly tumbled off her chair. "That's me!" she announced, making some of the others giggle.

"Maisie Hall, Tom Ingles, Lexie Jones?"

Lexie put up her hand and said yes loudly.

Miss Dubois continued down her list. "Jordan Knight, Trin Lee, Ellie Lovewood?"

"Yes, Miss," I said quickly, hoping Miss Dubois would move swiftly on, but she paused, giving Ed the opportunity to pipe up.

"Lovewood?" he called out. "More like Ellie Woodworm!"

The class started to titter.

"Woodworm!" I gasped, flushing a hot, scarlet red. That was a new one!

"What's woodworm got to do with anything?" Jas asked, leaping to my defence.

"It's obvious. Woodworms love wood, don't they? Lovewood, get it?" Ed explained, looking round at the class, grinning. Zac rocked on his chair, smirking annoyingly. As everyone dissolved into giggles I begged for the ground to swallow me up. But instead, the words in my notebook flashed before me – this was my moment, the one where I said something hilarious to make everyone laugh. I'd even planned how to reply if someone made fun of my name, but this new nickname had completely thrown me. As my mouth opened and closed like a fish, Jas came to my rescue again.

"Hang on a sec," she said indignantly. "How can *you* joke about someone's surname when yours is Bignal! BigNOSE would suit you better!"

The class all glanced at Ed and his gigantic hooter,

then fell into another fit of giggles. Even Ed couldn't help smiling.

"Very funny!" he laughed.

Miss Dubois clapped her hands to get the class back under control.

"That's enough," she called out over the noise. "Settle down, please."

As Miss Dubois continued with the register, I sat back feeling a bit grumpy. Normally I loved Jas standing up for me, but today, for the first time ever, it had been annoying. I'd so wanted to make the class laugh, but as usual she'd stolen the show, making me look like a grade-A dork in the process.

The bell suddenly clanged and Jas leaped out of her seat, threatening to make everyone giggle again until Miss Dubois shot a warning look across the room.

"We'll be in here up to morning break today," she explained, "so there's no need to go anywhere."

We sat filling out our homework planner – adding in lessons I loved, like English and history, and weird ones I'd never heard of, like PSHE, DT and ICT. Jas must have clocked that I was grumpy. She passed me a note saying: "What does I.C.T. even M.E.A.N.? Oooh – maybe it's International Catwalk Training?" followed by a squiggly face. I giggled. I could never stay mad at her for long.

The rest of the morning flew by. At lunchtime we squished on to a table with Tabitha, Molly and Trin, and I felt relieved to be with familiar faces.

"It is so big here," Molly said over the noise of the dining hall, as someone bumped her chair to get past.

"At least you're all in the same class," said Tabitha. "I'm all on my own in Goldfinch. I can't help wishing I was back at Woodview – just a bit."

I smiled at her. At least I wasn't the only one missing our old school.

"Girls!" said Jas, through a mouthful of baked beans. "This is only our first day. Stop being such scaredy cats!"

We all started giggling at this, and carried on chatting until the bell went for afternoon lessons. Our first lesson was biology and, as Jas tried to cram her enormous text book into her little purple bag at the end, I realized that Mum had been talking sense when she'd insisted I had the sensible black one.

I was exhausted by the time we found our way through the maze of corridors for our last lesson. Luckily it was English and the teacher, Mr Flight,

seemed as nice as Miss Dubois. He gave us homework, though, which was less impressive. We had to describe our first day at school. I wrote it in my planner just as the final bell went.

"Phew, thank goodness that's over!" Jas puffed, as we packed away. We rushed outside and headed along the crowded pavement to the bus stop.

"See ya tomorrow, Woodworm!" I turned to see Ed rush past, grinning.

Josh strolled up to the bus stop just as the bus arrived. He jumped on behind us and, as he walked past, he raised his eyebrows questioningly. Jas put her thumbs up in reply and he smiled, before joining his mates in the stairwell and ignoring us again. An elderly couple got off at the next stop and me and Jas flung ourselves on to the seat. I stared out of the window for a moment, reliving my first day. It hadn't exactly gone to plan, but it could've been worse. Jas nudged me as we got to our stop and we jumped off.

"Same time tomorrow?" I said, as we reached Jas's house.

"It's a date!" she laughed. "Call you later!"

"Hey!" I cried, delving into my bag and grabbing

my mobile. " I totally forgot – look what Mum and Dad gave me this morning."

"Wow, Ellie!" She took it off me and punched her number into the address book. "Now we can text, too!"

"Great! Speak to you later!" I popped the phone back in my bag and headed home.

"So, how did it go?" Mum asked, as I stepped through the door.

"OK!" I pulled off my shoes, dumped my bag and collapsed on the sofa. The best thing about it was that, so far, no one had tried to be Jas's new best friend. Only I didn't tell Mum that bit. Instead I just told her the highlights and lowlights. "Our form teacher seems really nice, but I've already got homework..."

Mum made a face. "I made spaghetti bolognaise," she said. "Will that help ease the pain?"

"Totally!" I said, as Crumble leaped on to my lap and butted my chin happily. As he began to purr, I snuggled into the sofa, relieved to have made it through the first day.

We get lost and have an encounter with a mop

The week raced by in a bit of a blur. There was so much to concentrate on, what with finding our way round, getting to know new teachers, tackling new subjects and keeping up with homework (already!). So my plans for re-invention soon got put to one side. I wasn't too worried, though, because Jas had been as busy as me trying to keep up with everything, and at lunch we'd just hung out with the old Woodview crowd. But I knew that sooner or later a potential BFF could pop up out of nowhere. So, on Thursday as we got to maths, I decided I ought to step up my efforts.

There were no double desks in the room, just a big

horseshoe of joined-together tables. Trin and Molly sat one side of Jas, and Zophia, one of our new classmates, came and sat next to me. I glanced across a few times, trying to find something to say before Mr Zyal, our teacher, arrived.

"Umm, how are you finding the first week?" I asked, going pink.

"It's OK," said Zophia, her cheeks flushing slightly, too, "though I still can't find my way around. This place is like a maze."

Suddenly, Jas rocked forward on her chair, her face appearing beside me.

"Too right!" she said. "It's impossible! But you should come with us to the next lesson – we've found a secret weapon!"

"Oh, wow, thanks, Jas!" Zophia said, really smiling this time.

"No probs," Jas beamed. She tipped her chair back and turned to the front, as Mr Zyal walked in.

I couldn't believe it. Jas had stepped in and taken over again, just as I'd been about to say something! I sighed as I opened my maths book, wishing that I could make new friends as easily as her.

As the lesson ended, Jas nudged me to get packed

up and rounded up Zophia.

"Come on, we don't want to lose Trin!"

I shoved my books into my bag, then we hurried out, hot on Trin's tail. "Trin is our secret weapon," Jas explained to Zophia. "She's got this school sussed, so all we need to do is sneak along behind her!"

"Genius!" Zophia grinned.

But as we darted along the corridor we realized we weren't the only ones to have this idea. Lexie and Nisha were creeping along behind us, too, and there was a whole crowd tagging along behind them. Molly nudged Trin and she glanced over her shoulder. They both giggled as we piled into the room behind them.

"Made it!" said Jas, and I saw Zophia give her a grateful smile.

Mr Wigglesworth, our geography teacher, pottered in just as me and Jas sat down. He was quite old and wore a selection of faded blue, misshapen clothes. His hands were covered with pen marks, but it was his hair that caught everyone's attention. It was HUGE and grey and suspiciously wonky. Ed nicknamed him Wiggy and passed a note round with it on. As a wave of laughter swept slowly across the class, Wiggy droned on about rock formations, shuffling about by the whiteboard, like he was used to no one paying attention. When the bell went, we packed up quickly.

"Hurry up!" Jas urged, beckoning to Zophia to join us. "We can't lose Trin now, 5C is miles away! And it's history with Mr Wood."

But Trin had other ideas. She and Molly raced out of the classroom and along the corridor, whispering to each other. We hurried after them, but as we turned the corner, they were nowhere to be seen!

"What do we do now?" Jas asked desperately. A small crowd had gathered behind us, including Lexie and Nisha, who all looked equally lost. I gulped – here was my chance to impress a whole bunch of classmates! I reached for my map and looked at it nervously.

"Follow me," I announced, trying to sound assertive.

Jas looked amazed as I marched ahead and weaved through the packed corridors, ducking into gaps and up staircases. Eventually I stopped by a door.

"This is it," I said confidently. The small crowd was still behind us.

"Ellie, it's got no number on it," Jas pointed out.

"So?" I said, slightly uncertainly. "It's definitely in here."

I yanked open the door and stared into the darkness. As my eyes adjusted to the gloom I noticed a pile of buckets and mops – I'd led a whole bunch of my classmates to a broom cupboard! As my heart raced, I remembered another one of my top tips – "have fun, be fun". I could still turn this round! I fumbled about in the dark and grabbed a mop, then draped it over my head.

"Well, I didn't find 5C, but I did find this – remind you of anyone?" I tried to joke, grateful that the mop was half covering my pink cheeks.

"Wiggy!" Ed shouted, as he and Zac raced past. Jas began to giggle. Lexie burst into hysterics, then ducked into the cupboard and came out with a mop, too. She put it over her head and started mumbling about rock formations, getting Wiggy's drone spot on and making me and Nisha really laugh. Jas grabbed a broom and joined in, shuffling about just like Wiggy. The next second Kirsty glided past. She glanced at us with her big, blue eyes, clocking the mop still draped over my head.

"Tragic," she muttered.

Suddenly, Nisha started coughing wildly. I turned round to see Wiggy standing next to her, looking slightly confused. The rest of our classmates, who'd been enjoying the show, seemed to have melted away. I felt terrible that he'd seen us making fun of him. I quickly whipped the mop off my head and nudged Jas. Lexie's droning tailed off as she realized that me and Jas had stopped goofing about. Nisha took the mops and quickly dropped them back in the cupboard.

"We were looking for 5C," I explained awkwardly, as Lexie and Jas stood behind me, trying to stifle their giggles.

"And you thought it was in the broom cupboard?" Wiggy asked. "It's just round the corner, first door on the left."

He blinked, then disappeared into the chattering classroom next to the cupboard. As Jas and Lexie dissolved into another fit of uncontrollable laughter, we raced round the corner and hurried into class.

"Thank you for deciding to grace us with your presence," said Mr Wood dryly, his beady eyes glaring.

"Sorry, we got lost..." Jas explained.

"Names?" Mr Wood asked.

"Jasmine Cole, and this is Ellie Lovewood," Jas said

for both of us. I glanced up as I saw Ed and Zac smirking at the mention of my name again.

"Lexie Jones," Lexie added, biting her lip to stop herself from smiling.

"And I'm Nisha Riley," Nisha said quietly. Mr Wood looked at each of us, unimpressed.

"Ladies – this is day four and lateness will NOT be tolerated," he stated, as we sat down and pulled out our books. "You have a map – USE it! And now we're *finally* all here, I will begin."

"I'm so glad today is over," I said, as we climbed the stairs to my room after school. Me and Jas had been desperate to have a catch-up all week, but with homework and my swimming practice, this was our first chance.

"Mr Wood is fierce!" Jas groaned, as she dropped on to my bed beside Crumble. "He's the strictest teacher ever!"

"I know! Compared to him, Wiggy's not *that* bad," I said, slumping on to my beanbag. "And Mr Flight and Miss Dubois are nice, aren't they?"

Jas nodded. "And the rest of our class seem really

friendly. Even Ed's quite funny, apart from his choice of nicknames, of course."

"Of course." I smiled back.

"Lexie and Nisha seem good fun," Jas said. "I think they're going to be a laugh, if today was anything to go by."

I glanced up. Jas was tickling Crumble's chin, smiling to herself at the memory of the mop incident. I bit my lip. What if, rather than proving how much fun I was, it had highlighted how much fun Lexie and Nisha could be? And instead of boosting my own BFF potential, I'd showcased theirs by mistake. Argh! That wasn't what I'd planned at all!

It's official, I'm weird!

Friday crawled by. Finally, we made it through to the last lesson of the day – French, with Miss Dubois. She must have noticed how tired we all looked because suddenly she announced that we'd done enough vocabulary and grammar for one lesson, and spent the last few minutes asking the class how their week had been and what we'd be doing at the weekend.

Jas and me looked at each other and grinned when it got to our turn.

"We haven't got definite plans yet," Jas announced, "but we might go to the cinema."

"We want to see the new animated film that's just

come out – *Pigs Might Fly*," I added, going pink as everyone's gaze turned to me.

Miss Dubois smiled and carried on round the room. Nisha was going to see a band with her dad. Trin and Molly were going with Tabby to a Guiding day camp. Sam and Maisie were going rollerblading. Little and Large – aka Ed and Zac – said they'd be heading to the skate park. Kirsty said she was just going to hang out or go shopping.

As the bell went, Miss Dubois wished us a good weekend and said that next week, just for fun, we'd do the same exercise, only in French.

"So you will prepare, *oui*?"

I groaned, thinking about the homework piling up in my planner.

"Freedom!" Jas cried, as we headed outside. Nisha and Lexie fell into step with us for a moment.

"That was the longest week ever!" said Lexie.

"But it's over now, and a whole weekend awaits!" Nisha waved as she and Lexie headed towards their bus stop, which was on the other side of the road to ours. "See you on Monday!"

We ran to our waiting bus and found seats downstairs near the back.

"Here's to surviving our first week at Priory!" said Jas, giving me a high five. "I can't wait to get home and collapse in front of the telly!"

"Huh," I groaned, wishing I could do the same. "I've got swimming practice in an hour. I'm so tired, I'll probably sink..."

After a whole week of getting up earlier than I'd ever had to at Woodview, I enjoyed a lazy lie-in on Saturday. I eventually surfaced at eleven o'clock after Dad came to see if I was still alive.

"So, first week down," Mum said, as I helped myself to a big bowl of chocolate cereal.

"I guess so," I mumbled in between mouthfuls. I didn't want to admit that it was every bit as bewildering as I'd feared it would be, even without my failed attempts at transforming into a Sassy Somebody.

"Lots of homework?" said Dad.

I nodded, scrunching up my face.

"Did you make any new friends?" Mum asked, as I shovelled in another spoonful of the chocolatey milk. I almost choked.

"Why? I don't need any new friends, do I?" I said

through a cough. "I've got Jas!"

Mum exchanged a quick glance with Dad. "I didn't mean *instead* of Jas," Mum explained hastily. "I just wondered if there were other nice girls there, that was all."

"Oh, right," I said. "I guess, but me and Jas haven't really spent much time with anyone else."

At that moment my phone barked with a text alert, making us all jump.

"Jas is on her way round – can we go to the cinema after lunch? We really want to see *Pigs Might Fly*. Please?"

"Might as well," Dad said, with a smile. "Seeing as you're clearly not in a talkative mood!"

I flew upstairs and pulled on my jeans and a jumper just as the doorbell went. I could hear Jas chatting to Mum and Dad in the kitchen, and as I came downstairs she was telling them that there were a couple of really nice girls in our class. I felt a tingle of nerves go up my spine, wondering if she meant Lexie and Nisha.

I hurried into the kitchen and grabbed her arm. "Come on! We've still got the rest of 'Free' to choreograph before lunch!"

After messing about in my room we grabbed something to eat, then Dad dropped us off in town outside the cinema.

"Hey, Woodworm!"

I spun round as Ed and Zac flew past on their skateboards. It was weird seeing Ed out of uniform in jeans, trainers and a hoody. He saw us looking and put in a flip off the edge of the kerb. Only he missed the board on the way down and ended up on his back, with Zac laughing his head off.

"Nice move, Bignose!" Jas shouted, giggling.

"Whatever!" he called, jumping up as we raced out of the bright sunshine into the gloomy complex.

After the film finished, I texted Dad to check it was OK to go to the diner, then we made our way through the shopping precinct. As soon as we arrived, Joey beamed at us from behind the counter and immediately started to make our shakes. The diner was noisier than usual, and it soon became clear why.

"Look, Josh, it's your little sister!"

Me and Jas both looked up and noticed a big group of boys sitting in the far corner.

"Ugh, the Priory Road football team!" Jas groaned. "I forgot Josh said they'd be coming in here after their match this afternoon."

"All right, sis? All right, Ellie?" Josh called over, looking embarrassed by our unexpected arrival.

"We were until we saw you!" Jas called, picking up her shake and steering me towards our usual seats. Josh's mates guffawed with laughter and Josh turned back round to them, grinning.

"You're sooo lucky not having an older brother, Ellie. Mine's such a weirdo," Jas said, slurping her shake. "And talking of weird, you've been a bit odd yourself this week, what with the mad smiles and the mop incident."

I felt myself flush pink. "You think I'm weird?" I gasped.

Jas shook her head. "*Nice* weird, Ellie," she said. "It was just different, that's all."

"Do you think everyone else in our class thinks the same thing?"

She shook her head. "No one else knows you like I do, so they wouldn't even have noticed. Anyway, I bet everyone else thinks you're fab – your mop impression of Wiggy was a-ma-zing!"

"Thanks!" I grinned. "I still feel a bit bad, though ... making fun of him like that."

"Ellie!" Jas rolled her eyes. "Don't worry – he's so scatty he'll have forgotten all about it by Monday!"

I nodded gratefully, and before long we were both giggling like mad. We didn't stop until Dad arrived to pick us up.

As we drove home, I resolved to try even harder this week. No more "weird Ellie" – from now on I was going to be confident and popular!

I wonder if I've made a mistake and Ed lands me in BIG trouble...

"Honestly, this is cruelty to children!" Jas puffed, as we shivered our way round the netball court. It was Monday morning and our first taste of double PE. The boys were off playing football and the girls were all doing netball. Mrs Townsend, our teacher, raced around the court, shouting out orders. I sprinted between the lines and tried to shoot goals, without success, while Jas attempted to climb up the goal post to get the ball in the hoop. I collapsed into giggles and we both had to do ten press-ups as punishment. By the seventh, Jas had come up with a new name for the teacher – Terrifying Townsend.

At the end of the lesson Terrifying Townsend lined us up and pointed at someone to my left.

"You've got natural talent," she barked. "I expect you to try out for the team."

"Me?" Jas squawked, looking startled.

"*No!*" Terrifying Townsend roared. "Don't be absurd! The girl next to you!"

I looked round and saw Lexie standing the other side of Jas. She groaned as we headed back to the changing rooms. "I don't want to be in any team! All that training and running around – yuck! My twin brother Luke's the sporty one and I definitely don't want to be anything like him."

"You should have done what I did," Jas chipped in, as we got changed. "There's no way Terrifying Townsend will want me on any teams!"

Lexie laughed.

"So that's what you were up to!" Nisha said, as Jas leaped on to the bench and swung from one of the pegs, accidentally knocking Kirsty's blazer to the floor. I picked it up just as Kirsty returned from reapplying her lip gloss at the mirrors. She glared at Jas, then actually half smiled as she took the blazer from me and floated out of the door.

"Honestly, Kirsty's so … icy!" said Jas with a dramatic shiver.

Lexie nodded in agreement. "She always looks so disapproving, doesn't she? All that frowning must give her eyebrow ache!"

"And have you noticed that she only ever speaks to anyone in our class if she *really* has to," Nisha said. "She's clearly way too cool for us!"

I took out my hairbrush and headed for the mirrors. I glanced across as they carried on messing about and felt the butterflies jolt inside me. After what Jas had said at the weekend I suddenly felt on edge about Lexie and Nisha being so friendly and, somehow, I couldn't bring myself to join in.

As we headed outside for morning break we noticed a throng gathering in front of the noticeboards in the entrance hall.

"What's going on?" Jas asked.

"School clubs!" Trin and Molly answered in unison, as they dashed past us. Jas grabbed my arm and pulled me through the crush. I stood on tiptoe and looked across at all the brightly coloured posters – there were

so many to choose from. Dev and Ajay had signed up for the music group. Trin, Tabitha and Molly had put their names down for the computer club, science club *and* the reading club.

"That one looks good," I said, my eyes lighting up.

"Do you want me to add you?" Tabitha asked. We'd been in a reading club together at Woodview.

I was about to say yes, when Kirsty and Eliza sauntered up.

"Uh, dullsville," Kirsty announced, loud enough for everyone to hear.

"Geeksville, you mean," Eliza added, equally loudly, as they smiled at each other.

Tabitha went a bit pink. She was still looking at me, pen poised. "Um, maybe I'll give it a miss," I said. I didn't want Kirsty to think I was dull or a geek. Jas scowled at Kirsty and Eliza, guessing what had made me change my mind. Then she delved into her bag and brought out a pen.

"Drama!" she said excitedly. "Every Tuesday with extra lessons on Saturdays near to performances – sounds brilliant! I am *so* signing up for that one!" She scribbled her name down, then turned to me. "Ellie, how about you?"

"Um, I'm not sure," I hesitated. I was torn. I wanted to stop being Wallflower Ellie this term and joining drama club would be the perfect way of proving to Jas that I could be fun, too. But then, the thought of leaping about in front of lots of strangers – or worse, people I knew – was cringetastic. I glanced behind me. Kirsty and Eliza were still hovering. That swung my decision.

"It's not really my thing," I said, just loud enough for them to hear. Jas noticed where I was looking, but she didn't say anything.

At that moment, Lexie and Nisha rushed up behind us and scanned the posters.

"Oooh, Jas, can we borrow your pen?" Lexie asked. Jas handed it over and Lexie added her and Nisha's names to the drama club list.

"Fab!" Jas beamed. "At least I'll know someone else there!"

Lexie looked at me, surprised. "Aren't you joining, Ellie? It should be a real laugh!"

"Ellie's decided drama's not for her, apparently," Jas said, shooting a cool look in Kirsty's direction. "So it's just us three!"

"It's not only that," I added quickly, backpedalling as Kirsty and Eliza drifted away. "I mean … I'm already

really busy. I've got swimming practice to fit in on Wednesdays and Fridays. Unless I give that up…"

"There's no *way* your dad would let you do that," Jas agreed. "You don't get to miss a single training session unless you're dying!"

"Ah, that's a shame, Ellie" said Nisha. "It would be nice for all of us to do it."

"I haven't completely made up my mind…" I said, but my words were swallowed up by the sound of the bell right above our heads, and Lexie and Nisha turned away, hurrying to get to history.

We followed them along the bustling corridors and settled into our seats behind them.

"I'm glad they've joined, too," said Jas, getting out her books. "It'll be a good opportunity to get to know them better."

"I guess," I whispered back, as the butterflies inside my stomach fluttered their wings wildly. Jas would now be spending every Tuesday after school with Lexie and Nisha. Had I just made a huge mistake…? But there was no time to think about it – the classroom door flew open and Mr Wood stalked in.

In our first history lesson I'd made a show of putting up my hand loads to answer questions. This had got me noticed, but not how I'd hoped. Ed had rushed past me at the end of the lesson, calling out, "I *love* history! I love Mr Wood – Ellie Loves-Mr-Wood!"

So today as Mr Wood got out his books, Ed began making kissy kissy noises.

"Just ignore Bignose," Jas whispered, making me giggle.

"NO giggling in class, Miss Lovewood," Mr Wood boomed, turning to point at me with his marker pen. He began talking about the First World War and Ed opened his notebook and started to scribble. I relaxed, thinking he was concentrating on what the teacher was saying. But as Mr Wood turned to write something on the board, a ball of paper landed on my desk. My heart jumped. We all knew Mr Wood did not tolerate LATENESS, MOBILE PHONES and NOTE PASSING – he'd told us this very clearly in our first lesson – and I so did NOT want to get caught with this note on my desk! I grabbed it just as Mr Wood whipped round and glared at me.

His eyes narrowed as I felt myself blush.

"Bring it here, Miss Lovewood," he said slowly.

"Um, what?" I asked feebly.

"Do NOT make this worse than it already is," he snapped.

I scraped my chair back and walked to the front on shaking legs, giving Ed the evil eye as I went past. He looked guiltily at me as I passed Mr Wood the note. I was starting to panic – I had no idea what it even said! He uncrumpled it, snorted, then read it aloud.

"I love Mr Wood?"

My face flushed red as the class broke into laughter. "You remember my lecture about things I *do not tolerate*, I hope?" said Mr Wood. I nodded as he raised his hand to settle the class. "Then it will come as no surprise that you've earned yourself a lunchtime detention."

My stomach flipped. I'd *never* been in trouble with a teacher before and now I was getting detention for something I didn't even do!

"But..." I stammered.

At once, Jas leaped to my defence. "Ellie didn't write it, Mr Wood! It was—"

"Silence!" Mr Wood stormed. "I *do not* tolerate notes in my class or anyone foolish enough to get caught with one. Miss Lovewood, when the bell goes for lunch after your next lesson, come straight to my office. Now, please return to your seat."

I hurried back to my chair. Everyone was staring at me, apart from Kirsty, who was gazing out of the window, clearly bored with the proceedings. I sat down and concentrated on my book, but the writing swam in front of my eyes. As a tear splashed down, Jas squeezed my arm and wrote at the top of her planner: "We'll get Ed back, promise!" I sniffed and nodded as I glanced over at Ed. He shifted in his chair, looking uncomfortable, and deliberately kept his head down.

As soon as the bell went and Mr Wood had swept from the room, Jas stormed over to Ed's desk.

"How could you let Ellie take the blame for that note?" she raged. "You should have owned up!"

"You heard Mr Wood – he wasn't interested in who wrote the note. It wouldn't have made any difference!"

"Well, you better watch out," Jas huffed.

Zac smirked, rocking back on his chair. "What for?"

"Just wait and see," Jas said defiantly, as she turned and marched me out of the room in front of her. Behind us I heard Zac and Ed "ooooh-ing" then bursting into laughter.

Geography passed in a blur. All I could think about was my first detention.

Jas walked with me to Mr Wood's office. "You'll be fine," she said, making a bit of a face. "I'll be waiting when you get out and you can tell me all about it over lunch. In the meantime, I'll think up a way to get Ed back. See you in half an hour!"

"If I make it out alive..." I said, trying to smile.

I turned and knocked on the door. Mr Wood called me in and immediately started giving me a lecture.

"Miss Lovewood, you are no longer in primary school. Immature behaviour may have been accepted there, but it is not tolerated here and I expect to see you behaving like a Year Seven. Now, I suggest you use this time wisely to get on with the class homework."

My legs were like jelly as I got out my history books. Other students came into the office to sit out their detentions, too. I glanced at my book, but I couldn't concentrate, not with Mr Wood breathing down my neck and knowing that Jas was hanging about outside on her own. When he finally let everyone go I rushed out of the office, expecting to find Jas loitering near the door, but she wasn't, so I set off to find her.

I peered across the noisy dining hall, then ran to the quiet of the cloakroom, then the toilets. Jas had vanished without a trace! I flew to the double doors at the back of the school that led to the playground and fields beyond, and stepped outside. I stood for a second, scanning the boys kicking balls and bunches of girls strolling about the field. Then I saw her. Jas was goofing about in the far corner with Nisha and Lexie, teaching them the dance we'd made up for "Free". Nisha and Lexie watched and clapped, trying to pick up the moves. I couldn't believe it! I'd been sitting there worrying about Jas being all on her own, while she'd been out here having fun!

As I stood, wondering what to do next, I heard a familiar voice.

"I totally don't get how some Year Sevens are, like, so immature."

I glanced down to my left. It was Kirsty. She was sitting on one of the benches with Eliza, staring out across the field. "I mean, it's hard to believe we're the same age."

They shook their heads as a high-pitched squeal rang out across the field. I followed their gaze – it was

Jas. For the first time I saw her through someone else's eyes. I desperately wanted to leap in and defend Jas, as I knew she would have done for me, but I froze. I don't know why, but I didn't want Kirsty thinking that I was a baby, too. And with Mr Wood's lecture still ringing in my ears, perhaps it was time for me to stop goofing around now I was at Priory Road.

As I stood there, Jas saw me and waved wildly. Kirsty and Eliza looked at each other, then turned slightly and suddenly realized that I was there.

"Oh, hi, Ellie, I didn't see you there," Kirsty said, looking caught out for a moment.

"I, um, I only just came out," I lied, then hurried away from the bench as Jas ran towards me, all flushed from dancing about. I glanced over my shoulder and saw Kirsty and Eliza watching us.

"Sorry – I forgot what the time was," Jas said all in a rush, "and Lexie and Nisha saw me on my own and asked if I wanted to hang out with them for a bit." She linked my arm and we headed for the dining hall. "So, how did it go?"

I shrugged. "OK," I said, still feeling pretty hurt.

"You sure about that? You seem kind of upset."

I looked away so Jas couldn't see my eyes filling up,

although that had nothing to do with the detention and everything to do with being made to feel left out. After just half an hour apart, it felt like my biggest fear was starting to come true. And to make matters worse, it was Tuesday tomorrow, which meant the first drama club meeting. And out of the four of us, I'd be the only one not going...

9

I land in detention central and take stock of my (failing) plan

Tuesday passed without any "incidents", thank goodness – and Ed must have been feeling guilty about yesterday's detention because he didn't make a joke of my surname all day. But it was awful going home on the bus on my own and seeing Jas head off to drama club with Lexie and Nisha. All I could think about was what a great time they'd be having.

As soon as Dad got home, I asked him about giving up swimming and joining the drama club. But Jas was right – he just didn't understand.

"Ellie, I know Jas has joined the drama club, but you've never been interested in acting before," he said.

"And you've got the potential to be an amazing swimmer if you stick at it. I thought you enjoyed swimming?"

"I do," I said, sensing his disappointment.

He looked at me quizzically. "Would I be right in thinking you only want to do drama so you don't miss out on anything?"

I felt my cheeks go pink, and my stomach dropped into my shoes.

Mum noticed my sad face and nudged Dad. He sighed. "Look, why don't we see how you feel at half term. If you still want to swap, we'll talk about it again. Deal?"

I nodded and headed upstairs, but inside the butterflies fluttered anxiously. The trouble was I didn't want Mum and Dad to know I was worried about losing Jas. Admitting it to them would make it feel more real. But I couldn't shake the memory of Lexie and Nisha linking arms with Jas and hurrying to drama club. As I sat on my bed cuddling Crumble, all I could think about was what a great time they'd be having.

I was still worrying about it after tea. I tried to concentrate on my French homework, but I kept

checking my phone every five seconds to see if Jas had texted. Finally I gave in and raced to the land line. After a few rings, Josh answered.

"Hi, Josh, is Jas there?"

"What is it with you two?" he laughed. "You only saw each other, I don't know, two hours ago and it's like you've been separated for years! Girls are *weird*!"

"It's called friendship, Josh," Jas said, as I heard her grabbing the phone from him. "You don't get it because you don't have any friends."

"Ha ha," he replied in the background, "you're *so* funny."

"Hey, Ellie," Jas said, and I could hear her smiling, "you OK?"

"Yup, just phoned to see how drama club went," I said, as casually as I could.

"Fab-u-lous!" Jas giggled. "I can't wait to start rehearsals proper—" I heard Gloria calling her name. "Coming, Mum! Sorry, Ellie – I haven't been back long and tea's ready. I'll fill you in on the bus tomorrow!"

"OK," I said, feeling my chest go tight. "See you, then."

"See ya!"

I stood for a second, staring at the phone, then I

went into the living room and curled up on the sofa with Mum to watch TV.

"The teacher, Mrs Crawfield, is *amazing*!" Jas said on Wednesday morning as the bus inched along the high street. "She had us impersonating our favourite animals and we all had to guess what everyone was, but we weren't allowed to make any noises. It was so funny! And she's given us a mini project to work on; we've got to write a short play and perform it in the week before half term – the whole school's going to be invited to watch!"

"Wow!" I said, genuinely impressed. "That sounds fantastic, Jas, just up your street."

"I know!" she beamed, her eyes wide with excitement. "I've teamed up with Lexie and Nisha; we're going to do a play about three witches."

My heart thumped for a second at the mention of their names – now they'd be spending even more time together. It got worse as we stepped into registration and Lexie shouted, "Tree!". It sent Jas into hysterics.

"Nisha got all muddled up," Jas giggled, trying to explain. "She pretended to be a swaying tree, rather

than an animal. We were guessing for *ages* before anyone realized. It was so funny!"

"Sounds much more fun than the sixty lengths I'll have to swim tonight," I said, forcing out a small laugh. Jas made a sympathetic face as Miss Dubois called the register, then the bell went and we trooped to geography. Wiggy shuffled round handing out letters as we sat down.

"Cool! A field trip!" Jas said, skim-reading hers.

"That's right," said Wiggy, trying to silence the class as everyone chatted excitedly. "In the week before half term, we'll be going to the local beach, Dillan's Cove. I want you to locate, identify and categorize as many different types of rock as possible – like sandstone, granite or crystalline quartz or patterned stone that may indicate fossilization. You'll be working in groups of four, so think about who you'd like to team up with. These letters need to be signed by your parents or carers. OK, now settle down and let's get on with today's lesson."

As Wiggy told us which page to turn to in our text books, Jas leaned over to me.

"Let's team up with Lexie and Nisha," she whispered, "it'll be so much fun! Oh, and Lexie came up with an ace way to get Ed into trouble with Mr Wood!"

"When did you talk to her about it?" I asked, feeling left out again.

"After drama club," Jas explained, not picking up on my mood. "I just need your mobile!"

"My mobile?" I was already getting a bad feeling about this. "Are you sure this is a good i—"

"Don't be such a worry guts, Ellie," Jas interrupted. "Trust me, it's all sorted."

When the bell went for the end of the lesson, I reluctantly handed Jas my phone. She hung back to let the others out first. As we rushed past Ed, she giggled, then sprinted off with me in pursuit. We were pretty much first into the room for history. As we sat down, Jas breathlessly explained what the plan was.

"Mr Wood hates mobiles, right?" she said. I groaned inwardly – I had a horrible feeling that I knew where this might be going. "I've put yours in Ed's bag, and Josh has promised to text during the lesson. So it'll beep, then he'll get in trouble!"

"But Ed will know it's not his phone!" I groaned. "And if Mr Wood checks, he'll know Ed's telling the truth! Then what? I'll be the one in trouble. Again!"

Jas's face fell. "Oh, we didn't think of that..." I glanced up and saw Lexie and Nisha looking over enquiringly at Jas. She gave them a weak smile, then turned to me. "I'm sorry, Ellie, it sounded like such a good idea. What are we going to do?"

But there was no time to do anything. Mr Wood strode into the room and the lesson began. Jas and I exchanged glances, but there was no way we could risk texting Josh to cancel the mission. My heart raced until suddenly, a loud, electronic bark echoed round the room.

"WHOSE PHONE WAS THAT?!" cried Mr Wood, slamming his hand on the desk. Ed looked down, frowning, then pulled my mobile from his bag.

"This isn't mine, Mr Wood," Ed gabbled. "Mine's in my pocket, look." He reached into his blazer and pulled out another phone.

"Well, whose phone is it?" Mr Wood glared round at all of us in the silence that followed.

"If no one owns up in the next minute, you'll all have to stay behind at lunchtime for detention."

There was only one thing for it. With my heart thundering, I raised my hand nervously.

"Glad to see you have some sense, Miss

Lovewood," he said dryly. "Detention, my office, lunchtime. And I'm confiscating this till the end of the day."

"But, Mr Wood, it's my phone, not Ellie's!" Jas blurted out.

"No, it's mine!" Lexie added.

"Miss Cole and Miss Jones, please keep your misplaced loyalties to yourselves!" Mr Wood snapped irritably. "Miss Lovewood has already confirmed that the phone is hers and that's an end to it."

"But, sir!" Lexie and Jas called out.

"One more word from either of you and you'll be joining your friend in detention," Mr Wood roared. "I will NOT tolerate disruption in my class!"

The rest of the lesson continued in deathly silence. As the bell buzzed, I slowly packed up my bag.

Jas pulled a face. "I'm so sorry, Ellie."

"Me, too," said Lexie, as she and Nisha hurried over. "We thought Mr Wood would think it was Ed's phone."

"Well, it was pretty obvious it was a disaster waiting to happen," I said grumpily, before heading to the door.

Jas kept passing me notes with smiley faces and

hearts on during ICT. I couldn't help smiling, but she knew I was still fed up. When the bell went for lunch I headed off in the opposite direction to her.

"I'll save you a seat in the dining hall," Jas called after me, still trying to make amends.

"Thanks," I sighed, then trailed to Mr Wood's office. He lectured me about making a bad name for myself, and told me to sit and reflect on my start at Priory Road, but all I could think about was Jas and how my biggest fear was coming true. While my plans for becoming Miss Popular were stuck in reverse, she'd made two mega friends without even trying. She was drifting away from me, and I was turning into Billy No Mates.

I'm grateful – to Queen of Cool, Kirsty!

As soon as Mr Wood set me free, I headed for the dining hall. Jas was at the far side of the room, deep in conversation with Lexie and Nisha. I got my lunch and headed over.

"Was it horrible?" Lexie asked as I sat down.

"Well, it wasn't what I'd choose to do at lunchtime," I said quickly. It came out a bit snappier than I meant it to, and I saw Jas, Lexie and Nisha exchange a glance.

"We're so sorry, Ellie," said Lexie.

Nisha nodded. "We should have talked it through with you first."

"We won't do anything so stupid again." Jas smiled and made a goofy face.

It was impossible not to laugh. "OK, OK, you're forgiven! So, what have you three been up to?"

"We've been planning our mini play," said Jas. "We were going to head off in a minute and start writing it. Fancy coming?"

"Oh, no, that's all right, I've got stuff to do," I lied. "I'll see you in English."

"Are you sure?" Jas asked, frowning.

I nodded, trying to smile. "You go ahead, I'll be fine."

"Well, OK, then," said Jas. "See you in a bit."

After they'd gone, I pushed my food around my plate for a bit, but I wasn't really hungry. And I felt self-conscious sitting there all by myself, so I headed for the lockers. Trin and Molly were collecting their books for the afternoon lessons. As soon as they saw me, they started whispering to each other and giving me sympathetic looks.

"Are you and Jas OK?" Trin finally asked.

I nodded, feeling my cheeks flush pink. "Why?"

"You don't seem to be hanging out so much as you did at Woodview, that's all," Molly said.

"We wondered if you'd fallen out," Trin added,

as we headed to English.

"No," I said, "we're fine." But inside I felt my heart race – if other people could see that Jas was drifting away, it had to be true! In desperation, I tried to make a joke of it. "Jas is just busy doing what she does best – being a drama queen."

Molly's eyebrows shot up.

"She's practising a play with Lexie and Nisha," I explained. "Something for the drama club. Not my scene."

"Ah," Trin said, as we reached the classroom. Jas was already there, sitting on the edge of Lexie and Nisha's desk.

"Where have you *been*?" she called out, just as Mr Flight arrived through the door. "I've saved us some seats!" She pointed to her bag, which was slung across our usual desk.

But Mr Flight had other ideas. "Now, before anyone sits down and gets comfortable," he announced over the classroom chatter, "I want you all to mix around and sit with someone new – you'll see why in a moment. There'll be one group of three – Nisha, Lexie, Jas – you might as well stay where you are as you're already together. Just squeeze an extra chair in. OK, get going!"

Jas looked over at me, dismayed, and I knew she felt bad, but that didn't help right now. This was turning into a disaster day, and while I'd been standing about looking at Jas, everyone else had been swapping seats. Now there was only one seat left, next to queen of cool, Kirsty! I walked over nervously.

"Is it OK if I sit here?" I asked, wishing I could control my blushing. She shrugged and slid her books over.

"OK, you'll stay sitting in these seats on Wednesdays for the next five weeks," Mr Flight continued, as I sat down awkwardly, "because for your next project, to be handed in before half term, I want you to write five different articles about the person you're partnered with. I've written the types of article on the board, and I'd like you to begin by thinking about each one and coming up with a list of questions you might need to ask. And when you've done that, choose one to get started on. Any questions? Good."

Kirsty stared at the board in silence. This was going to be a nightmare. As I tried to think of something to say, Mr Flight appeared at our desk and handed me my homework.

"Very impressive, Ellie. Top of the class."

I half smiled back, panicking that I'd be labelled a swot as I saw Kirsty do a double take out of the corner of my eye. Mr Flight dropped Kirsty's homework on the desk without a word. It was covered with red pen. She quickly slid it under her notebook before I could see the mark. Then she turned to me.

"So, I guess we should, like, get started. Any idea where?" she asked sweetly. "I haven't got a clue!"

Kirsty was actually speaking to me – the coolest girl in the year wanted my ideas! I looked up at the articles on the board and started to talk in a rush.

"Um, well, I guess for the 'day in the life' article, I'd ask you what time you got up in the morning," I gabbled, "and what you did before you came to school, how you got to school and what you did at breaktimes and lunchtimes, how you got home and what you did in the evenings; just stuff like that!"

Kirsty nodded, writing slowly. "And for a biography," I continued, "I'd have to ask all about when you were born, where you live, what primary school you went to, and factual stuff like that, about what you've done so far up until you started at Priory Road."

"Wow, Ellie, you're amazing at this!" Kirsty beamed.

I blushed furiously – I'd never heard Kirsty being complimentary about anyone and here she was praising me! As I'd come up with all the questions so far, it made sense for me to begin by interviewing Kirsty. She thought hard about each question, so it took quite a while, which meant that she didn't get a chance to ask me anything. Still, we'd be working together till half term, so I'd get my turn at some point. As the bell went, I turned and saw Jas tip her chair and almost fall backwards, sending Lexie and Nisha into hysterics.

"I'm *so* glad I didn't get partnered with a goof today," Kirsty said, giving Jas a disapproving look as she packed up. "And it's nice to sit with someone who's, like, totally brilliant at this creative stuff, because I'm no good at it at all."

I suddenly remembered the red marks on Kirsty's homework and one of the key things about making new friends.

"English is totally my favourite subject," I said, trying to sound like Kirsty, "so I'm happy to, like, help."

Kirsty's face lit up and for a moment it felt as if I was being bathed in glittery sunshine. "Thanks, Ellie, that's awesome of you. In fact, we should totally hang out sometime!"

"Fab!" I squeaked. As I heard Jas laughing with Lexie and Nisha, I suddenly felt ridiculously grateful to Kirsty. It was like she'd thrown me a friendship lifeline, just when I was in danger of sinking without trace.

"See you later," she said, as she left the room.

As soon as she'd gone, Jas rushed over. "Ugh, was it 'dullsville' sitting with Frosty Face?"

"No, it was … nice, actually," I said, still in a bit of a daze. Jas looked at me as if I was mad, then scooted me out of the room in front of her.

As it was a swimming night, Mum had tea ready for me as soon as I got home. I dumped my bag and sat down to eat with a small sigh.

"How was school today?"

"Um, OK," I said, between mouthfuls of shepherd's pie. "I sat next to someone new in English."

"Oh?" Mum asked, surprised.

"Had to," I explained. "The teacher made us all switch round. Kirsty's really cool and she wants to hang out with me."

"That's good," Mum said. "And Jas is OK with that?"

I shrugged. "Yeah, she's fine." Then I added more quietly. "Anyway, she's made a couple of new friends, too."

I avoided Mum's questioning gaze and hurriedly changed the subject. As soon as dinner was over, I rushed upstairs and got changed for swimming. Then I grabbed my notebook from my drawer and read through my top tips for being confident again. They hadn't exactly helped me keep hold of Jas. In fact, it seemed totally obvious to everyone in my class that we weren't BFFs any more.

I'd do anything to stay as Jas's BFF, but I knew it wasn't just down to me … it was down to Jas, too. And right now, I felt a huge gap opening up between us. That's why Kirsty wanting to be friends meant so much. And that's why I'd made a decision – to reinvent myself as "cool". After sitting with Kirsty I'd spent the rest of the day secretly observing her to see how she created her aura of awesomeness. Based on Kirsty's answers in English, and what I'd seen so far, here were my new Rules of Cool to learn to live by!

Rules of Cool

- Don't smile too much ("It wrinkles your eyes and

will make you look ancient by the time you reach, like, 15." – This is an actual Kirsty Quote!)

• Don't talk too much (silence makes you mysterious)

• Because you don't talk much, you have to communicate with facial expressions instead. So far I've learned: disgusted (wrinkled nose), pleased (wrinkled nose – quite confusing!), aloof (nose up)

• Walk everywhere (never run – it makes you pink and shiny-faced, which is *très inelegant*)

• Tilt your head down, then look up when talking to or looking at BOYS (I don't know why I wrote that one – boys are the last thing I want to look at!)

This plan seemed a whole heap easier than my first one. I mean, you hardly had to speak, which should suit a wallflower like me much more than trying to be someone confident. Instead, everything would be conveyed by the power of the "face". Soon I'd be floating around the corridors of Priory Road, saying so much without uttering a word! Oh, and one last rule I forgot to add:

• Customize your uniform ... and that will be my first mission for tomorrow!

I closed the book and tried to feel enthusiastic, but

deep down I knew that I was faking it every bit as much as I had when I'd tried to be a Sassy Somebody. I just hoped that this time I could pull it off. If not, I was in danger of losing Jas *and* my chance of making a new friend. And that would make life at Priory Road even worse than it was already turning out to be.

11

I put my new plan into action and Jas is not impressed...

On Thursday morning Jas's jaw dropped as we met outside her flat.

"Did you get dressed in the dark?" she joked. That wasn't quite the reaction I'd been hoping for. I'd rearranged my uniform on my way over to hers, with a stubby tie and undone top button *à la* Kirsty. I blushed pink, feeling self-conscious, and shrugged to cover it up. Jas's smile faded and after that she was quiet on the way to the bus stop. But once we were on board she suddenly piped up about the mini play.

"Lexie and Nisha are amazing," she said, as the bus crawled along the bus lane. "They've got so

many great ideas."

"That's good," I said, trying to smile. I thought about the Rules of Cool. This morning I hadn't been sure about going through with it, but hearing Jas enthuse about Lexie and Nisha convinced me it was the right thing to do.

We jumped off the bus and headed for the school gates, past Kirsty, who was standing with Eliza, clearly looking out for someone. I'm still learning what all the expressions mean, but I *think* the glance Kirsty gave Eliza was approval of my new look.

Jas saw it too. She linked my arm and pulled me along. "Come on, I'm getting a chill just looking at them."

"She's OK, Jas, honestly," I said.

"So you keep saying," Jas muttered as we headed into registration. Miss Dubois looked up as we came in.

"*Ça va*?" she asked sweetly, smoothing her pinstripe skirt.

"*Oui, bien merci*," Jas replied confidently, earning a nod from Miss Dubois.

"*Bonjour*, Woodworm," Ed called out, as he swung back on his chair. "Like the tie."

I wrinkled my nose, trying to show my disdain. Ed turned to Zac and they burst out laughing. I think I might need to practise the look some more.

The morning dragged on, through science and ICT before we got to art just before lunch. As we sat down, Miss Malik handed out large sheets of paper.

"We're doing life drawing today, so I need a volunteer to sit for everyone."

"Oooh, me!" Jas said, leaping up. She jumped on to the plinth in the centre of the room and pulled about a hundred poses before I'd even reached for my paintbrush.

"It's good to have an animated model," Miss Malik said, "but if you're being painted, Jasmine, it's helpful to choose one pose and stick to it."

Jas changed position again, this time pouting wildly with her hand on her hip. As the class settled down to paint, Ed flicked his brush at her, showering her with water. Jas giggled and wobbled.

"Don't think I can't see you, Ed," Miss Malik said, as she helped Holly with the dimensions. Kirsty shook her head, seriously unimpressed. I'd been about to smile,

but I bit my lip and concentrated on my painting instead. I glanced up at Jas, and realized that she'd been watching me and that her own bright smile had faded slightly.

We carried on in silence for a while, but Jas was unable to stay still, and eventually Trin complained that she was fidgeting too much, and Miss Malik swapped her for Zophia. As she sat down, Ed flicked his brush at Jas again. She was quick to retaliate, only she missed Ed, and the spray from her brush hit the person two seats away: Kirsty.

Kirsty gasped as blue paint splattered across her sketch and splashed on to her sleeve.

"Ugh! No way!" she fumed, like it was the last straw.

"Right, Jasmine, that's *enough*," said Miss Malik, as Ed, Lexie and Nisha giggled behind their artworks. "This is not paintball!"

Kirsty went to the sink to wash her sleeve. Her expression didn't take much working out this time – her face was like thunder.

For the rest of the lesson, Miss Malik patrolled the room like a hawk.

"That's great, Nisha, you've got some real talent

there," she said, stopping to admire Nisha's work just as the bell went.

"Thanks." Nisha smiled back. "Art's my favourite subject!"

As we packed away, Nisha hurried over to Jas. "Lexie's going to wait for me while I talk to Miss Malik about art club – we'll catch you up, OK?"

Jas nodded, then she turned round to me and her face fell. "Oh no! I completely forgot to tell you, we brought packed lunches today so that we could go straight to the hall to finish writing our play! I'm really sorry, Ellie."

"Oh, right," I said, trying to sound OK about it. But inside I felt crushed. I'd been left out again.

"Why don't you have your lunch and come and join us afterwards?" Jas urged, as she walked with me to the dining hall, oblivious to how hurt I was.

"Maybe." As I joined the lunch queue, a moody-looking Kirsty brushed past us. She turned and gave Jas a look, before heading for a seat next to Eliza.

Jas pulled a face at her retreating back. "Honestly, Frosty Face doesn't know the meaning of the word FUN."

"Just because she doesn't goof about, it doesn't

make her boring," I said suddenly. "Maybe she's just more grown-up, that's all."

Jas looked at me sharply, like she'd finally picked up on my mood. "It wasn't *so* long ago that you were happy to goof about, too."

I decided to try answering according to the Rules of Cool. I pulled a face that I hoped would convey that I'd moved on from that kind of thing.

"Hmph, you look just like Frosty Face," Jas scowled, as Lexie and Nisha bounded up.

"Come on," Jas said decisively, "let's get going."

"Oh, OK," said Nisha. "Are you coming, too, Ellie? It'll be fun!"

I was about to answer when Jas jumped in. "Ellie's too grown-up for fun, apparently."

Jas had clearly got exactly what my look had meant and I suddenly wished I hadn't tried it. Lexie and Nisha stood awkwardly between us, looking from Jas to me. Now I didn't know what to do – I really wanted to join them, but it was obvious that Jas was mad with me and didn't want me hanging around. As I tried to work out what to say to get out of it without losing too much face, I suddenly caught Kirsty's eye. She waved to me across the noisy lunch hall and relief rushed through me. Here was my escape.

"Um, I've got stuff to do, too," I said quickly. "Thanks, though, Nisha."

Jas followed my gaze, then glared at me. Without another word, she grabbed Lexie and Nisha and hurried down the corridor. I turned and walked nervously towards Eliza and Kirsty. The only spare chair was squashed in next to Eliza, but she didn't bother to look up or move, she was too busy with her phone. As I hovered self-consciously, Kirsty turned on a mega-watt smile.

"Hi," she cooed. "I've been thinking about our English project and I thought if we hang out, then you can pick up everything you need to know about me for your articles. That way you don't have to keep, like, asking loads of questions. And for *my* articles on *you* I thought that..."

"... you can find out all you need from hanging out with me at the same time!" I said excitedly. "I get it!"

Eliza smiled briefly without looking up. Kirsty continued. "Kind of, although as you offered to help, I was, like, wondering if you could come up with the ideas for my articles about you? You could maybe come up with some questions to ask yourself?

That would be totally awesome."

"Oh, um, OK," I said, my mind whirring. It sounded like quite a bit of work, but then I could make myself into the coolest girl around and really impress Kirsty!

Kirsty wrinkled her nose. "Sorted, then. Thanks, Ellie."

She looked down at her phone. I stood for a second, not quite sure what to do next, then I delved into my bag and grabbed my mobile. "Good idea!" I said. "We better swap numbers, in case I need to talk to you about our project."

"Oh, right," Kirsty said, looking a bit surprised. "Totally."

Jas was off with me for the rest of the afternoon. Even on the bus on the way home she was quieter than normal.

"Speak later?" I asked, as we got to her gate.

"I don't know if I can," she said coolly, "I've got loads to do, what with the play and everything."

"Oh, of course," I said. "Well, see you tomorrow, then."

Jas nodded and disappeared inside.

As I walked the rest of the way home I felt a bit

wobbly. We'd had silly rows before and had always been quick to make up, but this was different. In just two weeks it felt like we'd both changed so much, and the more I tried to keep us together the further we seemed to grow apart. I hated not being on BFF terms with Jas, but it made me realize even more that I had to put everything into my new friendship with Kirsty.

As soon as I got home I started on our English project, determined to make it the best project in the class. I even got up the courage to text Kirsty to tell her all about it.

A few minutes later, my phone buzzed into life. I answered without even checking the screen, assuming it must be Kirsty.

"Hello?" I said excitedly.

"Hey, Ellie," Jas's voice rang out at the other end.

"Oh," I said, confused. "I didn't think you were going to call tonight."

"Changed my mind," she said. "I thought you'd be pleased!"

"Sorry, I am, it's just I thought it might have been Kirsty," I blurted out.

"Sorry to be a let-down," Jas said stiffly.

"No, I didn't mean it like that," I said quickly. "It's

just that I texted her about our English project this evening and she hasn't replied yet."

"I better get off the phone, then," Jas said, sounding hurt. "Anyway, I just called to say 'goodnight', so – goodnight!"

"Oh, right, night, then," I said, as Jas hung up.

For the rest of the evening, I checked my phone every few minutes, but Kirsty didn't text back.

I get to hang out with the cool gang and receive a special invite!

Jas was still a bit off with me on Friday, and she was busy most of the weekend so we didn't manage to catch up at all. She had to help her mum out with Lulu, perfect her part in the mini play and do her homework. That was the first time we hadn't seen each other at the weekend for as long as I could remember. She was busy at school, too, with all her drama rehearsals, so I didn't have much choice but to do what Kirsty suggested and start hanging out with her. Oh, and her best friend, Eliza, because they were rarely apart. I've been mainly observing so far, though, as they're into completely different stuff to me and Jas. In fact, it's like

I've suddenly entered this alien world full of glamour and glitz. So far I've discovered the following:

- Kirsty likes make-up A LOT
- Kirsty likes fashion A LOT
- Kirsty likes Year Nine boys A LOT
- Oh, and she's into music. Her and Eliza seem to spend all their time sharing headphones and swinging their hair about.

For one of the articles, I decided to make Kirsty into the lead singer of a really famous band.

"Um-hm," was her rock-chick response, when I told her all about it.

She's even got a rock-chick-type crush, which she talks about nonstop. She's fallen for the biggest hottie in the whole school – Marco, from Year Nine. Only he calls himself Marc-O, because he thinks it sounds cooler. For the last two days Kirsty's obsessed about him pretty much exclusively. Apparently, his combination of super-coiffed hair and square shoulders makes him dreamy. She's even found out where he lives. And she and Eliza, who lives two doors down from her, have been leaving for school early, so they can walk down his road in the hope of accidentally bumping into him.

Kirsty's older brother, Kieran, is in the school football team with Marc-O, and he told Kirsty that Marc-O goes to the Ace Diner after school to "check out girls". So Kirsty's desperate to go there in the hope that he'll ask her out, even though he's two years above her. Kirsty and Eliza squealed when they came up with this MEGA plan, which they are going to put into action tomorrow.

I told Jas all about it as we got the bus home on Wednesday evening. It was the first time in what felt like ages that we'd laughed together.

"It must be so boring," Jas said, rolling her eyes, "talking about boys, boys and more boring boys."

"It is pretty boring," I admitted with a smile. "I'm learning how to flirt the Kirsty and Eliza way – hair twirling, whispering behind hands and giggling!"

"Yuck!" Jas said, making a disgusted face. "But you can't flirt – you HATE boys!"

"*I'm* not the one flirting!" I squealed, as we jumped off the bus. "Anyway, got to rush, swimming practice tonight."

"See you tomorrow!" Jas called out, as I disappeared round the corner.

Thursday passed in a haze of lessons. I hadn't seen much of Kirsty all day, but as I sat down next to Jas in our final lesson, music, she swung by our desk.

"So, Ellie," she said, "you're up for coming to the diner after school, right?"

"Me?!" I asked, all wrong-footed. I hadn't been included in her plans up until now – what had changed? I felt Jas's eyes boring into me. I'd promised I'd walk into town to help her choose a card for her mum's birthday. But if I said no to Kirsty, she might change her mind about being my friend! "Um, OK. Totally."

"Cool," she replied, flashing me a smile. "Meet me in the toilets straight after the final bell and don't be late."

As she went to sit down, I turned to Jas. "Sorry, do you mind? It's just that this means loads to Kirsty."

"No probs," Jas shrugged. "But, just so I get this straight – you're *literally* going to sit there and look at boys?"

I nodded. "Well, one boy, anyway."

"Sounds pretty boring," Jas replied with a sniff. "Rather you than me!"

At that moment Mr Thomas, our teacher, walked

in, but I couldn't concentrate on the lesson. The thought of going anywhere outside school with Kirsty terrified me, not least hanging out looking at boys! When the final bell went, I said "Bye" to Jas and texted Mum to tell her where I was going. Then I reluctantly headed for the loos. Kirsty was bound to be piling on the make-up and I didn't know what to do. Either I had to admit I had none and look like a loser, or ask to borrow some of hers. But even if she said yes I wouldn't know where to start. My heart hammered as I opened the door. Kirsty was at the mirror, checking her reflection. She turned to me, her eyelids all glittery and her lips shiny with gloss.

"Where have you been?" she snapped. "We can't hang around, I might miss Marc-O. You'll just have to do as you are."

Relief flooded through me as I followed her out of the door – at least that was one worry solved.

"So, are we meeting Eliza there?" I asked, as we made our way to the diner.

Kirsty gave an irritated shake of her head. "She got a detention from Mrs Townsend for wearing make-up."

There was a strict no make-up policy at school and Terrifying Townsend was the biggest enforcer. Suddenly it hit me – I was super sub because Eliza couldn't make it! Still, this was my chance to impress Kirsty with my friend potential. We walked into the diner, which was packed full of older Priory Road kids, and made our way to the counter.

"The shakes in here are so delish," I said, as Joey caught my eye and winked.

"Shakes are so, like, tragic," Kirsty said disapprovingly. "I'm getting a root beer."

"Totally, I mean I *used* to get shakes," I said quickly, wondering what on earth root beer was, "before I grew out of them."

My heart started to race as we neared the front of the queue. Joey always made my chocolate milkshake without me even having to ask. He'd do the same today, unless I could stop him somehow. And then Kirsty would think I was a complete dork! I kept trying to catch his eye again, but he was busy with the customers ahead. There was only one thing for it. As I reached the front of the queue and he opened his mouth to speak, I shouted straight over him.

"ROOT BEER! Please."

It came out *so* much louder than I meant. Everyone turned to stare. Joey's eyebrows nearly disappeared under his baseball cap, and Kirsty gave me a stinging look as if to say that I had just been seriously embarrassing. I smiled apologetically at Joey as he slid my drink across the counter.

We made our way to a window booth, which also gave us a great view of the door. Marc-O was nowhere to be seen and Kirsty wasn't starting any conversations. She just got out her phone and prodded it every five seconds. I brought up our project to fill the silence.

"I've thought of an angle and some questions for one of the articles about me," I said, blushing slightly as I reached for my bag. "I'll show you; you can ask them now if you want."

Kirsty looked up, puzzled. "If you're making up questions to ask yourself, Ellie, well, it makes total sense for you to answer them, too, doesn't it?"

"But the point of the project is for us to ask each other," I said, confused.

"You're the English expert, Ellie," Kirsty explained with a super-sweet smile, "so I'll leave all that stuff to you. I trust you totally."

Suddenly the penny dropped. "So – you want me to

write the whole thing?"

At that moment Kirsty spied a Year Nine boy.

She began giggling and twirling her silky hair through her fingers. She had the fake smile down to a tee, but it was harder than it looked. I felt ridiculous as I tried to copy her, especially when my finger got caught in my tangled hair. Kirsty sighed as the boy got out a flashy phone, then sat down out of sight. Kirsty looked at her own pink touchscreen phone.

"Ugh, I so need a new phone," she moaned. "This one's *so* ancient."

"It looks pretty cool compared to mine," I said. Kirsty made a face as if to say that wasn't hard.

I flushed pink and took a gulp of root beer. Eugh, it was disgusting! It tasted like cough mixture! Kirsty went back to her phone, and I stared out of the window. Jas was right – this *was* pretty dull. Suddenly, I caught sight of Jas on the other side of the street. She was walking with Lexie and Nisha, swinging a plastic bag from the card shop and laughing. I watched them enviously, wishing I was out there with them having fun, rather than stuck in the diner, pretending to be interested in boring boys. As I stared, Jas looked over. She waved, then did a goofy walk and spun round the lamp post. I glanced at Kirsty. She was still engrossed in her phone. I giggled. This only egged Jas on more. She pulled a mad face and did a silly dance, nearly bumping into a man walking the other way. I bit my lip, trying to keep myself under control and hiccoughed. Kirsty frowned at me.

When I looked back, Jas had disappeared. I leaned back in my seat and took a huge mouthful of root beer, trying to stifle my giggles, which were still bubbling under the surface. Just then, the door to the diner pinged open again and Kirsty instantly came to life – twirling her hair like crazy, dropping her head and giggling at me. I glanced over at the door. Marc-O and his super-styled hair had just strutted in. And he was heading this way! Kirsty tipped her head down and then looked back up. It seemed to be working – Marc-O smiled at her and walked over.

I took another huge gulp of root beer to steady myself … just as Jas reappeared out of nowhere at the window, her face squashed against the glass, inches from mine. Before I had time to swallow, the laughter bubbled to the surface. As Marc-O reached our booth, the root beer fizzed right up my nose. I didn't know if I was going to sneeze or cough, but one thing was sure

– something volcanic was about to happen! As I started to choke, Kirsty glanced towards me and her flirty expression transformed into a look of horror. I tried to turn away, but as I did, a torrent of sticky spray erupted from my mouth.

"Good time at the diner?" Mum asked, as I stepped in through the door. Then she saw my face. "Oh, I'm guessing not?"

"You wouldn't believe what happened," I groaned.

I headed into the lounge and slumped on the sofa. As Crumble made himself comfortable on my lap, I gave Mum the sordid lowlights, ending with me spraying root beer everywhere.

"Kirsty reckoned I aimed for Marc-O's hair on purpose, but I swear I *didn't*," I said, burying my pink cheeks in Crumble's fur, cringing at the memory.

"Of course not," Mum said sympathetically. "So, what happened then?"

"Marc-O rushed off to the loos to check out his hair, and Kirsty was so furious at being humiliated in front of her crush that she stormed out."

"Did Jas come in?" Mum asked.

I nodded. "She saw the whole thing. She thought it was hysterical and couldn't stop laughing – same as Nisha and Lexie. She reckoned it was the root beer's fault. Ugh, I just know it's going to be all round school tomorrow – how am I going to live it down?"

Mum gave me a hug. "Try not to worry, Ellie. It'll be forgotten about quicker than you think, you wait and see."

But as I snuggled Crumble closer to me, I wasn't so sure.

I get a new nickname and a text that DREAMS are made of...!

I was dreading going to school the next day, but at least it was Friday – only one more day until the weekend. Jas had tried to reassure me that it would all be fine, but as soon as I stepped into class, I realized that news of the "incident" had gone viral.

"All right, Nellie?" Ed yelled across the classroom. "Nellie the elephant, get it?"

"Yes, thanks, Ed," I sighed, slumping into my chair.

"Spray that again?" he asked, laughing.

At that moment Kirsty walked in. I looked up and smiled, trying to catch her attention, but she pointedly looked in the other direction. So Kirsty was definitely not talking to me, and it seemed the whole school knew about my blunder.

By lunchtime Kirsty was still ignoring me so I asked Jas if I could come and watch her, Lexie and Nisha rehearsing their mini play on the stage in the hall.

"Of course you can!" said Jas delightedly.

"Thanks," I said, as we headed to the hall. At least I could escape all the funny looks I kept getting.

I sat down on a chair at the back and got out my English books.

As they started to rehearse, it was obvious to see how amazingly they were getting on, and – as I heard another shriek of laughter – how much fun they were having, like they'd been friends for ever. A bit like how me and Jas used to be; only now I was on the outside looking in, just like I was with Kirsty and Eliza, too. I sighed, feeling miserable, and tried to distract myself by concentrating on Kirsty's English homework.

I was so engrossed I didn't even hear Jas coming over. She crept up behind me, then let out a loud scream, almost making me fall off my chair. Lexie and Nisha dissolved into giggles in the far corner of the hall.

"What are you up to, Miss Lovewood? Working away so diligently, I'm sure you're up to something!"

Jas said, mimicking Mr Wood as she grabbed my paper. As she read it her smile faded. "Hang on … why are you writing an interview with yourself? You're not doing Kirsty's homework, are you?"

"I'm just helping a tiny bit," I explained, grabbing my paper back.

"Ellie, this looks like more than just a bit," Jas said crossly. "I don't get it. She's frozen you out over the whole Nellie incident, so why are *you* sitting here sweating over *her* homework?"

I couldn't meet Jas's eye. How could I tell her that I was only doing it because my biggest fear was coming true. That day by day, I was losing my BFF and that I *had* to hang on to my new friendship with Kirsty somehow, even if right now that meant doing her homework.

"Fine, don't tell me, then," Jas sighed. She checked her watch, then turned to Lexie and Nisha, who were looking uncomfortable. "Come on, it's almost time for the bell. We better go."

She picked up her bag and headed out. I quickly got my stuff together as Lexie and Nisha smiled awkwardly, then followed Jas through the door.

Jas was unusually quiet for the rest of the day. In the last lesson, French, I went to put my bag down on the seat next to hers, like normal.

"Are you sure you want to sit here?" she asked. Only this time she had a wry smile on her face and I slumped down gratefully.

"Well, not really, but there's nowhere else so this will have to do," I joked. She whacked my arm and laughed. I hated falling out with Jas – it made me feel all uneven inside. We did a vocab test, then went through our last homework before Miss Dubois finished the Friday lesson in her usual way – getting us to tell her about our weekend plans in French, "just for fun!". I wasn't paying much attention until it got to Lexie's turn. With Miss Dubois's help she said that she'd be going to drama club, to rehearse her play with Nisha and Jas over the weekend. I shifted a bit uncomfortably, feeling left out again. Next up it was Kirsty.

"*Une* sleepover," she said, smiling sweetly to cover up her lack of vocab. Miss Dubois nodded encouragingly.

"*Avec?*" she asked.

"*Avec mon amie,*" Kirsty said.

Miss Dubois said "*Bon, merci,*" then carried on

round the class, but I wasn't listening any more. Kirsty hadn't mentioned the sleepover to me. I guess I shouldn't have been surprised or disappointed after what happened at the diner, but I couldn't help it. As I fiddled with my pen, I started to wonder if I'd been totally dumb to think even for a second that Kirsty really wanted to be friends with me.

On the bus home, Jas talked excitedly about drama club on Saturday.

"Maybe we could do something on Sunday?" I asked hopefully.

"Can't, sorry, Els," Jas explained. "My aunt and uncle are having a surprise birthday party for Mum."

"Sounds good," I said, wishing I had more than just dullsville swimming practice and homework to look forward to. We said goodbye at Jas's gate and I walked round to my house. Just as I reached the front door, my phone barked. I fished it out of my bag, expecting it to be something daft, like "missing you already" from Jas. But it wasn't.

Lili, so much to talk about, Marc-O included –

I need advice! Mum said we can have a sleepover tonight! B here at 7!

I gawped at the message. Me?! Sleepover?! Kirsty's house?! And she has a nickname (a nice one) for me! She said in French that she was inviting an "*amie*", so this is official, I have been forgiven for being a Nellie and I am her publicly declared friend!

As I flew in through the door, Mum came into the hall.

"Someone looks happier today!" she said, giving me a kiss.

"I've just been invited to a sleepover at Kirsty's house," I said in a rush, "and I really, really want to go!"

"That's great," said Mum, laughing at my enthusiasm. "Is Jas going too?"

I shook my head, blushing slightly.

Mum's face took on a quizzical look. "Oh, OK. When is it?"

"Tonight?" I said hopefully. Mum made a face. "It's totally, vitally important for my future happiness at Priory Road! Please, Mum, can I miss swimming?"

Mum looked at me, then she reached over for a hug

to cover up a big sigh. "If it's really that important, I guess it won't hurt to miss swimming just this once."

I could tell that Mum was a bit disappointed, but I didn't have time to worry about that – I had a sleepover to prepare for! I rushed upstairs wondering what to take. I'd only ever had sleepovers with Jas before, giggling and dancing in her tiny bedroom with Lulu wandering in and out, wanting to join in, and Gloria shouting at Josh in the background. I had no idea what a sleepover at Kirsty's would be like.

And I had no idea what clothes to wear either! What would the coolest girl in school wear out of school?! I rummaged through my entire wardrobe, trying to imagine which items Kirsty would approve of. After choosing and discarding most of my clothes, I settled on black leggings, a short glittery purple skirt, with matching glittery T-shirt and tiny glittery handbag. I got changed, packed my overnight bag and raced downstairs. Mum did a bit of a double take at my outfit, but kept any thoughts to herself.

"Ready?" she asked, smiling brightly and picking up her car keys. "Let's get going, then!"

I stopped in my tracks as she headed for the door. "Oh, don't worry, Mum," I said, starting to panic at the thought of Kirsty's reaction to me turning up with my mum, "it's not far, you don't need to take me."

"I'm hardly going to let you wander off to someone's house when I haven't even met them before, am I? Anyway, I can't wait to meet this new friend of yours. Come on, it won't take me long just to say hello. Where does she live?"

I stared at Mum. There was no way I was going to change her mind. "OK, OK, I'll tell you in the car. Let's go!"

I remembered Kirsty's address from when she was drawing detailed maps about how close she lived to Marc-O. As I sat in the car, directing Mum, she chattered away, asking questions about Kirsty, but I was so nervous I could barely speak. Thinking about turning up with Mum didn't exactly help, either – Kirsty was going to think I was so uncool. We pulled into Kirsty's road, which was filled with huge houses, totally different to our crowded street.

"Wow, it's very grand, Ellie!" Mum said, as we cruised along checking the house numbers. We found Kirsty's house and Mum pulled up outside.

"You can just drop me here," I said, as I tottered on my silvery party shoes and almost wobbled into a hedge.

"Ellie, I want to meet Kirsty and her mum," she replied firmly, getting out of the car.

I walked up the drive, trying to calm my nerves. Although I desperately wanted to be part of Kirsty's world outside school, I had to fight my instincts not to turn and run. My stomach made an undignified gurgle as we arrived at the door. I took a deep breath and rang the bell.

"I'll get it," I heard Kirsty call out from inside, then the door burst open and she stood there, smiling widely. Only her radiant smile disappeared when she clocked me and Mum standing on her doorstep.

"Ellie!" she exclaimed, sounding like she'd been caught off guard. She looked past me to the street. "What are you doing here? It's just I'm kind of busy..."

She trailed off and looked at Mum.

"Don't worry, I'm not here for the party," Mum joked cheerfully. "I just wanted to make sure everything's OK for Ellie to stay the night."

Kirsty looked confused.

"For the sleepover, right?" I said uncertainly.

Kirsty wrinkled her button nose.

"You sent me a text," I gabbled desperately, grabbing my phone. I found her message and showed it to her, like it was my golden ticket.

Kirsty read it with a frown, whipped out her phone and swiped a finger across the screen. All the while my face was turning pinker and to make matters worse, I could see that I'd made a big mistake with my clothes. Kirsty was standing there, all understated in jeggings and a lilac slouchy T-shirt.

Suddenly, her frown changed to a sigh. "Oh, right, I see what's happened." She quickly sent another text and attempted a smile. "Well, you're here now, so, um, come on in."

I wasn't quite sure what was going on, but I teetered in anyway, followed by Mum. She tried to catch my eye, but I kept my gaze fixed on Kirsty, avoiding her questioning looks. Inside, the whole house was like a designer show home. Cream carpets, cream walls, cream everything. I couldn't imagine anyone actually living in a house like that!

A woman I guessed to be Kirsty's mum popped her head round the kitchen door. She was tall and

elegant with long straight blonde hair and perfectly manicured nails.

"Oh, I thought Eliza was coming over tonight?" she said, smiling brightly at me, then looking over at Kirsty.

"I've just texted her, she'll be here any second," Kirsty explained. "This is Ellie, from school."

"You didn't tell me you've made a new friend! It's nice to meet you, Ellie; I'm Krystal," said Kirsty's mum. "And you must be Ellie's mum?"

Mum nodded and smiled. "I thought I'd just pop in and say hello as Ellie's staying the night," she explained, smoothing her own hair down a bit.

"Of course!" Krystal smiled.

At that moment the doorbell went and Kirsty flew over to answer it. She squealed as Eliza walked in, wearing almost identical clothes to her.

"Anyway, I'll leave you to it," Mum said slightly uncertainly. Then she added quietly, "Sure you'll be OK, Ellie?"

I nodded.

"Well, have a lovely time. And call us in the morning when you want picking up." She gave me a quick kiss and hurried out of the door. Part of me desperately wanted to rush out after her. But the door clicked shut and she was gone. Eliza looked at me coolly and swept her glossy black hair over one shoulder. "What's with the outfit? Are you in fancy dress?"

I gulped, trying to think of something to say. Everyone was staring at me.

"Oh, what this? Oh, yes, I've, um I've just come from a party actually," I blurted out. "A fancy-dress party. On my way over."

"You must be very popular." Krystal smiled. "We're lucky to have you!" She turned to Eliza and gave her a hug. "And lovely to see you as always, Lili, sweetheart."

Lili? But that was Kirsty's new nickname for *me*, wasn't it...?! As I stood there feeling flustered, everything clicked into place; Eliza – Ellie. Our names must be next to each other in Kirsty's phone. And Lili was Kirsty's nickname for Eliza. I'd been invited to Kirsty's sleepover by *mistake*! I was the complete *opposite* of popular!

As I stood there, blushing furiously, wondering what to do next, Kirsty and Eliza made for the stairs.

"Ellie, are you coming up or what?" Kirsty asked.

"Oh right, course," I replied, trying to sound enthusiastic. But deep down I wanted the ground to

swallow me up. As we headed upstairs I tried to tell myself that this could all work out for the best and that we might even end up an awesome trio of best friends, just like Jas, Lexie and Nisha. All I had to do now was act really cool…

Cringetastic doesn't cover it

Entering Kirsty's bedroom was like stepping into bubblegum-pink heaven. Even her light bulb was tinted pink. She had fluffy fairy lights twisted through the bed head, and the wardrobe had long mirrors down both doors.

She and Eliza flopped down on the bed. I dumped my stuff and stood there, feeling invisible, until Kirsty nodded towards a beanbag in the corner.

"Right," said Kirsty, "we have to focus. I need a plan for getting Marc-O to ask me out. He's just so totally adorable and he probably thinks I'm totally tragic after what happened yesterday."

Eliza and Kirsty both looked at me accusingly.

"I really didn't do it on purpose," I said, feeling the need to defend myself, again.

"Whatever," Eliza shrugged. "Let's talk tactics."

This was my chance to make up for the root beer incident. If I could come up with something, I might just rake back some cool points. But how could I give any advice? Boys were aliens! I needed some help. I looked over – Kirsty and Eliza were both clutching their phones, glancing down at them occasionally. So, maybe they wouldn't think it was weird if I got my phone out too. I reached down into my bag.

Jas – need help, FAST! How do u get boys 2 fancy u?!

My heart thudded as I waited for a reply.

? U fancy a boy?! U CAN'T! LOL

Noooooooooooo! Not me! Just tell me!

Hang on – where are u? And y do u want 2 know anything abt stinkies?!

Please...

Hmm, wot's it worth...?!

"OK," Eliza said, concentrating hard, "what about dropping something in front of him? Then, if he picks it up he *has* to talk to you!"

"Ugh, tried that, but Ed from my class picked it up," Kirsty pouted. "And I definitely don't want to go out with him!"

Eliza and Kirsty made faces of mock horror at the thought of it.

"What about you, Ellie," Eliza, said, giving me an amused look. "What would you do?"

"Well, I..." I began, quickly glancing down at my phone as Jas's reply flashed up. She hadn't even been in the room and she'd saved me, as usual! "...I'd write him a note and sneak it into his blazer pocket."

"A note?!" Kirsty squealed and Eliza burst out laughing. "Ellie, we're not in primary school now."

"Joke!" I said quickly, forcing out a laugh.

"Now is not the time for jokes, Ellie," Kirsty said, suddenly getting serious again. She composed her face, clearly remembering the rule about wrinkles.

"No, course not," I said quietly. I decided it might be better for me to adopt the mysterious look for a while as Kirsty and Eliza carried on the boy talk and hatched their next plan. Kirsty was going to wear make-up to school on Monday, and get Marc-O's attention that way. I thought they were making a big mistake, especially after Eliza's recent detention from Terrifying Townsend.

"I know, why don't we all wear it!" Eliza suggested. "You up for that, Ellie?"

"Um, yeh," I stuttered, noticing Eliza smirk. How could I when I didn't even own any! As I sat there wondering what I was going to do, Eliza and Kirsty carried on chatting excitedly. The more they gossiped about boys, the more I felt like I was sitting in one of Miss Dubois's French lessons – I didn't understand most of what *she* said either. I did try to join in, nodding vigorously or laughing or saying "Ha!" every now and again, but I was normally two beats too late. Pretty soon it felt like they'd forgotten I was even in the room.

Finally Krystal called us down for tea, and we sat at bar stools in the vast kitchen sharing a pizza and drinking Coke. It was soon after we finished eating that I started to feel a bit weird. I'd barely said a word the whole way through dinner, and had glugged down three huge glasses of Coke to have something to do. Now the pizza felt like it was sitting on top of Mount Vesuvius.

As soon as we were back upstairs, Kirsty cranked up the music and the two of them sang along to every song and shimmied round the room, while I danced shyly in the corner. I smiled to myself, thinking of Jas and her wild moves and my stomach gurgled. I desperately wanted to be at Jas's flat, giggling and messing about in my pyjamas.

The song finished; there was a pause, then the next track started and the opening beats to "Free" rang out. This was my chance to shine! It was like I was back in Jas's bedroom, practising the moves. I hopped and spun, pointed and twirled – and, as Kirsty and Eliza stood with their mouths open, I prepared for the last few notes that crashed out, remembering Jas's crazy final move that she'd shown me just the week before. I listened for the beat, leaped up into the air and spun a whole 360 degrees, whipping my hair round as I came to a breathless, unsteady halt. And that's when it happened… I took a huge step to the left to stop myself falling over and…

RIIIIIIIIIIIIIIIIIIIIIIIIIIIIIPPPPPPP!

As I got my balance I stood frozen to the spot in horror! It was the loudest fart I'd ever made. It was the loudest fart I had ever *heard*. And what made it WORSE was that Kirsty and Eliza didn't even giggle, not even a teeny bit! If I'd been with Jas, she'd have been rolling round the floor, crying with laughter. But Kirsty and Eliza made it clear that I had broken EVERY unspoken Rule of Cool! I'm sure they thought I'd done it on purpose as another one of my "jokes". Anyway, it kind of put an end to the evening and we went to bed soon after. Eliza doubled up with Kirsty in her bed, while Krystal found me a sleeping bag. I was too far away to join in their whispers, and lay there, wide awake, feeling more miserable than ever.

The next morning, I couldn't wait to get home the second I woke up. I texted Dad to ask if he'd come and pick me up, and hurriedly got dressed in my scratchy party clothes, which seemed even more ridiculous now than they had the evening before. Kirsty and Eliza stirred just as I was shoving my stuff into my bag.

"You're off early," Kirsty said, stretching.

"Um, I've got to visit my grandma this morning," I lied.

"Uh, dullsville," Eliza yawned, flumping back down on her pillow. As they started to chat, I sneaked downstairs. Kirsty's mum was already up, and seemed surprised by my early exit.

"Are you sure you don't want some breakfast before you go?" she asked.

"Thanks, but Dad's on his way," I said, hurrying towards the door. I tottered off on my uncomfy heels and had just got to the end of Kirsty's road when Dad's car came into view. As I jumped into the passenger seat I felt tears prick my eyes.

"Good time?"

I nodded, and forced a smile on to my face. "I didn't get much sleep, though. I think I'll be going straight back to bed when we get home."

Mum could clearly sense something wasn't right as soon as she saw me. She gave me a searching look, but I kept quiet and rushed upstairs. I jumped into bed and lay back against my pillow. I so wanted to tell Jas how awful the sleepover had been, then we could've laughed about it instead of me feeling so terrible.

I reached for my phone and called her number.

"Hey, Ellie," Jas answered brightly, "you OK? And what were you up to yesterday evening – wanting to know about boys?"

"Oh, don't ask," I groaned. "I was at a sleepover with Kirsty – it was awful."

"A sleepover? You didn't tell me," said Jas, sounding hurt.

"It was very last minute," I said, desperate to tell her all about it. "In fact, I wasn't even supposed to be there. Anyway, I … I just wondered if we could meet up?" I asked hopefully.

"I can't, Els," Jas said, sounding a bit brisk. "Saturday morning equals drama club; we've got extra rehearsals to get ready for the performance, remember?"

Of course, I'd forgotten. "How about after? We could grab a shake at the diner?"

"Um, me, Lexie and Nisha are heading into town afterwards," Jas said. "Lexie's got this mad plan for us, not that she's told us what it is yet. But listen, why don't you meet us there? It'll be fun!"

"Oh, no, that's OK," I said quickly. Right now I wanted it to be just us, the way it used to be. The line was quiet for a second.

"Well, up to you," Jas said. "Call me if you change your mind."

I turned off my phone and lay back again, feeling more alone than ever. My bedroom door pushed open slightly and a few moments later there was a thump as Crumble landed next to me, purring loudly.

"Oh, Crumble," I whispered, stroking his soft tabby face. "When did life get so complicated?"

I bit my lip as it started to wobble. Suddenly, the tears began to fall and, this time, I didn't try to stop them.

My make-up disaster and a bust-up like no other...

I didn't really want to go to school on Monday morning. My plan for how to be popular and confident and keep Jas as my BFF had totally backfired and now my ideas for being cool had come unstuck in spectacular fashion, too.

"I don't feel very well," I told Dad, as he came into my bedroom and drew the curtains, hoping he might let me stay under the duvet all day. No such luck.

"What's up?" he asked, putting his hand against my forehead.

"I've got a bit of a headache," I lied. "And a sore throat and a tummy ache."

Dad made a face. "You look fine to me," he said, ruffling my hair. "Come on, up and at 'em."

I sighed, then crawled out of bed and shuffled to the bathroom. As I stared at my puffy face in the mirror I caught sight of Mum's make-up heaped on the shelf. Then I had a thought – there was one way that I might still be able to bring my friendship with Kirsty back from the brink... My heart raced as I grabbed the mascara and a small mirror and shoved them in my pyjama pocket.

As I got to Jas's she came flying out of the front door.

"You're late. Come on, we better run," she said, grabbing my arm.

The bus was already at the stop as we dashed round the corner. Josh was holding the doors open, frantically waving to us. He shook his head as we jumped on board. "Don't make me do that again," he grunted.

It was so packed inside that we had to stand. People kept shoving past us, so we didn't get much of a chance to catch up, but it was obvious Jas had something on her mind. She kept looking like she was about to speak, then thinking better of it. As we got off, she turned to me anxiously.

"Did you see *X Factor*?" I gabbled quickly, trying to steer off whatever subject Jas had been about to bring up. I had a horrible feeling that it might be about how much fun she'd had with Lexie and Nisha. What if they'd made some kind of big decision about our friendship? What if Jas officially wanted to dump me as her BFF? If she did, I didn't want to hear, not on top of everything else.

"What? Oh, yeah. But listen, Ellie, there's something I have to tell you."

"Um, could it wait till registration?" I asked, my heart thudding. "I've just got to nip to the loo. See you up there."

"Oh, right," Jas said, biting her lip.

I made my way through the throng to the toilets, then locked myself inside one of the cubicles and pulled out the mascara and the mirror. I hadn't been sure about going through with this, but if Jas was about to drop the bombshell about wanting to be Lexie and Nisha's best friend, I had to do something major to stop Kirsty ditching me, too. Only I'd *never* put make-up on before and the half-light of the loos wasn't exactly helping. After prodding myself in the eye a couple of times I checked the results. It was a bit heavier on one eye than the other, and a bit gloopy, but it was on. I felt a tight knot in my stomach as I lugged my bag up to 1F and walked into the chattering room.

"Bit breezy this weekend, wasn't it, Woodworm?" Ed smirked. I didn't have a clue what he was on about, so I ignored him, putting my hand up to my fringe as I sat next to Jas.

"Listen, Ellie," Jas began, as Miss Dubois came in with a cheery smile. She craned her head to look at me. "OMG – you're wearing MAKE-UP!"

Miss Dubois started with the register. I kept my head down, but I could hear people whispering and I caught my name. I glanced up and noticed Trin and Molly with their heads together. Behind them Zac and Ed were smirking, and even Ajay and Travis kept looking over. The only person who wasn't looking round was Kirsty.

"Right, can everyone settle down," Miss Dubois called out, noticing the general unrest, which seemed – unless I was seriously mistaken – to revolve round me.

"What's going on?" I asked Jas, as the bell buzzed and everyone started to move.

"More to the point, what's going on with your face?" Jas asked. "We've got PE next, with Terrifying

Townsend, and it's swimming."

I froze. "I completely forgot! I mean, I didn't, I've got my kit," I said desperately, as we bundled out of the classroom and headed towards the changing rooms. "I just didn't put two and two together. We were all going to wear it today."

"Who's we?" Jas frowned.

"Me, Kirsty and Eliza," I said weakly. Kirsty turned as she heard her name. That's when I noticed – she wasn't wearing a scrap of make-up. "Hang on," I asked her, "what about our pact?"

"I remembered we had swimming," she said simply, making a face as she clocked my attempts at putting on mascara.

"You could have told me!" I said urgently.

"I thought you'd have realized," she replied. "Anyway as long as it's waterproof, it won't run."

With that she strolled off, wrinkling her nose in a sympathetic smile. I turned to Jas. "What do I do?" Jas looked furious. "Look, I know it was stupid, Jas, but please, will you help?"

"OK, OK. Right, is it waterproof?"

"I don't know!"

"Well, try and rub it," Jas said, as we ran to the

mirror in the changing rooms. She grabbed a damp tissue, but as she dabbed at it, the thick black gloop didn't budge.

"Come on, everyone, get going!"

It was Terrifying Townsend. "What am I going to do?" I said, panicking.

"Hang on," Jas whispered, slapping her head, "goggles!"

"Jas, you're a genius!" I said, almost laughing with relief as we hurriedly got changed. I grabbed my goggles, but as I pulled them on there was a loud snap. I held them out in front of me. The rubber strap had broken!

"I guess you'll just have to hope it *is* waterproof," Jas groaned, as I chucked the goggles back in my bag and we jogged to the poolside. Being a member of a club outside school meant that Terrifying Townsend kept a close eye on me. Even so, I managed to avoid her by keeping my face in the water and breathing on the side she wasn't on. Until it got to backstroke. Then there was nowhere to hide. I held my breath as Terrifying Townsend stalked along the edge of the pool. She fell in sync with my strokes. I saw her frown, then her eyebrows shot up in horror.

"ELLIE LOVEWOOD GET OUT OF THE POOL! NOW!"

I gulped, twisting over on to my front. I swam to the ladder in the far corner and climbed out.

"What do you think you're playing at, wearing make-up to school?!" Terrifying Townsend roared. My face blazed red. I could feel the weight of everyone staring at me from around the pool. "Detention, my office, lunchtime! Now, go and get that muck off your face."

As I rushed into the empty changing rooms, I caught sight of my face in the mirror. I looked like a panda! The mascara had run in big black smudges under both my eyes. As I stood there, welling up, I heard the others start to come back. I ran into one of the toilets and locked the door, trying to swallow back the tears. As the changing room got noisier, I heard Jas's concerned voice, then there was a gentle tap at the door. I opened it up. Jas was standing there, flanked by Lexie and Nisha.

"Those tears aren't helping the make-up situation," Lexie said, trying to smile. Nisha passed me a tissue.

"Thanks," I sniffed, without looking up. I noticed Jas usher the others away and close the door behind them.

"Listen, Ellie, the thing I wanted to tell you earlier," Jas said awkwardly. I sighed. I couldn't stall this any longer and my day couldn't get any worse. "It's just that Josh is in the football team, with Kieran, Kirsty's brother."

I looked up, puzzled. This wasn't what I was expecting to hear. What did Kieran and Josh have to do with anything?

"And, well, apparently Josh heard Kieran saying that Kirsty's master plan for bagging herself a new iPhone was going really well," Jas explained, "and that she's palled up with the cleverest people in each class, so that she can get good marks. Apparently, her parents have agreed to buy her the new phone as a reward if she makes a good start this term. I didn't want to be the one to tell you, but that's why she's being so friendly."

I looked at Jas in disbelief, feeling my face burn. "Is it really that impossible to think that someone might *actually* like me for who I am?"

"I didn't mean it like that, Ellie..."

"Well, what *did* you mean?" I said, suddenly feeling cross and hurt. So it was fine for Jas to go off and make new friends, but she didn't want me to

make one, especially when it was the coolest girl in the class. Suddenly, all the upset and trauma of the last couple of weeks boiled over. "And anyway, Kirsty's been a much better friend than you have since we started at Priory."

Jas gasped and I could tell by the look on her face that I'd overstepped the mark. But right now I didn't care and I stared at her defiantly.

"You know what, Ellie?" Jas said, her voice wobbling. "I don't feel like I even know you any more; you've stopped wanting to have fun or hang out."

"Me?" I stuttered. How could Jas turn this round to being *my* fault?!

"Yes, you," Jas said. "And if you can't see Kirsty for what she really is, you're welcome to her."

She stood up and walked out. As I watched her go I bit my lip and took a big shaky breath, but the tears tumbled down my cheeks again. We'd never fallen out like this before, and I didn't know what to do. As I sat in the loo with the last echoey voices leaving the changing room, I had never felt so alone.

The rest of the day was awful. At breaktime, Jas hung out with Lexie and Nisha, and Kirsty seemed to have disappeared off the face of the earth. At least at lunchtime I had somewhere to go. I sat out the detention and had to listen while Terrifying Townsend spoke to Mum on the phone. I hadn't told Mum and Dad about the other two detentions, and I could just about hear the shock down the other end of the phone when Terrifying Townsend brought them up. I sat there panicking, wondering what Mum would say when I got home. The afternoon dragged endlessly and when the final bell went, I hurried to the bus stop. I couldn't wait to get away from school, but at the same time, I wasn't exactly looking forward to going home, either.

Thankfully, Jas was nowhere to be seen. I got on the bus and sat looking out of the window, trying to hold back my tears. I was still fighting them as I hopped off at my stop and walked slowly home. But when I opened the door and saw Mum's worried face I couldn't hold them in any longer.

"Oh, Ellie," she said, giving me the biggest hug ever. "Whatever's been going on?"

I trailed into the kitchen and slumped into a chair.

"What's this about make-up and messing about

with notes and phones in class?" Mum asked, as she boiled the kettle and spooned drinking chocolate into a mug. I sniffed, sitting with my head in both hands. "Three detentions in as many weeks – this isn't like you! Is it anything to do with this new friend of yours?"

I shook my head and sniffed as Crumble jumped on to my lap.

"What does Jas think about it all?" Mum continued, putting a mug of hot chocolate in front of me. "I bumped into Gloria today and we were both saying how you don't seem to be spending so much time together any more. Have you fallen out?"

I nodded and warm, fat tears rolled down my cheeks again. Mum sighed and gave me a hug.

"What's happened?"

"I don't know, it's like we haven't got anything in common any more," I sniffed.

I didn't look Mum in the eye. Deep down, I knew I wasn't being truthful. Me and Jas would always have more in common than me and Kirsty ever could. I'd tried to be cool like Kirsty, but it just wasn't me. And life with Kirsty was a lot less fun than hanging out with Jas. The only time I giggled now was when there were Year Nine boys around and that wasn't real anyway.

"I think I'll go and curl up for a bit," I said, picking up my hot chocolate with one hand and scooping up Crumble with the other.

"Well, OK," Mum said, her face filled with concern, "but perhaps you should phone Jas and see if you can put things right. It's not like you two to fall out like this."

I nodded in a non-committal way. "Maybe," I said, although right now I didn't think Jas would even answer a call if she saw my name flash up on her phone.

I climbed the stairs to my room and snuggled under my duvet with Crumble. I put my phone next to my bed, just in case Jas texted. I knew Mum was right – I should try to apologize. But each time I picked up my phone to text Jas, I couldn't think what to say. Jas had every right to be cross with me – I shouldn't have said what I did. But I was mad at her for saying that the one friendship I'd worked so hard at was totally fake. It made me feel like an invisible wallflower all over again. And I was upset about the detention and about Kirsty not warning me that she wasn't going to wear make-up after all. I guess I was really hurt about everything and I lashed out at the one person who was there. The one person who was always there – Jas.

The stupid thing was, I'd been so scared about losing her as my BFF that I'd ended up pushing her away. And now my worst fear had come true.

16

I get thrown another lifeline

The next couple of weeks were miserable. Sometimes Jas would get a different bus to me in the morning; sometimes we'd be on the same one but Jas would act like I was invisible, while Josh shook his head at us both. School wasn't any better. Jas sat with Zophia in most of the classes, leaving me to sit on my own. Everyone was talking about us falling out, and Jas sitting with someone else made it all official, somehow. I must've looked pretty miserable, because even Ed stopped all his usual loudmouth comments.

That isn't to say he stopped entirely – he still messed about with Zac and Lexie in art and geography, but

I noticed that Jas didn't join in. In fact, she looked as down as I did. She caught me glancing over a couple of times, but we both just looked away quickly. I still sat with Kirsty in English, but all she wanted to talk about were her latest crushes. Every time I brought up the homework I was writing for her, she just glazed over.

When it came to break or lunch, Kirsty always seemed to have somewhere else to be, so I ended up hanging around in the library most days. Trin, Molly and Tabby persuaded me to go along to the reading club with them, and they went out of their way to be friendly, but every day felt like a struggle.

Somehow I made it to the end of week five. That meant there was just one more to get through before it was half term. It'd been almost two weeks since we'd had the fight and it was obvious that Jas didn't want to be my friend any more. Even so, I'd stayed behind after school on Tuesday to watch her performance with the drama club. I knew how much it meant to her and I didn't want to miss it. As I made my way to the hall I pulled out my phone and, with trembling fingers, sent Jas a text.

Good luck J, E x

I stared at the phone, willing it to bark at me, but it stayed stubbornly silent. I crept into the hall and found a seat at the back just as the curtain came up. The atmosphere was electric and it was easy to see why Jas wanted to be a part of it. She was third out with Lexie and Nisha. Their mini play was about three witches magicking up all sorts of trouble, ready for Halloween. It was really funny and clever and everyone loved it. I jumped up and whooped when they took their bow. Lexie nudged Jas as Nisha waved to me, grinning. Jas did a double take, but she just carried on bowing.

The weekend came and went, filled with swimming and homework and watching telly with Crumble. Mum and Dad both tried to persuade me to ring Jas and make up, but I just couldn't – what if she didn't want to hear my apology? What if she hung up on me? I couldn't bear to think about it. And I was dreading the geography field trip on Wednesday – originally Jas had talked about pairing up with Lexie and Nisha, but

that was a lifetime ago. Molly and Trin had felt bad about leaving me out of their group, but they'd agreed to pair up with Sam and Maisie from the start. I'd finally plucked up the courage to ask Kirsty about being in the same team during English on Friday and had been relieved when she'd agreed.

"And we'll save each other seats on the coach, right?" I'd said, feeling self-conscious with Jas sitting in the desk just in front. "Whoever gets there first."

"Course," she said. Then she'd reminded me about the English project.

"It's due in on Thursday," she said, wrinkling her nose sweetly, "so I guess if you bring it with you, that gives me an evening to copy it out."

I'd smiled at her, just as Jas had looked round. I felt myself glow pink.

It was weird waiting for the bus in my own clothes on Wednesday morning – I'd taken ages deciding what to wear and had finally settled on jeans, Converse, and my purple jacket with the furry hood. And Mum had bought me the purple bag that I'd had my eye on for ages – I think she'd been trying to cheer me up. It was pretty small, but I was determined to use it for the field trip rather than lug around my boring old black one, even if it was hard fitting everything in.

The bus pulled round the corner and I jumped on, checking my watch – I was going to be late. I should have caught the one before because we were supposed to be at school ten minutes early, but I'd wanted to avoid Jas. The bus took for ever, and as the doors finally opened outside Priory Road I flew down the steps and ran towards the coach that was waiting by the school gates. I jumped on board, puffing and pink-cheeked and stood in the aisle looking for Kirsty.

Then I saw her, sitting with Ajay, turning her mega-watt smile on him. He looked a bit trapped, squashed up against the window. As I stood there stupidly, not knowing what to do, Terrifying Townsend, who was accompanying Wiggy, leaped on to the bus. She was carrying a plastic bag.

"Spare kit," she announced, "from the PE cupboard. You are NOT to venture into the sea today, but I've brought it anyway, just in case anyone is stupid enough to fall in."

"Ugh, the crusty kit!" Ed shouted from the back.

"There's no way I'd be seen dead in it!" I heard

Kirsty say, giggling at Ajay.

I hurried up the aisle and turned to Kirsty. "I thought you were going to save me a seat?" I whispered urgently. "We're still in the same team, though, aren't we?"

"Oh, sorry, Ellie," Kirsty replied as Ajay looked a bit embarrassed. "But Ajay needed another member for his team, so I've joined him, Zofia and Travis. You don't mind, do you?"

"We *were* going to be a team of three," Ajay said, looking at me a bit desperately. "If you two do want to be together, I mean."

"No, Ellie's fine about it," Kirsty replied. "Aren't you?"

Like I had any choice! I slumped into a free seat on my own and stared out of the window. Ajay was top of the class in geography and science. Me? It was one of my worst subjects. I blushed as it dawned on me that Jas had been telling the truth. Kirsty had never wanted to be my friend, she'd been using me to get top marks so she could get her hands on the latest iPhone! Jas had seen straight through her and she'd tried to warn me, but I'd been too caught up in things to listen. And I'd totally blown our friendship over it.

As the coach set off, Wiggy stood at the front instructing us in our task for the day. As he droned on

I fely my throat tighten. I bit my lip, but it was too late. Warm tears welled up and tumbled down my face.

"Right, is everyone in teams? Good!" Wiggy said, as we all piled off the coach. "

We stood in the sand-blown car park by the dunes. It was windy and I'd pulled up my hood, to hide my puffy eyes. The sea roared in the distance and seagulls cried overhead.

As Wiggy was about to turn away, I mumbled quietly, "I … I haven't got a team."

"You haven't?" said Wiggy, sounding flustered as Ed began to chase a gull on to the beach. "But … well, you should have!"

I stared at the ground, certain everyone was looking at me. I just wished I could go home and hide under my duvet. Then I heard a voice pipe up.

"We've got a space in our team."

I looked up and saw Nisha and Lexie grinning at me. But it was Jas that had spoken. She gave me a small smile. And I smiled back.

Me and Jas TALK and wind causes a problem (again!)

Everyone trooped along the sandy boardwalk through the gap in the dunes to the small, curved bay. Wiggy divided it into sections and we headed off up the beach to the very end. We were next to Ajay's team and as we trudged by I noticed Kirsty standing around checking her phone as the other three began to organize themselves. Kirsty looked up as I walked past.

"I'm glad you found someone to team up with, Ellie," she said, smiling. "I knew it would work out."

"No thanks to you," I heard Jas mutter under her breath. I glanced up at Jas, but she looked away.

"I know," Nisha said, as we reached our section,

"why don't me and Lexie start from the far end of our marker, and work inwards, and you two start here. Then we can meet in the middle!"

"Perfect!" Lexie agreed, and she and Nisha raced off, glancing over their shoulders at me and Jas, as we stood buffeted by the wind, not knowing how to bridge the huge gulf that had grown between us.

"Your play was brilliant," I started.

"Thanks," Jas said in a bit of a rush, "and thanks for coming, too."

Then we both started to talk at the same time. "You first," Jas smiled.

"I ... I just wanted to say sorry," I said, scuffing the pebbles with my trainer, my voice wobbling, "for being such an idiot this term."

Jas raised her eyebrows as we walked slowly against the swirling wind towards Lexie and Nisha. I took a deep breath of salty sea air. "I ... I had so many worries about starting at Priory Road, but my biggest fear was that you'd suddenly realize I was a nobody when we got there. I was really scared that you'd make new friends who were as much fun as you."

Jas frowned.

I carried on miserably. "So I tried to become

someone who I thought you'd want to hang around with – someone who could make you laugh, come up with mad plans and not be afraid to join you on stage. But you know what? It's really hard trying to be someone you're not. Everything went wrong and my fear came true – you made friends with Lexie and Nisha and I felt that I was being pushed out. So I tried being friends with the only person who showed any interest."

"Kirsty," Jas said, looking at the sand and not giving much away.

I nodded. "I've made a total mess of everything," I said, my voice cracking. Jas looked up, her hair bobbing in the wind. Her eyes were as shiny as mine.

"No, you haven't," she said reassuringly. "But you really didn't need to change in the first place, you know. You're the BEST best friend anyone could ever have."

It suddenly felt as if a huge weight had been lifted off my shoulders. "Really?" I said, almost laughing with relief. "Even after how awful I've been?"

Jas grinned. "Really! And Kirsty's an idiot for not seeing it. I was so cross that she took advantage of how kind you are, getting you to do her homework like that," she sighed. Then she looked a bit sheepish. "And you know what, if we're being honest, I was pretty upset about you hanging out with her. I was scared you'd outgrown me and my goofiness, and wanted to ditch me for someone more sophisticated."

I stopped and looked at Jas. I'd had no idea that she was scared of *anything*, especially not of losing me!

Jas carried on. "That's why I started hanging around with Lexie and Nisha more and more," she explained, glancing up at me a bit guiltily. "And ... well, I did get a bit obsessed with the mini play. I'm sorry, Ellie, I really didn't mean to make you feel like a nobody."

I shook my head. "I guess we've both been idiots."

"Totally!" Jas said, taking a deep breath. "Forgiven?"

"Forgiven!" I beamed. Jas looked relieved. Suddenly her face cracked into a huge smile. "Anyway, you are *so* far from a nobody!" she half sniffed, half laughed. "You've made a HUGE impression this term!"

I looked up at her. "Really?"

"Er, yes!" Jas laughed. "Maybe not the impression you might have been going for, but still..." Suddenly she looked serious. "Did you know that Kirsty spread it round school about you spraying Marc-O with root

beer? And, well, she texted a few people about what happened at the sleepover, too, and it got round pretty quickly. About you thinking you'd been invited and, you know, the farting incident…"

I blushed scarlet. "She *didn't*!" I gasped. "Is that why everyone was whispering about me the Monday after the sleepover?"

Jas nodded. "Ed started calling you Woodwind," she said. "That's what everyone was talking about that day. I did stick up for you, but you know what he's like, he didn't listen."

I cringed. "I can't believe Kirsty did that! Woodwind?! Are you serious? I didn't think that nickname could get *any* worse!"

Suddenly, I caught the twinkle in Jas's eye and I started to smile. Jas began to giggle and before we knew it we were both in hysterics. After a minute I wiped my eyes and looked down at the sand.

"I'd so love everything to go back to the way it used to be," I said quietly.

"Me, too," Jas said, smiling. We linked arms. I'd missed my BFF so much! Hopefully now everything would get back to normal. We raced up to Lexie and Nisha.

"Guess what?" Jas beamed, as we stopped beside them, breathless.

"Er, you've made up?" Lexie laughed. "We had kind of noticed!"

"Yay!" Nisha cheered.

Suddenly I noticed their filled-in notebooks. "Oh no! We've been so busy talking, we forgot to look at any rocks!" I gasped.

"I've got an idea!" said Lexie, her face lighting up. "Examining rocks on the beach is as dull as Wiggy, right? So why don't we make it more fun and check out what we can find in the *sea*! Come on, let's take off our shoes and socks. We only need to paddle at the shoreline!"

I looked a bit nervous. "Are you sure that's a good idea? I don't want to be a party pooper, but I can't get into any trouble today."

"Who said anything about getting into trouble?" Lexie asked, struggling with her boot. She glanced up the beach. "Wiggy and Terrifying Townsend are miles away, they won't even see us. Anyway, what's the worst that could happen?"

"Er, I could get another detention and then Mr Wood might permanently exclude me!"

"Don't worry, if there's any trouble to be got into," Lexie smiled, "we'll get into it together!"

For the first time in ages I felt part of a team, and suddenly getting into trouble didn't seem to matter so much.

"Oh well," I giggled, as Jas and Nisha hurriedly took off their trainers. "Here goes nothing!"

I yanked off my trainers, then my socks, feeling the cold sand squidge between my toes. I unzipped my bag and took out my notebook to try and find space for my socks. Suddenly a gust of wind whipped up. It caught the loose pieces of paper, chock full of my neatest writing, and launched them into the air.

"Oh no!" I squeaked. "My homework!"

I chased after the sheets, hopping over the pebbles in my bare feet, as they cartwheeled along the beach, perilously close to the frothy sea. There was one last chance to save them from sinking into the water.

"Kirsty!" I shouted, running towards her. "Grab that paper!"

Kirsty wrinkled her nose (*not* in a pleased way) and didn't budge. I should have realized, she was way too cool to run. I watched helplessly as the sheets drifted over the water, then dropped into the sea. I slid to a breathless halt next to Kirsty, who was looking on, uninterested.

"So, what was on that paper that was so precious anyway?" she asked.

I stood, puffing and staring at the pages as they sat on top of the waves. "It's your English homework..."

Kirsty gasped. "Are you kidding me? Go after it!" she yelled. "Quick!"

I looked back at her, amazed. For half a second I almost did what she said. Then Jas, Lexie and Nisha caught up with me. "I mean it, Ellie," she fumed. "Either you fish that out now, or you redo it tonight. It's totally your fault!"

"Er, hello – you should never have got Ellie to do your homework in the first place," said Jas.

"It's called *cheating*, Kirsty," Nisha said, shaking her head.

"So there's no way she'll be redoing it," Lexie added.

I looked round – it was obvious why Jas was friends with Lexie and Nisha – they were loyally sticking by me already. I smiled gratefully at them as Jas linked my arm. Kirsty turned back to me and raised one eyebrow, giving me a "who's your real friend" look. But with Jas

standing by my side and Lexie and Nisha right there, too, I didn't hesitate.

"You know, if you'd listened even once when I tried to talk to you about this project," I said, my cheeks glowing pink, "then you'd be able to rewrite it without any problems anyway."

Jas grinned at me proudly and Kirsty nearly exploded. She turned towards the sea and rushed to the edge of the waves. She teetered forward, trying desperately to scoop up the sodden pages, which were just beyond her reach. She took one more step, tripped on a submerged stone that was half buried in the sand, and stumbled, head first, into the sea with a splash. She struggled to her feet, spluttering, her hair plastered to her face.

"*What* is going on here?"

We all turned round to see Wiggy standing there, looking bemused.

Kirsty glared at me and Jas, shivering, but she didn't say anything. How could she, unless she confessed that she'd got me to do her entire English project?

"No explanation?" Wiggy said. A firm look came into his eye. "Then you leave me no choice but to dock fifteen per cent from your mark for messing about."

Kirsty gasped. What with this and the sunken English homework, her new phone was looking seriously remote! The next second Terrifying Townsend marched up, carrying a plastic bag. "Spare kit," she announced, thrusting it at Kirsty. She leaned in. "Is that ... make-up? DETENTION! My office. Tomorrow lunchtime."

Me and Jas exchanged a look – finally Kirsty had her comeuppance!

"Should've gone for waterproof," Jas muttered, as Kirsty stomped off in a huff.

"Come on," Lexie cried, baggsying the back seat.

Jas, Nisha and me piled on to the coach and raced up the aisle after Lexie, giggling.

I sat next to Jas and tried to catch my breath. She squeezed my arm, then held out her little finger. I took it with mine.

"Best friends?" she whispered.

"For ever," I beamed, bursting with happiness. I'd been at rock bottom when the trip started; now I couldn't stop grinning. I had my BFF back and had made two fab new friends, too. And I reckoned that

with Jas, Lexie and Nisha by my side, life at Priory Road wouldn't be so bad after all!

Kirsty sat on her own near the front. As the coach pulled out of the car park, Ed suddenly cried out.

"Crusty Kirsty!" A ripple of giggles passed through the coach like a Mexican wave. Even Wiggy and Terrifying Townsend shared a smile. Only one person didn't see the funny side. Hmmm, I wonder who *that* could've been...?

Take a sneaky peak at the next BFFs book!

Out now!

1

Ghoulish goings-on at Lexie's Halloween Party

"You two look a bit green – are you sure you're feeling okay?" Dad joked, as we drove through town on our way to Lexie's Halloween sleepover. He glanced in the rear view mirror at Jas, and shook his head with a wry smile.

Jas adjusted her pointy black hat and gave him her best witchy grin. "Watch out Mr Lovewood, or I might turn you into a frog!"

"Yeah, an ugly, green, warty one!" I giggled.

Jas and I were the mirror image of each other. We'd gone into town the day before to buy Halloween make-up kits and now we were dressed as identical witches – stripy green-and-black tights, black dresses with floaty sleeves, green faces and pointy hats.

Dad slowed down and took the next left turn, his headlights illuminating the mizzling rain.

"Brownlow Road. We're here!" Jas said excitedly, peering out of the window.

I nodded, but inside I felt a tiny bit nervous. Jas had made friends with Lexie and Nisha during the first half-term at our new secondary school, Priory Road, after me and Jas had fallen out big time. The three of them had hung out loads while we weren't talking, so she knew them much better than I did. Besides, the only other sleepover I'd been to, apart from ones at Jas's, had been at Kirsty's – the most uber-cool girl in our class – and the whole thing had been a total nightmare from start to finish.

"Look, number fifty-seven – that's Lexie's house!" said Jas.

Dad pulled up in front of a slightly ramshackle terraced house. As soon as he switched off the engine, Jas flung open her door and leaped out, grabbing her overnight bag. She pulled open the garden gate and raced up the path, almost tripping over in her mum's black pointy shoes, which she'd stuffed full of

newspaper to make them fit. I hung back a bit, clutching my bag, suddenly feeling a bit of an outsider.

Jas rang the doorbell then turned round to chivvy me along – and noticed the look on my face.

"Come on, Ellie," said Jas, doubling back and linking her arm through mine. "You'll be fine," she encouraged, reading my mind as usual. "You know what great fun Lexie and Nisha are."

"I know," I replied, trying to calm my nerves. "I'm looking forward to getting to know them a bit better."

Suddenly we heard lots of barking from inside the house. The next second the red front door was pulled open and two huge chocolate Labradors barged past Lexie and bounded towards us, wagging their tails and leaping up to say hello.

"Eeeurgh!" Jas squealed. I giggled as their raspy tongues tickled my hands.

"Smarty! Jinx! Down!" Lexie called out, grabbing their collars and leading them back into the house. "Hi, guys! Come on in. Happy Halloween!"

"You too!" said Jas. "*Wizard* outfit!"

Lexie was wearing a long black cape decorated with shiny silver stars and moons and a matching pointy hat. A long flowing white wig covered her usually scruffy pony tail and she was holding a wand.

I smiled. "You look a bit like Wiggy!"

We giggled, thinking of our geography teacher, Mr Wigglesworth, with his slightly wonky grey hair.

We followed Lexie into the hallway. Two muddy bikes leaned against the wall on one side, whilst on the other a vast collection of shoes and trainers were piled up below an overflowing coat rack. Nisha appeared from the kitchen, her long glossy black hair pulled back into a sleek pony tail.

"Wow! Your outfit is amazing!" Jas beamed, admiring Nisha's all-in-one black catsuit which had the bones of a skeleton painted in white on it.

"The bones glow in the dark, too," Nisha explained shyly. "I painted them on myself!"

"Cool!" I said, seriously impressed. As we patted and stroked the dogs, a tall woman dressed in jeans and a hoody appeared in the hallway. She had the same bright blue eyes and messy hair as Lexie.

"Lexie, the dogs are supposed to stay in the kitchen," she said, shooing them inside and shutting the door. "Sorry about that. You must be Jas and Ellie," she said, smiling. Jas beamed and I nodded. "And you must be Ellie's Dad."

"Guilty," Dad laughed.

Lexie grabbed my arm. "Come on, let's leave the oldies to it. You've got to come and see my treehouse!"

"Hang on," Mrs Jones said firmly. "Bags upstairs first, please. This house is enough of a muddle already without more clutter in the hallway!"

Lexie groaned, then led the way upstairs. Her room was at the end of a wide, uncarpeted landing, with bare walls except for tiny patches of colour dotted here and there.

"Dad's been decorating this house since we moved in three years ago," Lexie explained, as she shoved her door open to reveal a large, square room with bold blue walls. The wardrobe in the corner was crammed with clothes, which were spilling out of it. There was a big bed along one wall, with magazines and boot-slippers poking out from underneath; beside it was a haphazard row of blow-up beds topped with duvets and pillows.

"It's not normally this neat," Lexie said, looking round disapprovingly, "Mum made me tidy up in your honour."

"Home from home!" Jas beamed, dumping her bag on the floor and joining Nisha and Lexie at the window to check out the treehouse.

"Wow!" said Jas. "Come and see, Ellie!"

I put down my bag and hurried over. It was dark outside, but on one side of the garden, framed with fairy lights was a huge round-turreted treehouse. It wasn't actually in a tree but was sat on a platform about two metres from the ground. I could just make out a ladder at the front. At the back of the garden, flames from a bonfire licked the night sky.

"It's magical!" I breathed. "I think I'd like to live there."

"Not at this time of year you wouldn't," Lexie joked. "It gets freezing, as you'll soon see for yourself."

At that moment the front door bell chimed and we heard the dogs barking excitedly. "That'll be Dad and Luke, they've been at football practice," Lexie said. "To the treehouse, quick!"